大人の教養

面白いほどわかる

世界史

平尾雅規
河合塾講師

＊この本には「赤色チェックシート」がついています。

はじめに

本書は，拙著『大学入学共通テスト　世界史Ｂの点数が面白いほどとれる本』を「大人の教養」向けに再編・改訂したものです。そのコンセプトは以下の通りとなります。

1．用語よりも，歴史における「意義や重要性」を強調する

授業中に，私が受講生に毎回伝えているフレーズがあります。それは「**この用語がなぜ大切なのか，歴史において果たした役割や重要性を常に考えるクセをつけること！**」。歴史的な意義や重要性に注目できれば，**世界史に対する関心が生まれ，用語を生きた知識として身につけることができる**からです。一方，プライベートな会話で「私が予備校で世界史を教えている」という話題になると，相手からは「学生の頃は世界史のテストが苦痛だったけど，大人になってから世界史に関心が湧いてきたんですよ」とか，「高校では世界史に触れたことがないけど，興味あるんですよね」という言葉がけっこうな頻度で出てきます。これは「歴史用語の意義や重要性に意識が向かっている表れなのかも。嬉しい…」と，勝手に内心思っています（笑）。

「なぜ学生の時には意義や重要性に目が行かないのか？」を考えてみると，理由の一つとして定期テストや大学入試における出題のあり方が浮かび上がってきます。下の問いを，例として扱ってみましょう。

①1804年にフランス皇帝となった[A]は，ヨーロッパ中に自由主義・国民主義を広めた。 ②1804年にフランス皇帝となったナポレオンは，[B]。

[A]の正解は**ナポレオン（1世）**で，[B]の正解例は**ヨーロッパ中に自由主義・国民主義を広めた**，です。ここで[Ｂヨーロッパ中に自由主義・国民主義を広めた]，という歴史的な意義・重要性は，[Ａナポレオン]という人名と同等以上に重視されるべきです。言い換えれば，両者の重みは「[A]≦[B]」ということ。でも，テストにおいては「解答の客観性・公平性」が最優先されるため，どうしても[Ａナポレオン]という客観性が高い単語の方にスポットがあてられて，「[A]>[B]」になりがちなのです。すると[Ａナポレオン]を丸暗記，という学習で完結してしまうんですね。一方で[B]を記述形式で出題した場合，様々な別解が生じてきます。以下はほんの一例です。

- 「皇帝即位前に，日本を含む世界各国の民法に影響を与えているナポレオン法典を制定した」
- 「士気の高い国民軍の機動力を活かした革新的な戦術を駆使した」

前者は高校世界史における必須ポイントなんですが，後者は軍事史上の画期ではあるものの，高校世界史で扱うことはまずありません。このように正解の基準設定が難しくなり，また記述形式の採点では採点者の主観が多少なりとも入ってしまうので、出題が避けられてしまいがちなのです。

本書を手に取った方々は，客観的な得点を追求するタイプの学習は求めていないと思います。そこで，本書では用語である［　A　］は控えめにして，歴史用語の意義・重要性である［　B　］を意識していただけるような内容・構成を心がけました（ただ，これは［　A　］は軽視して構わない，という意味ではありませんのでご注意を）。読み進めるうち，各所で「**高校生の頃，先生が『これ，テストに出るぞ～』と言ってた理由がやっと分かった！**」と気づいていただければ幸いです。学生時代に世界史に触れた経験がない方も，本書が世界史に関心を持つ一助になれば，と思います。まとめますと，

誤：「テストや入試に出るから，この用語は重要だ」

↓ではなく

正：「**この用語には△△という重要性があるから，知っておく価値がある**」

という発想の転換がカギ，ということです。

2．世界の多様な文明を整理する

世界史は日本史と異なり，多様な文明・国家を扱うのが特徴です。ここが「面白い！」「面倒くさい…」と意見が分かれるポイントなんですが，**世界を大まかに「欧米のキリスト教文化圏」「中国を中心とする東アジア文化圏」「インド・イスラーム文化圏」の３つに分類する**のが整理するコツになります。p. 5に全体の流れを示したチャートがあるので，それを参照しつつ「今，自分は，いつの時代の，どの地域にいるのか」を確認しながら読み進めてください。

3．現代とのつながり

世界史を学ぶ目的の一つは，「**現代の世界がどのように形成されたのか，そのプロセスを知る**」ことにあると考えます。本書では，現代の世界や日本につ

ながっていると思われる歴史的内容に💡とラインを付しておきました。歴史的な事象と現代のつながりを感じてもらえると，より興味が膨らむと思います。豆知識や雑学的なネタも盛り込んでおきました。

最後に，本書の刊行にあたって，「大人の教養」プロジェクトをオファーしてくださったKADOKAWAの関さんには，丁寧な編集作業も含めて大変お世話になりました。この場を借りて御礼申し上げます。

2023年３月　平尾雅規

《本書の構成》

1．まとめパート

各章の冒頭には，章の内容をコンパクトに記した「まとめパート」があります。このパートでは，章の全体像や，個々の出来事の前後関係などが確認できます。**じっくり読み込むというよりは，後述する「解説パート」のサポート役として，必要に応じて見返したり，解説パートを読み終えて出来事を整理したい時にご活用ください。**

2．解説パート

まとめパートの後に続く，章の内容を説明している本書の「核」となるパートです。**地図や表も用いて，難しい事項についてもできる限りかみ砕いた平易な表現を心掛けました**（学問的な厳密さよりも「平易かつ端的であること」を優先させています）。また，本書の内容は高校世界史全体から見れば「氷山の一角」，ほんのダイジェストにすぎません。読み進めるうちに「おっ」と特定のテーマに興味が湧いた方は，気になる事件を深掘りして調べてみたり，面白そうな人物の伝記を読んでみたり，はたまた海外の史跡へと足を運んでみたりしてください。本書がそういったアクションのきっかけになれば幸いです。**世界史の全内容をマスターしなければ！　と気負うことなく，好きな分野を好きなだけ，自分好みの世界史をお楽しみください。**

※本書には、学生時代に活用した懐かしの**赤色チェックシート**が付いています。単語などを覚えたい場合にご活用ください。

世界史のつながりが大まかにわかる本書の全体チャート

年代	おもにヨーロッパ・アメリカ キリスト教文化圏	おもに西アジア・インド インド・イスラーム文化圏	おもに中国 東アジア文化圏
	テーマ1 先史時代，文明の形成		
前3000頃		テーマ2 古代オリエント世界	テーマ7 中国史① 黄河文明～秦・漢
前1500頃	テーマ3 古代ギリシア・ヘレニズム世界とイラン世界	テーマ11 古代インドと東南アジア世界	
前500頃	テーマ4 古代ローマ世界		
200頃			テーマ8 中国史② 魏晋南北朝～隋・唐
400頃	テーマ5 中世ヨーロッパ①		
600頃			
900頃			テーマ9 中国史③ 宋・元
1200頃	テーマ6 中世ヨーロッパ②	テーマ12 イスラーム世界	
1300頃			テーマ10 中国史④ 明・清
1500頃	テーマ13 大航海時代と宗教改革		
1600頃	テーマ15 イギリス革命・植民地戦争・アメリカ独立革命 テーマ14 絶対王政の時代		
1789頃	テーマ16 フランス革命とナポレオン テーマ17 イギリスの工業化と自由主義，ウィーン体制	テーマ20 ヨーロッパ諸国のアジア・アフリカへの進出	テーマ21 19世紀～20世紀初頭の東アジア
1848頃	テーマ19 アメリカ合衆国の発展 テーマ18 19世紀のフランス・イタリア・ドイツ・ロシア		
1914頃	テーマ22 第一次世界大戦とロシア革命		
1919頃	テーマ23 第一次世界大戦後の欧米諸国	テーマ24 戦間期のアジア	
1929頃	テーマ25 世界恐慌とファシズムの台頭		
1939頃	テーマ26 第二次世界大戦と戦後の展望		
1945頃	テーマ27 米ソ冷戦の展開 テーマ28 第二次世界大戦後の欧米世界	テーマ29 第二次世界大戦後のアジア・アフリカ	

もくじ

第5章　近代の世界（19世紀～第一次世界大戦）

第6章　2つの世界大戦

第7章　戦後の世界

本文デザイン：長谷川有香（ムシカゴグラフィクス）
本文イラスト：どいせな
地図作成：佐藤百合子，清水眞由美

＊本書のもとづいているデータは、2023年２月現在の情報が最新です。

先史時代，文明の形成

1 われわれ現生人類に至る進化のプロセス

時代	人類	内容
	猿人	①特徴…**直立二足歩行**と，原始的な打製石器の使用 ②**アウストラロピテクス**（約420万年前）…南・東アフリカ
更新世	原人	①ホモ＝ハビリス（約240～180万年前）…タンザニアで発見 ▲かつては猿人とする解釈も存在 ②**ジャワ原人**（ピテカントロプス＝エレクトゥス） ▲ホモ＝エレクトゥスに属する ③**北京**（ペキン）**原人**（シナントロプス＝ペキネンシス）…**火**の使用 ▲ホモ＝エレクトゥスに属する
更新世	旧人	①**ネアンデルタール人**…ドイツで発見，死者の埋葬 ▲約20万年前に登場。ネアンデルタール人は絶滅したと考えられる
更新世／完新世	新人	①**クロマニョン人**…洞穴絵画 ▲4万2000年前に出現 ②**周口店上洞人**（じょうどうじん）…中国で発見 ※新人が，われわれ現生人類（ホモ＝サピエンス＝サピエンス）の直接の祖先

2 石器による時代の分類

(1) 礫（れき）石器…ほとんど加工を施していない，自然の石を使用

(2) **旧石器時代**…石を打ちかいた**打製石器**（約250万～１万3000年前）

(3) **新石器時代**…砥石（といし）で表面を磨いた**磨製石器**（約9000年前～）

3 農耕に立脚して文明・国家が形成された

(1) **獲得経済**（狩猟・採集）

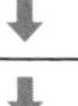

旧石器時代　打製石器

約9000年前～　新石器時代　磨製石器

土器の登場

(2) **生産経済**（農耕・牧畜）

(3) **都市**の形成…階級や職業の分化　Ex. 王・神官・軍人・商人など

(4) 文明を形作る代表的な要素

①**宗教**の誕生…王は権力の正統性の根拠を神（宗教）に求めた

②**文字**の発明…祭祀・統治などに必要な情報を記録しておくため

まず最初は，「ヒト」への進化と，歴史の誕生についてお話しします。「サル」から「ヒト（現生人類）」へ進化するポイントの一つは，**直立二足歩行**です。
▲ホモ＝サピエンス＝サピエンス

二本足でまっすぐ立って歩くと，どんな変化があるんでしょうか？

直立で立てば，頭蓋骨が背骨の上に位置することになるので，大容量の脳を支えられます。直立でないと，首の筋肉だけで脳の重みを支える必要がありますからね。これにともない，骨格とノドの構造が変化して複雑な発声が可能になり，言語が生まれる素地にもなりました。さらに二本足で立つことによって，両手を自由に使えるようになるので，道具の使用が可能になる。このことも，脳の発達を促しました。**北京原人**の「火」という道具の使用，**ネアンデルタール人**の埋葬という精神文化，新人の**クロマニョン人**が残した洞穴絵画…，知能の発達がよく分かります。新人が「ヒト」の直接の祖先になりますね。

今まで，ヒトは食糧を狩猟・採集によって調達していました（**獲得経済**）が，必要な食糧を自分の手で育てる**農耕・牧畜**が，約9000年前（前7000年頃）に西アジアで始まりました。**生産経済**の始まりです。畑の世話をするためにヒトは定住するようになり，土器の使用も始まる。石器も，従来の打ちかいただけの石器に代わり，砥石で磨いた石器を用いるようになりました。
約１万年前という説もある▲
▲西アジアを単一の起源とする説と，各地で独自に発生したとする説がある
▲土器は重くて持ち運びにくく，移動生活には向かない

農業の発達をうけて余剰生産物が発生すると，**農業に従事しない人間（非生産層）が生まれて，農業以外の活動に携われるようになり**，王・軍人・神官・商人といった階級・職業が分化していきます。彼らが暮らす空間が文明の中心である「**都市**」です。

生産活動をしない都市には，農村から作物を運びこまないと飢えてしまう。そこで「都市の指導者（≒王）が農村を支配し，作物（≒税）を取り立てる」関係が生まれていきました。

「なぜ太陽は昇るのか」「なぜ雷が落ちるのか」…。昔のヒトにとって世の中ナゾだらけでした。**宗教**という精神文化は「**人間の力では説明できない現象を，『神』を用いて説明した**ことから形成されていった」，と考えられています。そして神は，王の権力を正統化する根拠としても利用されました。王のバックには神がついているという理屈です。「王様はなぜ偉いの？」という疑問に対し，「私は神の子である。頭が高いわ！」と一喝するわけです（**神権政治**）。すると統治していくうち，「〇〇年前の神託」「△△年分の占いの結果」「◆◆村から収めさせた作物の量」などなど，膨大な情報を整理する必要が生じました。でも人間の記憶力には限界がある。そこで**文字**が発明され，時を超えて情報を残せるようになりました。**ここから，いよいよ「歴史時代」が始まります。**
▲神のお告げ
▲文字が存在しない時代が「先史時代」

テーマ 2

古代オリエント世界

1 ナイル川流域のエジプトでは，高度な文明が生まれた

(1) 「**エジプトはナイルの賜物**(たまもの)」by ギリシアの歴史家**ヘロドトス**

(2) **ノモス**（小国家）の分立 ➡**ファラオ**を頂点とする統一王国が成立

(3) 統一王国の時代

古王国 ▲前27～前22世紀	**クフ王**が**ギザ**にピラミッド（高さ約150m）を造営 ▲カイロの対岸
中王国 ▲前21～前18世紀	王国末期，馬と戦車を用いる諸民族**ヒクソス**が侵入
新王国 ▲前16～前11世紀	**アメンホテプ4世**…**アモン**(＝ラー)神官団による政治干渉を ▲前14世紀　▲テーベの守護神 嫌い，**アトン**信仰を強制。**イクナートン**と改名。**テーベ**から **テル＝エル＝アマルナ**に遷都。 ▲イクナートン死後はアモン信仰が復活し，都もテーベへ戻った

2 メソポタミアとその周辺では，多くの民族が興亡した

(1) **シュメール人**（前3000年頃，民族系統不明）…都市国家を建設

(2) **アッカド人**（前24世紀～，セム語系）…メソポタミアを統一

(3) **アムル人**（セム語系）

①**古バビロニア王国（バビロン第一王朝）**を建てる（前20世紀）

②**ハンムラビ王**がメソポタミア全土を統一（前18世紀）…**ハンムラビ法典**

(4) 諸民族の活動（前2000年頃～，インド＝ヨーロッパ語系）

①**ヒッタイト**…小アジアに成立。**鉄**製の武器と戦車を駆使
▲アナトリア。現在のトルコ共和国領

②**ミタンニ**，③**カッシート**

(5) 地中海東岸の諸民族（セム語系）

①**アラム人**…**ダマスクス**を中心に内陸貿易で繁栄

②**フェニキア人**…**シドン・ティルス**を中心に地中海貿易で繁栄

③**ヘブライ人**

・**出エジプト**(エクソダス)…**モーセ**の指導でエジプトから逃れる
▲前13世紀後半
➡ヤハウェ神から「十戒」をさずかる

・統一王国…**ダヴィデ**王と**ソロモン**王の治世に都**イェルサレム**は繁栄
▲前1000年頃
➡ソロモン王の死後，王国は分裂

北：**イスラエル王国**	南：**ユダ王国**
前722　アッシリアによって滅亡	前586　**新バビロニア**によって滅亡 ➡バビロンへ連行。「**バビロン捕囚**」 前538頃　新バビロニア滅亡 ➡ヘブライ人はイェルサレムへ帰還

(6)　**ユダヤ教**…バビロン捕囚の頃に成立

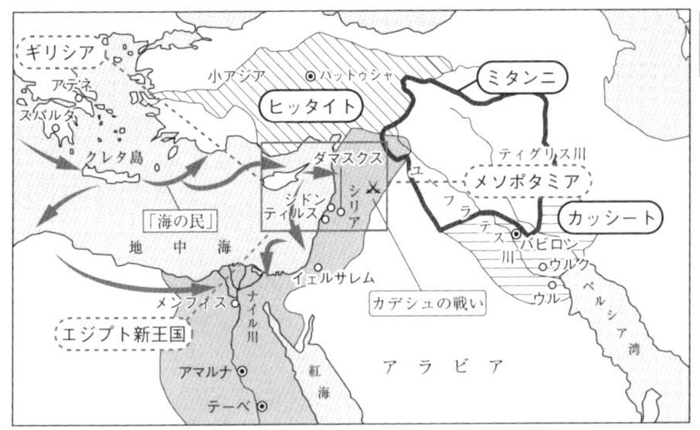

2－①　メソポタミアの諸国家

3 オリエント世界を統一する国家がついに登場

(1)　**アッシリア王国**（セム語系）…初めてオリエントを統一（前7世紀前半）

(2)　4王国分立期

①**新バビロニア**（▲カルデア），②**リディア**，③エジプト，④**メディア**（**イラン系**）

(3)　**アケメネス（アカイメネス）朝ペルシア**（前550～前330）　都：**スサ**

①オリエント世界を再統一

②第3代**ダレイオス1世**…全盛期

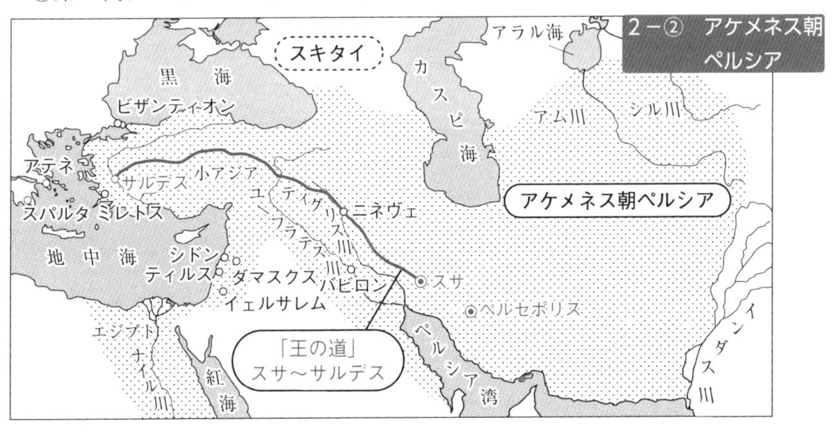

2－②　アケメネス朝ペルシア

ナイル川は毎年7月頃に増水・氾濫し，**上流から流れ込む肥沃な土がエジプトに農業の恵みをもたらしました**。**テーマ1**で説明したように，農業生産力の上昇は都市の形成を促して**ノモス**と呼ばれる小国家が生まれます。氾濫の周期性をつかむために，**暦学（太陽暦）・天文学**が発達。約365日が一つのサイクル（＝1年）になっていることが徐々に分かってきました。（▲恒星シリウスの動きに注目した）そして**ナイル川という大河を相手に治水・灌漑事業を行うためには，組織化された多くの人員と，それを統率・監督するリーダーが必要とされました**。これが，大河沿いのオリエント世界で強大な権力者が生まれた一因です。

ファラオは神の子，ということは神を後ろ盾にしてますね！（▲→テーマ1）

気づきましたか。**クフ王**の巨大ピラミッドは王の権威を象徴する好例です。**アメンホテプ4世**は信仰する神を変えるのですが，これは神に仕える神官団による，度重なる政治への干渉が原因でした。アメンホテプ4世は**テーベ**から**テル＝エル＝アマルナ**に都を移して政治に口出しする神官団と手を切り，「推し」の神も**アトン**に切りかえました。（▲ファラオに対して，土地を寄進させた）

続いてティグリス＆ユーフラテス両河の流域，メソポタミア。（▲「川の間の地方」という意味）**シュメール人**が都市国家群を築き，**アッカド人**は都市国家群を束ね統一。**『ギルガメシュ叙事詩』**に描かれた洪水伝説は，『旧約聖書』の有名な「ノアの箱船物語」の原型とされています。**アムル人**は**古バビロニア王国（バビロン第一王朝）**を建てました。**ハンムラビ法典**が重要なのは**「罪人への刑罰は私人・個人によってではなく，王によって与えられる」**（▲公権力）という考え方が，現代の法理念の起源であること。「家族を殺されても，勝手に犯人に復讐をしちゃダメ！　私的な復讐はつい過剰なものになってしまうから，犯した罪と同等の罰が公権力によって下される」これが**同害復讐**の原則です。

前2000年頃，諸民族が西アジアへ進出してきました。この時代を席巻したのが，小アジアに成立した**ヒッタイト**。**鉄製武器**（▲すでに小アジアに存在していた製鉄技術を利用）を手に，馬と戦車を駆って古バビロニア王国を滅ぼし，シリアにも進出してエジプト新王国と全面衝突！ヒッタイトとエジプトが撤退したシリア（≒地中海東岸）には政治的空白が生まれ，**アラム人・フェニキア人**が拠点を築いて活発に活動を始めます。p.11の地図**2－①**をよ～く見ると，地中海東岸がギリシア・メソポタミア・エジプトという3地域の「結び目」になっていることが分かるでしょうか。

この地の利を利用して，アラム人は**ダマスクス**を拠点に内陸へ，フェニキア人は**シドン・ティルス**を拠点に地中海へ。各地を飛びまわった彼らが用いた言語や文字は，当時の共通語・共通文字として広まり，**フェニキア文字がローマ字の起源**に，アラム文字も，アジアの様々な文字の土台となりました。
▲代表例がアラビア文字

ヘブライ人も地中海東岸で活動したセム語系民族。エジプトへ移住していたヘブライ人の一部が，エジプト新王国による圧政に耐えかねて**モーセ**に率いられて脱出！　神**ヤハウェ**の力によって目の前の海が真っ二つに分かれて，辛くもエジプト軍の追手から逃れることができました（**出エジプト**（エクソダス））。この時，神から授かった戒律が「十戒」ですね。

①あなたはわたしのほかに，なにものをも神としてはならない。
②あなたは自分のために刻んだ像を造ってはならない。
③あなた，あなたの神，主の名をみだりに唱えてはならない。
④安息日を覚えて，これを聖とせよ。
⑤あなたの父と母を敬え。　⑥あなたは殺してはならない。
⑦あなたは姦淫（かんいん）してはならない。　⑧あなたは盗んではならない。
⑨あなたは隣人について，偽証してはならない。
⑩あなたは隣人の家をむさぼってはならない。

似たような教えを，キリスト教やイスラームで見たことがある人もいるでしょう。そう，**ユダヤ教はキリスト教やイスラームの源流ともいうべき存在**なんです。十戒を意識しておくと，両宗教の教えがつかみやすくなります。
▲→テーマ12

前1000年頃，**ダヴィデ王**がヘブライ人の統一国家を成立させました。**イェルサレム**が都とされ，その子**ソロモン王**は壮大な神殿を造営します。しかしソロモン王が重税を課したことで国は疲弊し，彼の死後に**イスラエル王国**と**ユダ王国**に分裂，互いに抗争して弱体化してしまいます。前586年にユダ王国が**新バビロニア**に滅ぼされると，ヘブライ人はバビロンに連行され，アケメネス朝が新バビロニアを滅ぼすまでの約50年間，故郷から引き離されてしまいました。これが**バビロン捕囚**です（なお，この頃からヘブライ人に代わって「**ユダヤ人**」という呼称が用いられるようになります）。
▲北部。アッシリアによって滅亡　▲南部
ヘブライ人の12部族のうち，ユダ族が主流になったことから▲

かつてのエジプトでの苦難や，バビロン捕囚からの解放という体験は，ユダヤ人の心に強烈なインパクトを残しました。ここから「我々は**唯一神**（ゆいいつしん）**ヤハウェに選ばれた特別な民**だ」「常に十戒をはじめとする**戒律**を守らねば」「**救世主**（メシア）が我々を導いて救ってくださる！」という**ユダヤ教**の教義が整えられていきました。
選民思想▲

少し時間を戻してメソポタミア北部を見てみると，「帝国」**アッシリア**が勃興していきました。ヒッタイトが滅亡したことで，機密事項だった製鉄技術がオリエント中に拡散。アッシリアも鉄製武器を手に騎馬隊も組織して，前７世紀前半に**史上初めてオリエント世界を統一**しました。
▲エジプトとメソポタミアを合わせた地域

カリスマ性を備えた王でも，声の届く範囲はたかが知れたもの。そこで領土をいくつかに分割し，担当の**官僚**（＝いわば「王の代理」「王の手足」）が任地で王の命令（法）を忠実に伝え＆実行することで，王は広い領域を思い通りに統治できるようになりました（これを**中央集権**といいます）。官僚と中央集権という言葉は相性がよく，この２語が出てきたら「政府（王）の力が強いんだな」と考えてもらって結構です。加えて，交通・情報伝達手段が未発達な当時は，**道路網が中央集権に関わる最重要のインフラ**でした。「中央集権国家は道路網を整備する」のではなく**「道路網を整備するから，中央集権的支配が可能になる」**，と発想を逆転させるのがミソです。

しかしアッシリアにも落ち度がありました。「恐怖」で支配下の人々を畏怖（いふ）させ，統治したことです。意に沿わない民族は容赦なく遠く離れた地へ**強制移住**。この圧政や重税に対し，ついに人々の不満が爆発！　前７世紀末，アッシリアはオリエント統一から半世紀あまりで滅亡しました。

アッシリア滅亡後は４王国分立期。**新バビロニア**は**バビロン捕囚**で出てきましたね。リディアでは世界初，**金属貨幣**が使用されました。**メディア**はイラン系の国家で，**「イラン＝ペルシア」**ということを知っておいてください。

メディアから自立した**キュロス２世**，この人が**アケメネス朝ペルシア**を建てました。「ペルシア」ですからイラン人国家ですね。**オリエント世界を再び統一**したアケメネス朝は，**ダレイオス１世**の時代に全盛期を迎えました。アケメネス朝の方針は**「アッシリアの良いところは継承し，悪いところは反面教師として改める」**です。中央集権体制はアッシリアを継承しました。州を統治する官僚が**サトラップ**（知事）。**「王の目・王の耳」**という監視役もいます。**「王の道」**（行政上の都スサと小アジアのサルデスを結ぶ▲）は，全長約2500km（地図**2－②**）！　札幌～那覇間の直線距離は約2250kmなので，その壮大さがよく分かります。一方で，**アケメネス朝はアッシリアとは対照的に領内の諸民族に寛容な政策をとり**，一定の軍役・税を負担する限り，被支配民の宗教（▲ユダヤ教も）や慣習は尊重されました。

気づいたんですけど，メソポタミアの方が登場する国が多いですね。

これにはちゃんと理由があって，**エジプトは周りを砂漠に囲まれた閉鎖地形**（国土の９割以上が砂漠▲）なので，「外敵」（▼だからこそ，例外的にやって来たヒクソスが目立つ）がなかなか入って来られない。一方の**メソポタミアは開放的な地形**なので，土地の豊かさに魅（ひ）かれて多くの民族・国が進出・興亡したわけです。

また文化面では，エジプトの**太陽暦**，メソポタミアの**１週７日制**，**六十進法**（▲時間や角度を表すのに用いる）など現代に受け継がれる文物がゴロゴロありますね。

テーマ
3 古代ギリシア・ヘレニズム世界とイラン世界

1 エーゲ海沿岸に生まれた古代エーゲ文明

クレタ文明　前2000～前1400年頃	**ミケーネ文明**　前1600～前1200年頃
海洋動物の壁画・陶器	戦士や狩猟の壁画・陶器，城壁
遺跡…**クノッソス**の宮殿を**エヴァンズ**が発掘 ▲ミノタウロスの伝説で知られる　▲イギリス人	遺跡…**ミケーネ・ティリンス**を**シュリーマン**が発掘 ドイツ人▲

★**トロイア（トロヤ）**遺跡…**シュリーマン**が発掘した小アジアの遺跡
▲ホメロスの『イーリアス』を手がかりに発掘

2 ギリシアで成立したポリスは植民活動も行った

(1)　前8世紀～　防衛上の必要から，貴族に導かれ**アクロポリス**のふもとに**集住**（シノイキスモス）
▲城山

(2)　ギリシア人の同胞意識

①自らを**ヘレネス**と呼ぶ一方，異民族を**バルバロイ**と呼び蔑視（べっし）
▲英雄ヘレンの子孫，という意味

②**オリンピア**の祭典，アポロン神による**デルフォイ**の神託（しんたく）
▲近代オリンピックの起源

(3)　ギリシア人による植民活動

①**マッサリア**，**ネアポリス**，**ビザンティオン**など
▲現マルセイユ　▲現ナポリ　▲現イスタンブル，ビザンティウム

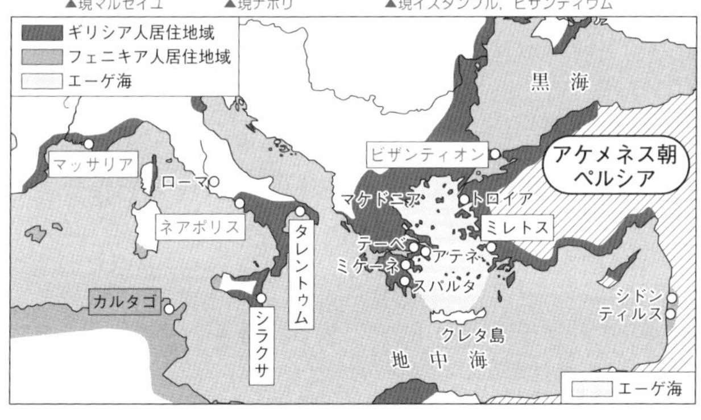

3－①　エーゲ文明・ギリシア植民市

3 アテネでは民主政が発した

(1)　**ドラコン**の成文法(前621頃)

…慣習法を明文化し，貴族による法の独占を打破
▲制定した法を，平民に情報公開するイメージ

(2)　**ソロン**の改革(前594)　…財産政治

(3) **ペイシストラトス**の**僭主**(せんしゅ)政（前561）
(4) **クレイステネス**の改革（前508）…オストラキスモス（陶片追放）の採用

4 スパルタでは独自の軍事教育が行われた

(1) **ドーリア人**が先住民を征服
(2) **リュクルゴス**の制…ヘイロータイに対抗するため，男性市民に軍事教育

5 ペルシア戦争での激闘（前500～前449）

(1) アケメネス朝がギリシアへ侵攻
(2) **マラトンの戦い**（前490）…アテネ軍がアケメネス朝に勝利
(3) **サラミスの海戦**（前480）…アテネ艦隊がアケメネス朝の艦隊に勝利

6 アテネ民主政は完成から動揺へと向かう

(1) アテネ民主政の特徴（現代の民主政との相違点）
① **直接民主政**…18歳以上の男性市民全員が参加する民会が最高議決機関
② 参政権…**女性・在留外人・奴隷**には参政権は与えられなかった
③ **奴隷制**が基盤…市民は，生産活動の多くを奴隷に依存
(2) **ペロポネソス戦争**（前431～前404）
①ペロポネソス同盟の盟主スパルタが脅威を感じアテネと対立　➡開戦
②戦争中，アテネの指導者ペリクレスが病死
➡**デマゴーゴス（デマゴーグ）**が出現し，衆愚政治に陥ったアテネは敗北
▲扇動政治家
(3) テーベ(テーバイ)の台頭…前４世紀前半，スパルタを破って一時覇権を握る
▲指導者エパメイノンダス　▲371年のレウクトラの戦い
(4) **傭兵**が普及し，市民共同体理念は崩壊へむかう

7 アレクサンドロスがオリエント世界を征服

(1) **マケドニア**の台頭…**フィリッポス２世**のもとで強大化
(2) **アレクサンドロス大王**の東方遠征（前334～前324）
➡**ダレイオス３世**が臣下に暗殺され，アケメネス朝滅亡（前330）
(3) ヘレニズム諸国の成立…マケドニア・シリア・エジプト
(4) ヘレニズム世界とは…オリエント的要素とギリシア的要素の融合

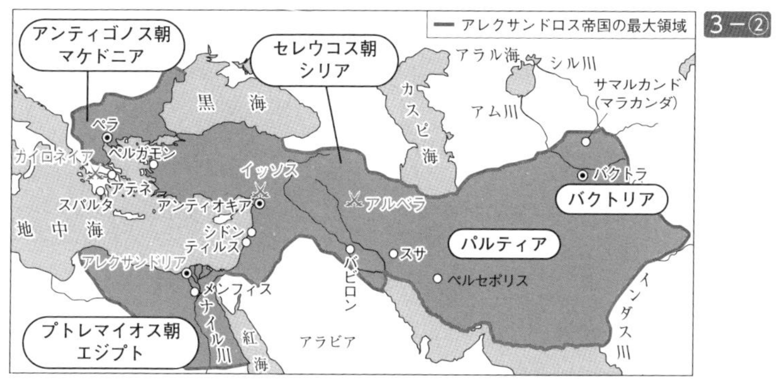

古代地中海世界の概観

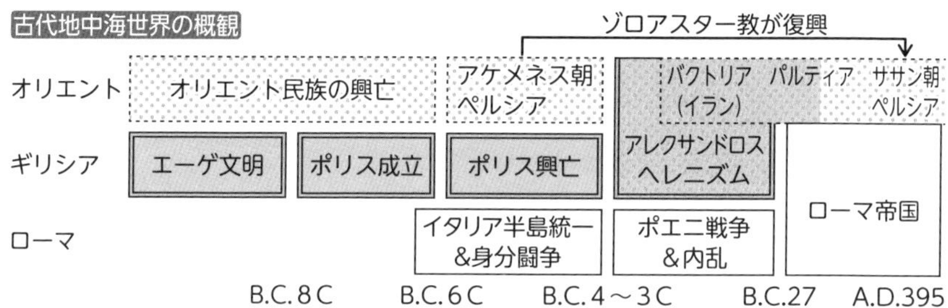

8 イラン世界ではペルシア文化が復興した

(1) **バクトリア**（前255頃～前145頃）…**ギリシア**系国家

①中央アジアでヘレニズム文化を保存し，**ガンダーラ美術**に影響

(2) **パルティア**（前248頃～224）…イラン系

①中国では「**安息**」と呼ばれる。当初はヘレニズム文化の影響下

▲建国者アルサケスの名前に由来

(3) **ササン朝ペルシア**（224～651）…イラン系

①**ホスロー1世**（6世紀）…トルコ系遊牧民**突厥**（とっけつ）と同盟して**エフタル**を滅ぼす

▲中央アジアの遊牧勢力

・東ローマ皇帝**ユスティニアヌス1世（大帝）**と抗争

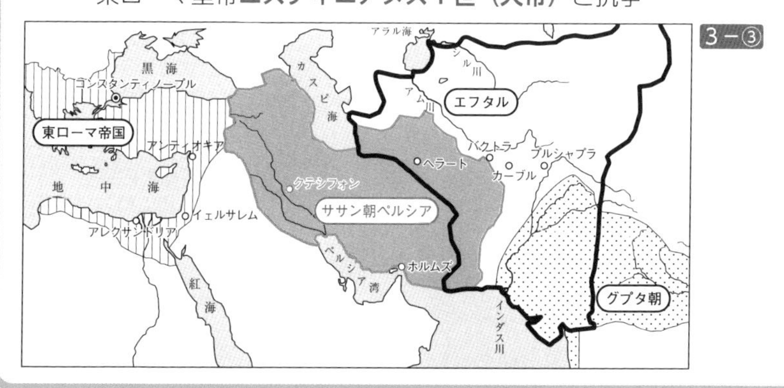

ギリシアと小アジアの間に位置するエーゲ海（地図**3－①**）で栄えた古代文明を総称して「**エーゲ文明**」と呼び，「平和的な**クレタ文明**」↔「戦闘的な**ミケーネ文明**」という対比が成り立ちます。クレタ文明の**クノッソス**の宮殿は，ミノタウロスの伝説にまつわる宮殿ではないか？　と言われています。
▲ミノス王の妃が雄牛との間にもうけた，牛面人身の怪物

前12世紀にミケーネ文明は滅亡し，文字記録のない約400年間（「暗黒時代」）ののち，フェニキア人が持ち込んだフェニキア文字からギリシア文字が生まれ，文字記録が復活します。この頃，ギリシア人は方言の違いから**イオニア人**や**ドーリア人**などに再編されていきました。

紀元前８世紀に都市国家**ポリス**が誕生。人々が身を守るために城山（アクロポリス）の周りに集住（シノイキスモス）し，広場（アゴラ）で様々な活動をしました。「俺たちの**先祖はヘレン。言語，伝統を共有**しているんだ！」と，ギリシア人（ヘレネス）は強固な同胞意識を持っていました。
▲オリンピアの祭典は近代オリンピックの起源

「輝く太陽と碧（あお）い海」というイメージのギリシアの気候は高温少雨で**海岸近くにまで山が迫る地形で広大な平野に乏しい**。穀物栽培には不向きな反面，**オリーブを代表とする果樹栽培には適しています**。人口が増加するにつれて，土地が手狭になり，食糧も不足する。ギリシア人は各地へ植民活動に乗り出し，オリーブと穀物を交換する交易が盛んになりました。すると今度は，貨幣がギリシアに流通し始めます。中小農民の中に，貨幣を蓄えて富裕になる者が現れ，**自費**で武具を購入して**重装歩兵**になりました。
オリーブは地中海原産とされ，ギリシアの特産品となる▲
▼≒平民
▲小アジアのリディア（→テーマ２）から流入
▲従来は，中小農民は武具を購入できなかった

当時の戦争って，どんな感じだったんでしょうか。

起伏に富んだ地形ですから，騎馬軍団による会戦は不向きです。馬から降りて戦うので，何代も続く名門貴族だって，今日が初陣の平民だって大差ありません。「１対１は怖いけど，まち（ポリス）の仲間と突撃すれば，武勲を挙げられるぞ！」と**密集隊形**（ファランクス）で戦ったのです。ポリスには**「自ら装備を購入して，無償で兵士として戦う者が，みな等しく市民（ポリスの正式な構成員）たりうる」**という原則があり，**人々が共同でポリスを運営**していました。今までは装備を買える経済力のある貴族が政治を独占していましたが，平民が兵士として戦うようになると，当然彼らは政治参加を求めます。
移動の際には馬に乗ることもあった▲
▲従来は，平民の政治参加は認められていなかった

ここからは**イオニア人**の**アテネ**のお話。平民の要求をうけて，**ソロン**はアテネの市民を財産に応じて４等級に分類。**武器を買える経済力があ**

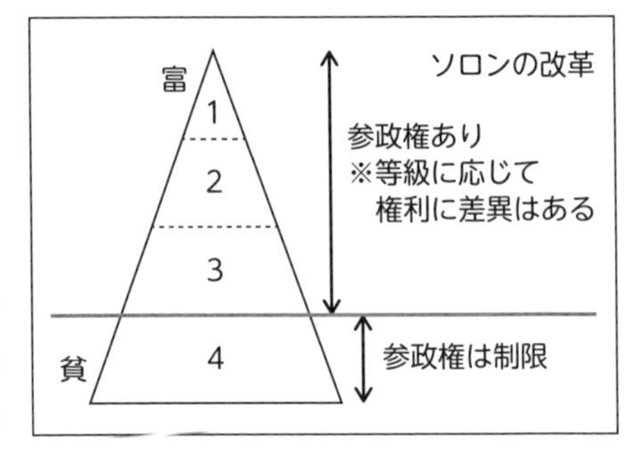

る**市民**（前ページの図の１～３等級）**には参政権を付与**します。一方で，武器を買えない無産市民（前ページの図の４等級）の参政権は制限しました。「兵士になれる人間をポリスの正式な構成員とする」原則を厳格に適用したわけです。参政権を制限された無産市民は，現状に不満を抱きます。彼らの不満につけ込んだのが**僭主**でした。「君たち，土地がほしいだろう？　私が独裁的な権力を握ることができれば，貴族の土地を取り上げて君たちに分けてあげることができる。でもそのためには，君たち庶民の『**数の力**』が必要なんだ。『数の力』でポリス政治のルールを無視して独裁を実現してしまおう！」と誘ったのです。**「自分たちが土地を手に入れるためには，独裁者を支える必要がある」**という巧妙なロジックで，**ペイシストラトス**が権力を握りました。

民会での選挙権だけ認められ，官職には就けなかった▲

ただし，ペイシストラトスは善政を敷いたことで知られる▲

しかし市民共同体のアテネにおいて，独裁者の出現はタブーですよね。僭主が出現した事態をうけ，**クレイステネス**が**オストラシズム（陶片追放）**を導入します。これは独裁者になりそうなヤバイ人物の名を陶器のかけらに書いて投票し，最多得票者をアテネから10年間追放する，というシステムでした。

▲オストラコン

▲ただし，投票総数が6000票以上の場合

一方，のちにアテネのライバルとなるスパルタは，**ドーリア人**が先住民を征服して成立したポリス。征服された先住民が**ヘイロータイ**という隷属農民として使役されていました。彼らの反乱は大きな脅威でしたが，対策は実に単純明快。「ヘイロータイが市民の10倍いるのなら，市民１人で10人相手するまでよ！」。男たちは幼少時代から厳しい訓練に耐えて，強靱な戦士に成長しました。これが今で言う「スパルタ教育」ですね。

▲ドーリア人の十数倍いたといわれる

▲リュクルゴスの制

前525年にオリエントを統一したアケメネス（アカイメネス）朝は，小アジアの西岸にまで支配の手を伸ばしてきました。ギリシアが一丸となって抵抗する**ペルシア戦争**が始まります。密集隊形を組んだ重装歩兵は，**マラトン**でペルシア軍に勝利！　この報をアテネまで走って伝えた伝令にまつわる故事が，マラソン競技の由来とされています。しかし10年後，ペルシアの陸と海，両面からの攻勢にギリシア側はあやうく総崩れに！

テルモピレーの戦いで，スパルタ軍は全滅▲

アテネの指導者**テミストクレス**は，海戦に備えて軍船（三段櫂船・右図）を大量に建造しました。櫂がついていて，１隻につき200人弱の漕ぎ手が必要です。この時，テミストクレスはアテネの無産市民を船の漕ぎ手に抜擢しました。彼らは兵士になれませんから，戦争中でも手が空いていたんです。**船の漕ぎ手になるには，特に装備を買う必要もなく，健康な体さえあればいい**。無産市民は「ついに俺たちの時代が来た！」と，がぜん気合を入れてオールを漕ぎました。でも，三段櫂船を力任

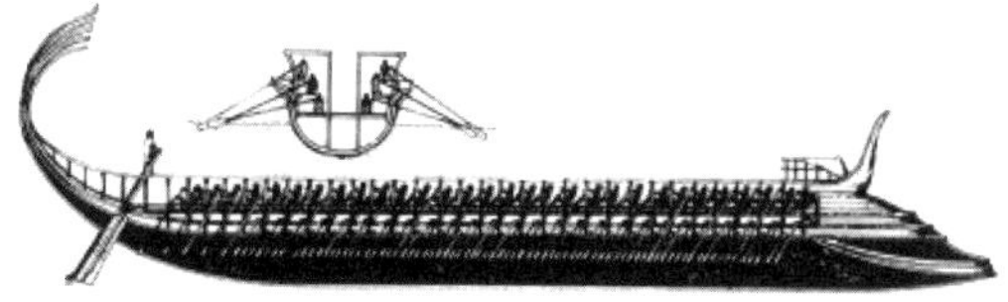

▲実際の三段櫂船には，帆もついている

せに漕いでも，オールがお互いにぶつかって船は進みませんよね。最も大切なのは，合図に合わせて一糸乱れぬ動きでオールを漕ぐ「チームワーク」です。**闘志を内に秘めて，合図通りに仲間と呼吸を合わせる**，これがエーゲ海で行われた**サラミスの海戦**でのアテネの勝利につながりました。そして，兵士ではないけれど，漕ぎ手として命をかけて戦った無産市民の活躍が認められて，彼らにも参政権が与えられることになり，ここに**アテネの民主政**は完成します。

前５世紀半ば，**ペリクレス**が指導した時代がアテネ民主政の黄金期です。参
▲15年連続で将軍職を務めた
政権を持つ人間が，政府の意志決定に直接参加できるシステムを**直接民主政**と
「直接参加」というより，「全員参加」と考えると分かりやすい▲
いいます（現代の民主政は，代議員を選挙で選出する間接民主政が主流）。ここで，「ポリスという都市国家が政治単位であったことが，直接民主政を可能
狭いポリスだから，みんなが一カ所に集まって話し合いができる▲
にした」点に注目しましょう。アケメネス朝みたいな広大な領土では，市民が一カ所に集まるなんて不可能ですよね。また女性参政権がない理由は簡単で，彼女らは兵士にならないからです。

民主政治の国家に奴隷がいるのはおかしくないですか？

一見，民主政と奴隷制は矛盾するように思えます。でも実際は「奴隷が生産活動や家内労働を担ったから，市民に時間的な余裕が生まれて政治活動に専念できた」という側面もあるんですね。これらを踏まえると，「アテネの**人間は平等**」ではなく「アテネの**市民は平等**」と表現する必要があります。

ペルシア戦争勝利の立役者となったアテネは強大化し，アケメネス朝再侵攻に備えて結成されたはずの**デロス同盟**は，他のポリスを支配する道具と化しま
▲「アテネ帝国」。アテネはパルテノン神殿の建設に同盟の資金を流用
す。強国スパルタが，このアテネの膨張に脅威を抱き，**ペロポネソス戦争**が勃発しました。戦争中，アテネで伝染病が流行してペリクレスが病死，リーダーを失ったアテネは迷走の末に敗北。勝利したスパルタがギリシアの覇権を握りました。

前４世紀前半のギリシアは，リベンジを狙うアケメネス朝がポリス間の対立を巧みにあおったこともあって，対立・抗争を繰り返し疲弊していきます。戦死した者，戦禍でオリーブ畑を荒らされた者，装備を買い替える余裕のない者…。重装歩兵の供給源であった中小農民は没落していきました（貨幣経済の浸透も，貧富の差拡大に拍車をかけました）。兵力を確保するために，用いられるようになったのが有給の**傭兵**（ようへい）です。**「ポリスのために，無償で戦うことこそが市民にとって最高の栄誉」という考え方は薄れ，「ポリスではなく，カネ・生活のために戦う」ドライな考え方が支配的に**…。すると，どうなるか。アテネの官職は抽選で選ばれていたんですが，ポリス愛に乏しい市民が重要な官職
▲将軍職だけは選挙で決定

に選ばれる事態が生じます。また市民は，自ら政治的判断することを放棄して，感情論に流されやすくなってしまった。ここにつけ込んで，大衆に迎合した口先巧みな政治家が**デマゴーゴス**（▼デマゴーグ，扇動政治家）です。

こうしてポリスは衰退し，それを虎視眈々（こしたんたん）とアケメネス朝が狙う———。この危機的な状況を，ちょっと離れた地から見ていたのが**マケドニア**（ギリシア人の国だが，ポリスではなく王国を形成▲）。アテネなどからは「バルバロイ」扱いされていたのですが，軍事力強化に成功した国王**フィリッポス２世**が，**カイロネイアの戦い**でアテネ・テーベ連合軍を破ると，ギリシア人を団結させるべく**コリントス（ヘラス）同盟**を結成。彼はなんとアケメネス朝への遠征を計画しますが，部下によって暗殺されてしまいました。父の遺志を継ぎ20歳で即位した**アレクサンドロス大王**は，前334年に東方遠征を開始。騎兵と歩兵が連携する斬新な戦術で，**イッソスの戦い**，**アルベラの戦い**とアケメネス朝を粉砕し，アケメネス朝は滅亡するに至ります。

アレクサンドロスの急死後（▼バビロンで病死。伝染病が原因といわれる），彼の部下たち（ディアドコイ）が後継者の地位をめぐって争い，**マケドニア・シリア・エジプト**の３国が鼎立（ていりつ）しました。アレクサンドロスの遠征から，この３国が滅亡するまでの時代を**ヘレニズム時代**（▲前334年～前30年）と言います。p.17の**古代地中海世界の概観**を見てください。ピンクがオリエント，グレーがギリシアを表しています。**ギリシア（グレー）のアレクサンドロスがオリエント（ピンク）のアケメネス朝を征服することで，２つの要素が混ざりました。**この部分がヘレニズム時代です。オリエント（ピンク）の要素は**領土と政治**で，アレクサンドロスはアケメネス朝の領域をほぼ引き継ぎました（地図**3－②**）。このような広い国家では直接民主政は不可能でしたよね。アレクサンドロスは自らを神格化してオリエント的な専制を継承したのです。一方，ギリシア（グレー）の要素は**言語と文化**です。ギリシア語の**コイネー**が広域にわたる共通語になりました。有名な「ミロのヴィーナス」はヘレニズム文化の代表格ですが，**その造形はギリシア彫刻を継承しています**ね。

イランのポイントも**古代地中海世界の概観**で。アレクサンドロスの遠征で，ギリシア的要素がアジアに流れ込みます。ギリシア系の**バクトリア**（アレクサンドロスの遠征の際，中央アジアに定住したギリシア人が建てた▲）は，当然ヘレニズム色が濃い。イラン系の**パルティア**も当初はヘレニズムの影響下にありました（ギリシア文字を刻んだ貨幣の発行，ギリシア語の使用など）が，徐々に**ペルシア人の民族意識に目覚めてきます**。そして**ササン朝**の時代には，「ギリシア文化なんぞにかぶれるな！」という流れになり，アケメネス朝で流行したゾロアスター教が国教として復活しました。また，ササン朝美術がシルクロードを通じて日本に伝来したことは，小・中学校で習いましたよね。全盛期の**ホスロー１世**は東ローマ皇帝**ユスティニアヌス**（▲→テーマ5）との戦い，それに付随するイスラームの成立（▲→テーマ12），と様々な地域で登場します。

テーマ4

古代ローマ世界

1 都市国家ローマでは共和政が成立した

(1) ラテン人がティベル川のほとりに都市国家ローマを建国（前8世紀）

(2) **エトルリア人**の王を追放 ➡貴族中心の共和政が成立（前509）
▲インド＝ヨーロッパ語系 / ▲民族系統不明

(3) 身分闘争…平民が重装歩兵として国防の主力となる ➡政治参加を要求

2 イタリア半島を統一したローマは地中海へ

(1) イタリア半島の統一…ギリシア植民市**タレントゥム**を攻略（前272）

(2) **ポエニ戦争**（前264～前146）

①西地中海の覇権をめぐり，フェニキア人の**カルタゴ**と対立 ➡勝利

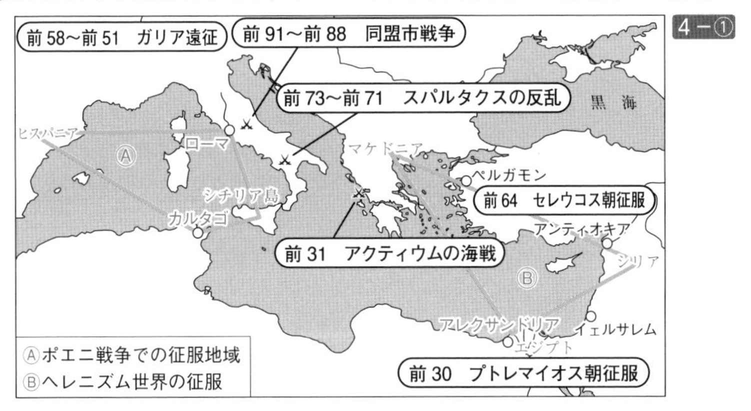

3 内乱の時代を経て，帝政の基盤がつくられた

(1) 中小農民が，ポエニ戦争の戦禍，従軍負担で没落 ➡社会の貧富差は拡大

(2) 有力政治家の台頭 ➡**傭兵（私兵）**を用いて征服戦争を展開

(3) 2度にわたる**三頭政治**と内乱の終結

①第1回（前60～）…**クラッスス**，**ポンペイウス**，**カエサル**

➡勝ち残ったカエサルが独裁 ➡共和派によって暗殺

②第2回（前43～）…**オクタウィアヌス**，**アントニウス**，**レピドゥス**

③**アクティウムの海戦**（前31）でアントニウス・**クレオパトラ**に勝利

➡プトレマイオス朝エジプトを征服し，地中海統一

4 ローマ帝国の全盛期は「パクス＝ロマーナ」と呼ばれる

(1) **アウグストゥス**（位前27～）
　①オクタウィアヌスが**アウグストゥス**の尊称を贈られ帝政へ
　　▲「尊厳者」の意
(2) ネロ帝…キリスト教徒を弾圧
(3) 五賢帝時代（96～180）
　　▲皇帝が優秀な人物を養子として相続させた
　①ネルウァ➡②**トラヤヌス**➡③ハドリアヌス➡④アントニヌス＝ピウス➡⑤**マルクス＝アウレリウス＝アントニヌス**

《キリスト教の流れ》
・**イエス＝キリスト**（前4頃～後30頃）…従来のユダヤ教を批判し処刑される
・使徒**ペテロ**，**パウロ**による布教

・**『新約聖書』**…イエスの教えと，使徒による布教などをまとめた
・キリスト教は信徒を増やしていく

5 軍人皇帝時代の混乱を専制政治で建て直し

(1) 軍人皇帝時代（235～284）…26人の皇帝が廃立された内乱期
(2) **専制君主政**（ドミナトゥス，284～）
　①**ディオクレティアヌス帝**……キリスト教徒への最大の迫害
　　・**オリエント的専制**を導入
　②**コンスタンティヌス帝**……キリスト教を公認
　　・ビザンティウムへ遷都し，**コンスタンティノープル**と改称
　　・**ニケーア公会議**（325）
　　　…**アタナシウス派**が正統，**アリウス派**が異端
　　　　▲のちに三位一体説へ発展
　　　　▲キリストの人性のみを認める
　③**テオドシウス帝**……キリスト教の国教化（392）
　　➡死後，ローマ帝国は分裂（395）

4－②

地中海の覇者となるローマも最初はイタリア半島の一都市で，**エトルリア人**を追放して共和政の歴史を歩み始めます。ローマの歴史は，①**兵士＝市民の原則（市民皆兵）**，②**当初は貴族政**，③**しだいに平民が重装歩兵として活躍するようになり，参政権を要求する**，といった点でギリシアと共通しています。

一方でギリシアとローマの相違点です。議論を重ねて政治的決定を下す共和政というシステムには**「決定に時間がかかる」**という大きな弱点があります。
▲政治的決定を複数の人間で行う

戦争が起こった！　伝染病が流行した！　災害だ！　一刻を争う非常事態に求められるのは，第一に迅速な対応。市民共同体では，市民の上に立って独裁的権力をふるうことはタブーですが，**ローマは非常事態に限っては例外的に「即断・即決」の独裁を認め，ディクタトル**に全権を委任しました。**「緊急事態を独裁政治で乗り切る」**は，世界史上で今後も何度も出てくる手法です。

	平時	**非常時**
共和政	○	**×（時間がかかる）**
独裁	ルール上 NG 最高行政官であるコンスルは２名	**○（迅速な対応が可能）** 任期半年のディクタトルを設置

普段，コンスルが２人なのは，権力の集中を防ぐためなんですね。ディクタトルの任期も短い。あくまで独裁は例外的措置なんだ。

平民が政治参加を実現していく過程を**身分闘争**といいます。**リキニウス・セクスティウス法**でコンスルの１人を平民から選ぶようになったのは，平民の地位向上をよく示しています。また公有地占有の制限もポイント。

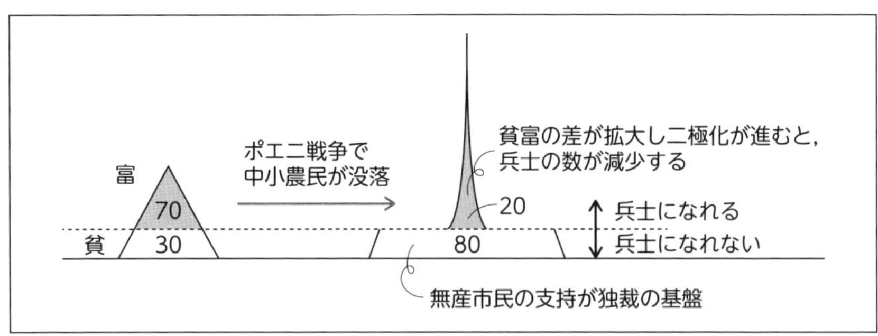

上図は人口のピラミッドで，点線が，「装備を買える経済力があるかどうか」の境界です。市民皆兵を維持するためには，点線より上の人間をいかに多く維持するかが重要。でも，上図右側のように一握りの大金持ちと大多数の貧民に二極化すると，兵士になれる人口は減少し市民皆兵は破綻！　そこで，**土地所**
▲点線より上の人数が多い＝兵士の数が多い，ということ
▲ギリシアも同様であった　→テーマ３

有面積に上限を設けて，大土地所有者から土地を取り上げて貧民に分配することで，重装歩兵を担う中小農民を保護しようとしたわけです。

そして**ホルテンシウス法**によって**貴族と平民の法的平等が実現**しますが，ロ
平民会の決定が元老院の承認を得ずに国法として認められる▲
ーマではアテネのような民主政は実現せず，**貴族や富裕な平民が政治を主導す**
例：ローマの官職は選挙で選ばれ，かつ無給。著名＆富裕でなければ務められず▲
る体制が続きました。これもギリシアとローマの相違点です。さらにギリシアとは対照的に，ローマは国家の領域を拡大させていきました。そして，地中海
▲アテネは，都市国家ポリスの形態を維持し続けた
貿易のスペシャリストたる**フェニキア人**の**カルタゴ**との100年以上にわたる**ポ**
▲→テーマ2　ポエニとはフェニキア人（Phoenicians）を略した，ローマ人による蔑称▲
エニ戦争に勝利し，地中海西部を支配下に収めました（地図**4－①**）。

象を連れて冬のアルプスを越えた**ハンニバル**。**ザマ**でハンニバルを迎え撃った**スキピオ**。この2人が戦った第2回は激アツです！

何度打ち破ってもゾンビのように復活してくるカルタゴにローマは恐怖を感じ，ついにカルタゴを滅ぼした際には街を徹底的に破壊しました。しかし，勝
▲街中に塩をまいたといわれる
者となったローマにも，深い傷が残ります。ポエニ戦争で疲弊した中小農民は没落し，無産市民となって都市に流れ込みます。p.24のピラミッド構造が左
▲「遊民」とも呼ぶ
➡右に変質したわけですね。ポリス末期のギリシアと同じ症状ですが，領域国家となったローマの場合は富裕層もケタ違いで，セレブは奴隷を用いる**ラティ**
征服戦争で獲得した捕虜が，奴隷のおもな供給源▲
フンディアを行い，徴税請負や公共事業などのビジネスで成功した**騎士（エクイテス）**も台頭してきます。極端な格差社会の到来です。

リキニウス・セクスティウス法で，大土地所有は防げるのでは？

鋭い。本来そうあるべきなんですが，富豪たちは完全無視です。**グラックス**
当時から考えると，200年前に制定された「古い」法だった▲　▲スキピオの孫
兄弟はこの法を復活させようと奮闘しましたが，大貴族の牙城（がじょう）で，最高決定機関たる元老院の抵抗で挫折しました。

重装歩兵が解体すると，ギリシアと同様にローマも**傭兵**を導入して，兵力
▲ローマでは有力政治家が自ら雇い「私兵」となった
を確保しました。征服戦争や鎮圧で手柄を立てた政治家は，町にあふれる遊民たちを支持基盤として独裁を行おうとしました。右の図ですね。政治家にとって彼らは大切な「票田」でした。没落したとはいえ高級官職の選挙権を持っているので，政治家は人気取りに

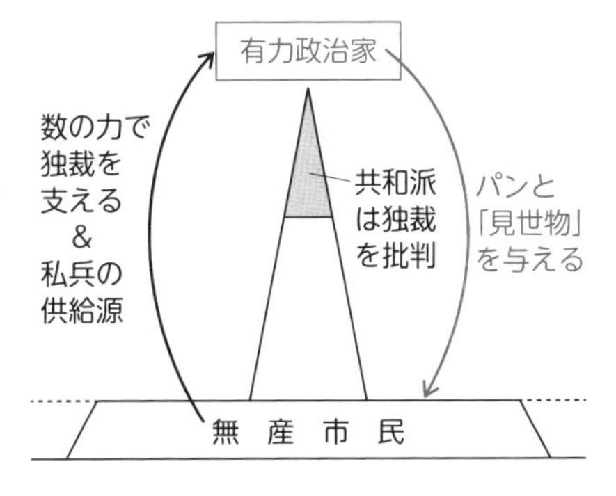

奔走。パンを配る，征服戦争で得た戦利品をばら撒く，エンタメ（剣闘士の戦いや戦車競走）を企画…。**無産市民は政治家を熱烈に支持し，独裁を支えました。**「パンと見世物」という用語はこれを指しています。「数の力」でルールを無視し，本来はタブーである独裁を実現させたのです。

剣闘をさせられた奴隷。奴隷反乱の指導者スパルタクスも剣奴▲

元老院（共和派）にとっては，自分たちの頭越しに独裁をされるわけで不愉快なこと極まりない。政治家を追い落とそうと躍起になります。これに対抗して政治家が結んだ私的な同盟が**三頭政治**。しかし協力関係は長くは続かず，**クラッスス**がパルティア遠征で戦死すると，**ガリア**へ遠征していた**ユリウス＝カエサル**と**ポンペイウス**の関係が険悪に。ローマへ戻ったカエサルがポンペイウスを撃破！ 熱狂的な民衆を前に，絶対的なカリスマ性を備えたカエサルは**インペラトル**を称して終身のディクタトルに就任。比類なき地位へ足場を固めていったのですが…，共和政を守らんとする**ブルートゥス**らによって暗殺されました。

ユリウスは英語の July（7月）の語源▼
▲現在のフランス・ベルギーのエリアに相当
▲「さいは投げられた」という言葉はこの時に発せられた
▲勝利した将軍を称える称号。「エンペラー」の語源

第2回三頭政治では，**オクタウィアヌス**と，カエサルの右腕だった**アントニウス**が対立。ここで，プトレマイオス朝エジプトの女王**クレオパトラ**がアントニウスに接近します。地中海世界でローマの征服を免れている主要な国はエジプトのみ。クレオパトラは，ローマの有力者に取り入って何とかエジプトを守ろうとしたのです。これに対し，オクタウィアヌスは「クレオパトラはローマを乗っ取って女王になろうとしている！」と猛批判。**アクティウムの海戦**でのオクタウィアヌスの勝利は，何を意味するか分かりますか？

▲カエサルの遺言で彼の養子となった
▲かつてはカエサルとも結婚していた

国内では，オクタウィアヌスが権力闘争に勝ち抜いた！
国外では，ローマがエジプトを征服して地中海を統一した！

その通り。内外両面で，大きな節目になったわけです（地図4－①）。

前27年，オクタウィアヌスは元老院から**アウグストゥス**の称号を贈られました。「あんたには降参したよ。もう反対しないから好きなように政治しな」というニュアンスですね。ここから帝政が始まりますが，奥ゆかしいオクタウィアヌス改めアウグストゥスは，**プリンケプス**（市民の第一人者）を名乗って形式上は共和政を尊重しました（ただし，実態は完全なる皇帝独裁体制です）。

▲英語の August（8月）の語源

後1世紀末からの約1世紀の間，**五賢帝**時代がローマ帝国の全盛期で，**トラヤヌス帝**の時代に**帝国領は最大となりました**（地図4－②）。ただ，肥大化した領域の維持に苦心するようにもなり，続く**ハドリアヌス帝**はブリタニアに長城を築くなど，守備的な姿勢も見られるように。ギリシア語で**『自省録』**を著した，インテリの**マルクス＝アウレリウス＝アントニヌス帝**ですが，彼は養子をとらずに実子に後を継がせました。奇しくもこれが「**ローマの平和**」の終焉

▲皇帝が，優秀な人材を養子にとることで名君が続いた
▼パクス＝ロマーナ

と重なります。

ローマ人は地中海を「われらが海」と呼びました。地中海のどの港からどの港へ航海してもそこは同じ国，ローマ帝国。平和の中で繁栄した交易の結果，イタリア半島と肩を並べるほどの豊かな属州（▲イタリア半島以外の領土）が出現し，皮肉なことにローマの求心力は低下。さらに3世紀になると，**ゲルマン人**や新興の**ササン朝ペルシア**（▲→テーマ3）など外敵の侵入も激化しました。ハドリアヌス帝以降のローマ帝国にとって，戦争は防衛戦争だけ。戦利品を獲得できる征服戦争とは違い，防衛戦争は軍事費を垂れ流すだけの「金食い虫」です。**軍事費をまかなうための重税は都市経済を衰退**させました。外敵に対抗するために地方軍は肥大化し，司令官は兵士に給料を払って何とか彼らをつなぎ止めようとする。首尾よく人心を掌握できた司令官の中に，皇帝としてかつぎ上げられる者も現れて，互いに激しく争いました。これが**軍人皇帝**時代です。

この時期に大土地経営の手法も変化しました。征服戦争を行わなくなったことで，奴隷の流入がストップし奴隷価格が高騰。また，奴隷労働の非効率性（例えば，奴隷を監視する人間を雇うのにコストがかかってしまう▲）が指摘されるようになりました（▲近年，これを否定する学説も存在する）。奴隷を用いる**ラティフンディア**に代わり，小作人（**コロヌス**）を用いる**コロナトゥス**が普及していきます。

血で血を洗う戦乱の世に，「皇帝は市民の第一人者ですよ～」などと悠長なことを言っても誰も見向きもしない。ならばオリエント風に「神の代理人である！」と畏怖（いふ）させるしかない。軍人皇帝時代を収拾した**ディオクレティアヌス帝**は，自らを「ユピテル（▼ローマ神話の主神。英語読みでジュピター。ギリシア神話のゼウスに相当）の代理人・化身」と位置づけ，官僚制を整備するとともに，皇帝崇拝を強要して帝国再建に乗り出しました。**専制君主政**（ドミナトゥス）の始まりです。彼は帝国領を4つに分け，彼と同僚3人で分担して統治と治安回復に努めました（**四帝分治制**（テトラルキア）（▲ディオクレティアヌス帝の治世のみ行われた））。**コンスタンティヌス帝**はディオクレティアヌス帝の方針を継承しますが，それは従来の価値観を覆すものばかり！　伝説上の建国から1000年続く古都ローマを離れ，**ビザンティウム**へ遷都します（地図4－②）。

ローマ皇帝がローマを離れるなんて…。どうしてでしょうか？

色々な説があって，①共和派の伝統が強いローマはドミナトゥスに不向き，②多神教が主流のローマではキリスト教政策が困難，③地中海貿易が衰退した後も，東西交易の要衝ビザンティウムの経済は好調だった，などですね。当時，重税や軍人皇帝時代の混乱によって地中海貿易は衰退していましたが，貨幣の悪鋳も原因の一つでした。そこでコンスタンティヌスは金純度が高い**ソリドゥス金貨（ノミスマ）**を発行して，地中海交易の安定も図りました（現在のアメリカ合衆国の通貨ドルの記号「$」はソリドゥスの「S」に由来する，という説があります)。そして彼が断行した最大の改革，それは**キリスト教を認めること**でした。ちょっと時代をさかのぼってみましょう。

時はアウグストゥスの治世，**イエス**はパレスチナに生まれました。ユダヤ教徒の**パリサイ派**（▲律法学者たち）はローマ帝国の支配をよしとせず，「モーセの十戒に代表される戒律をとにかく守るんだ！　されば救世主（メシア）が降臨せん！（▲テーマ2）」と主張します。イエスはこれに反発し，形式的に戒律だけを守ることの無意味さを説き，ハートの大切さを訴えました。「愛を持てばユダヤ人ではなくとも救われる」（「神への絶対愛」，「隣人愛」▲）という思想は**選民思想の否定**でもあり，イエスは「反逆者」として告発され，十字架にかけられたのです。その後，死んだはずのイエスが復活したという噂が広まって，彼を救世主（メシア）（▲「キリスト」はメシアのギリシア語訳）とする信仰が生まれました。**ペテロ（ペトロ）**や**パウロ**らの伝道によって，ローマ帝国に教えが広まっていきます。とくにパウロは様々な地域への伝道に貢献して「異邦人の使徒」と称されました。さらに彼が備えていたヘレニズム的教養によって，初期キリスト教の教義は洗練されたんです。

しかし，キリスト教はローマ帝国で弾圧の憂き目にあいます。**一神教であるキリスト教徒が，多神教が浸透したローマ社会に適応できなかった**からでした。ローマの神々の礼拝やお祭りに参加しないので，コミュニティに溶け込めない。また，ローマ皇帝は死後に神格化される慣例があり，これを厚く敬う多神教のローマ人に対し，キリスト教は断固拒否。当然，「ユピテルの代理人・化身」を称した**ディオクレティアヌス帝**への崇拝も拒みます。皇帝としては威厳を示すためにも，逆らう者どもを見せしめにする必要があった。これがディオクレティアヌス帝がキリスト教徒を厳しく迫害した理由です。このような弾圧をうけながらも「全ての人が平等に救われる」思想は貧困層のハートをつかんで信者を増大させ，地下の墓地（カタコンベ）で信仰は受け継がれていきました。

４世紀初頭，**コンスタンティヌス帝**は増加を続けるキリスト教徒を見て，**キリスト教徒を体制側に取り込んで，統治の軸に据えた方が得策だ，と考えるようになりました**。**ミラノ勅令**でキリスト教を公認し，**ニケーア公会議**を開いて教義を一本化（この時期の一連の公会議では，「イエスは神か，人間か」という神学上の問題が議論されました）。さらに「皇帝位は，(キリスト教の）神の恩寵（おんちょう）により与えられたものである」という神寵帝（しんちょうてい）理念を採用し（中世における「ローマ皇帝は神の代理人」という理念は，ここにさかのぼる▲），キリスト教徒が帝国に従う体制を整えていきました。しかしこの後，375年に**ゲルマン人の大移動**が始まって，帝国は大混乱に陥ります。**テオドシウス帝**は392年に**キリスト教を国教化**，つまり帝国民全員にキリスト教を強制しました。「帝国民全員が神の代理人たる皇帝に従えば，帝国を立て直せるだろう」ということですが，電話もネットもない時代，すぐにはキリスト教を浸透させられず，テオドシウス帝の死後，**395年にローマ帝国は東西分裂**するに至りました。

テーマ5 中世ヨーロッパ①

★現在のヨーロッパにおけるおもな民族分布

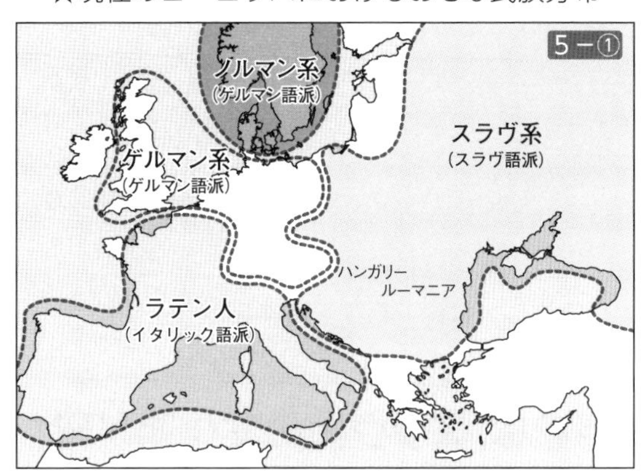

1 ゲルマン人が大移動し，西ローマ帝国が滅亡

⑴ ゲルマン人が4世紀後半（375）にローマ帝国領へ

⬇

⑵ ローマ帝国東西分裂（395）の一因となる

⬇

⑶ 西ローマ帝国は混乱のなか滅亡（476）

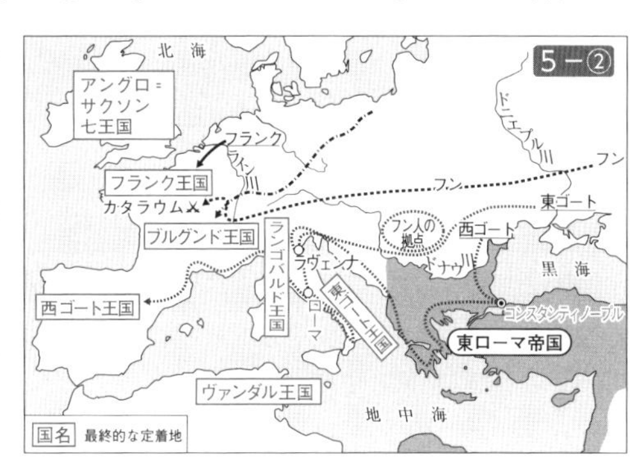

2 フランク王国が発展し，西ローマ帝国の後継者となる

⑴ **クローヴィス**…アタナシウス派に改宗（496）

⑵ **ピピン**…カロリング朝を建てる（751）

⑶ **カール大帝**（シャルルマーニュ，在位768～814）…ピピンの子

①西欧を概ね統一。ローマ教皇から**西ローマ皇帝として戴冠される**（800）

⑷ フランク王国の分裂（9世紀半ば）…東フランク，西フランク，イタリア

⑸　東フランク王（ドイツ王）**オットー1世**の戴冠（962）

➡13世紀以降，「**神聖ローマ帝国**」の呼称が定着

3 ノルマン人(ヴァイキング)の移動と封建制・荘園制

▲ゲルマン人の一派で「北方の人」を意味する

⑴　**ノルマン人**の移動

①9世紀頃から北欧を拠点にヨーロッパ諸地域へ広範に移動・活動

アイスランド・グリーンランド・北米にまで到達した者もいる▲

②ノルマン人の活動は西欧を圧迫し，封建制度が成立する一因となった

▲侵略・略奪を行ったが，平和的な交易にも従事

⑵　**封建制度**…土地を媒介とした契約を基盤とする，君主と臣下の主従関係

⑶　**荘園制度**…封建制で授与された，領地経営の仕組み

①領主…おもに，封建諸侯層を指す

②農奴…領主に隷属し，貢納・軍役の義務を負う

▲ローマのコロヌスや，ゲルマンの没落民が強者に土地を託し，保護を求めた

4 東欧世界では，スラヴ人の文化圏が確立していく

⑴　東ローマ帝国（ビザンツ帝国，395～1453）都：コンスタンティノープル

①**ユスティニアヌス1世**（位527～65）…地中海世界をほぼ統一

▲皇后テオドラが補佐

②イスラーム教徒・スラヴ人の進出による領土の縮小

③滅亡…**オスマン帝国**の**メフメト2世**によって滅亡（1453）

⑵　スラヴ人諸国家の成立

①ウクライナとロシア

ウクライナ方面	ロシア方面
882　**キエフ公国**が成立 980　**ウラディミル1世** 東ローマ皇帝の妹と結婚し， ギリシア正教を受容 14世紀　**リトアニア**が征服 ➡リトアニアはポーランドと合体し**ヤゲウォ朝**となる。この時期ウクライナに**カトリック**が流入	862　**ノヴゴロド国**が成立 13C後半モスクワ大公国が成立 15C後半　**イヴァン3世** ①ノヴゴロドを征服 ②最後の東ローマ皇帝の姪と結婚 ➡**ツァーリ**を名乗る

②スラヴ人諸国家の成立

カトリック	ギリシア正教
西	東
ポーランド人 チェック人 スロヴァキア人	ロシア人 ウクライナ人
マジャール人	ルーマニア人
南（バルカン半島）	
スロヴェニア人 クロアティア人	ブルガール人 セルビア人

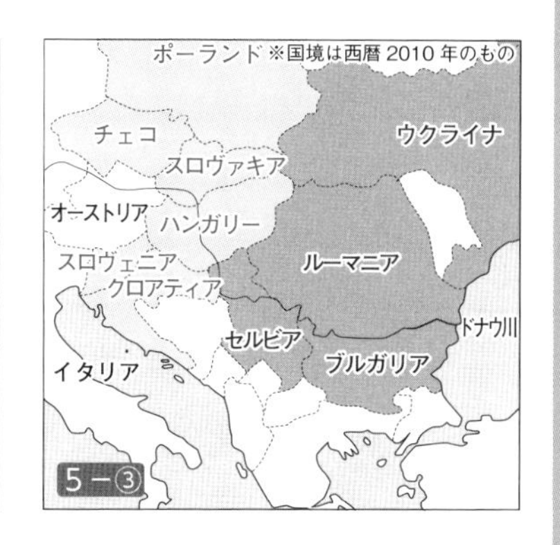

5 西欧ではローマ＝カトリック教会が発展

(1) ローマ教会は，キリスト教世界における首位権を主張

(2) **叙任権闘争**

カノッサの屈辱（1077）➡**ヴォルムス協約**（1122，皇帝権と教皇権が並立）

(3) **インノケンティウス3世**（位1198～1216）…教皇権の絶頂期

6 十字軍遠征（1096～1270まで計7回）

(1) **イェルサレム**奪還を掲げた，キリスト教徒による遠征

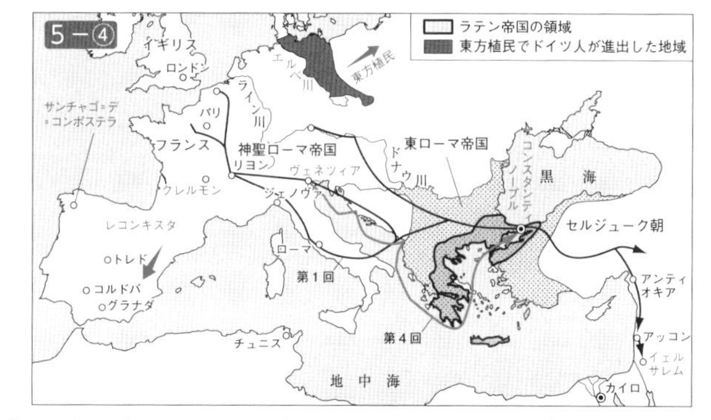

(2) 第1回（聖地回復）➡**サラディン**が聖地征服➡第3回（聖地回復ならず）➡第4回（コンスタンティノープルを征服）➡第7回（フランス王ルイ9世が病死）

(3) 十字軍の影響

ローマ教皇	↓	十字軍失敗によって権威は失墜，指導力が低下
国王	↑	①諸侯の土地を没収　②大商人との結びつきを強める
諸侯	↓	戦死・負債により没落
北イタリア商人	↑	十字軍の輸送により遠隔地貿易が発達

ローマ帝国による地中海世界の統一が崩れ，北方のヨーロッパ世界が，ゲルマン人・ノルマン人・スラヴ人らが建てた国家群に再編されるまでのおよそ1000年間を**中世ヨーロッパ**といいます。この時代は，民族移動の結果，地図5－①にあるような**現代のヨーロッパで暮らす「西欧のラテン系やゲルマン系，北欧のノルマン系，東欧のスラヴ系」といった諸民族の分布がおおよそ固まった時代**，かつ現代のヨーロッパ文明の基盤であるキリスト教が定着した時代と言い換えることもできます。

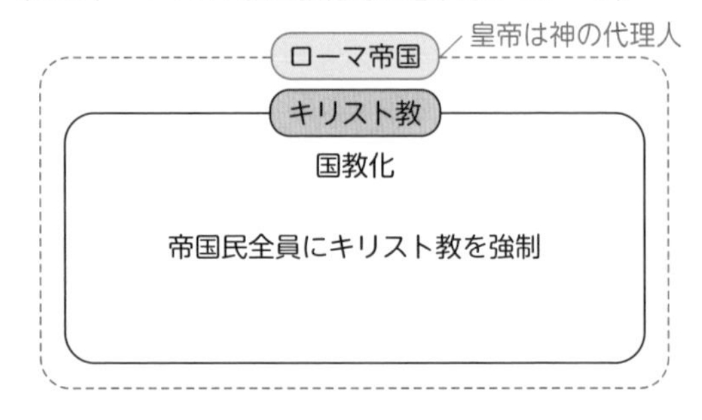

ローマ帝国外に住んでいた**ゲルマン人**。ローマ人が黒に近い髪の色なのに対し，ゲルマン人は金色の髪。非常に高度な文化を築いたローマ人の多くはヨーロッパの森に住むゲルマン人を「蛮族」とさげすんでいたようです。このゲルマン人が375年に大移動を開始し，帝国に次々と侵入。皇帝**テオドシウス**は，帝国再建の望みをかけて**キリスト教を国教化**しました。帝国民にキリスト教を強制し，皇帝が**神の代理人**として君臨して人々を思い通りに動かす，という狙い（さらにはキリスト教の教会組織を統治機構に組み込む▲）です。でも**テーマ4**で述べたように電話やネットもない時代，すぐにキリスト教を浸透させることはできず，テオドシウスの死後，帝国は東西に分裂しました。一人での支配は厳しいが，領土が従来の半分になれば，二人の皇帝で細かく目が行き届くだろう，ということです。

しかし，ゲルマン人の侵入はさらに加速。最終的には７つの国家が成立しましたが，ゲルマン人が定着したのは西ローマ帝国領ばかりでした（地図5－②）。イタリアは大変です。476年，**オドアケル**（▲ゲルマン人の傭兵隊長）が西ローマ帝国を滅ぼしてしまいました！　ここで困ったのは，西側のキリスト教世界のお偉い聖職者たち。政治的な保護者である西ローマ帝国が滅亡したせいで，いわば

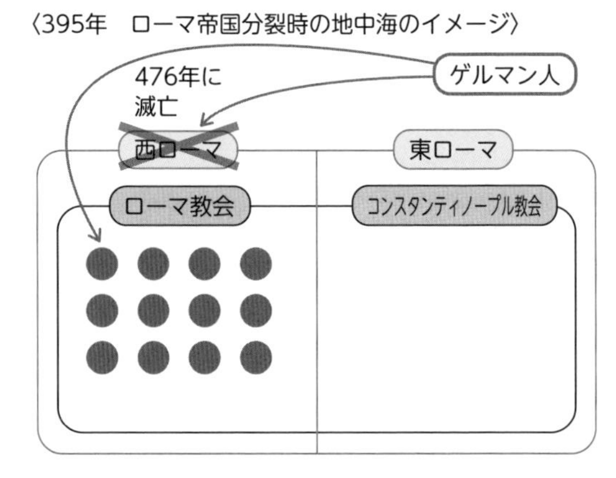

「丸裸」になってしまったんです。周囲は「ゴロツキ」のゲルマン人がうろついているこの状況で，ローマ教会の聖職者はローマ帝国で正統とされた**アタナシウス派キリスト教**を布教して**ゲルマン人を仲間に取り込もうと考えた**。この時，最初に改宗をうけ入れたのが**フランク王国**の**クローヴィス**です。

この時期から，キリスト教世界に内紛の種が生まれます。ローマ教会は，**ペテロ**（▲イエスの十二使徒の筆頭）**がローマの初代司教**であることを根拠に，自らを教会組織の頂点に位置づけました（首位権）（▲ローマ司教のことをローマ教皇という）。しかし西ローマ帝国を失ったローマ教会は，ユスティニアヌス1世以来（イタリアを支配していたゲルマン人の東ゴート王国を征服している▲），東ローマ帝国の影響下に置かれました。その東ローマ帝国は首都にあるコンスタンティノープル教会と結びついており，ローマ教会としては，**「格下たるコンスタンティノープル教会の保護者の世話になっている」**という屈辱的状況です。726年に東ローマ皇帝**レオン３世**が発した**聖像禁止令**で，東西教会の対立は決定的に。**偶像崇拝を禁止する**（▲テーマ２の「モーセの十戒」）イスラームの影響で皇帝がイコン（聖像）（▲イエスや聖母の像）の使用を禁じると，言葉が通じない**ゲルマン人への布教にイコンを用いていたローマ教会は猛反発しました**。ローマ教会は考えた。「聖像禁止令なんかに振り回されるのは，わがローマ教会が東ローマ帝国の影響下にあるからだ。西ローマ帝国さえ健全ならば…」。**西ローマ帝国復活の機運が生まれます**。ここでマメ知識を一つ。パソコンやスマートフォンの画面でおなじみの「アイコン（ICON）」は，この「イコン」を語源としています。

いちはやくアタナシウス派に改宗してローマ教会と良好な関係を築いたフランク王国ですが，王家は内紛で弱体化し，宮廷を仕切る**宮宰**（きゅうさい）の職を世襲していた**カロリング家**が実権を握りました。このカロリング家のカール＝マルテル率いる軍が，イベリア半島から進出してきたイスラームの**ウマイヤ朝**（イベリア半島に侵攻したウマイヤ朝は，711年に西ゴート王国を滅ぼしている▲）に勝利（地図13−①）！　これを見た**ローマ教会は，フランク王国を政治的な保護者として注目**するようになり，**メロヴィング王家**を見限って，カール＝マルテルの子**ピピン**の王位奪取を支援し，関係を強化しました。

ピピンの子**カール（大帝）**は西欧を概（おおむ）ね統一。「フランク王国こそ西ローマ帝国の後継者にふさわしい」と，ローマ教皇**レオ３世**は西暦800年のクリスマスにカールに西ローマ皇帝の冠を授けました。「粗暴な」ゲルマン人が「文明国」た（▲例えばカール大帝は読み書きができなかった）

〈800年　カール大帝の戴冠〉

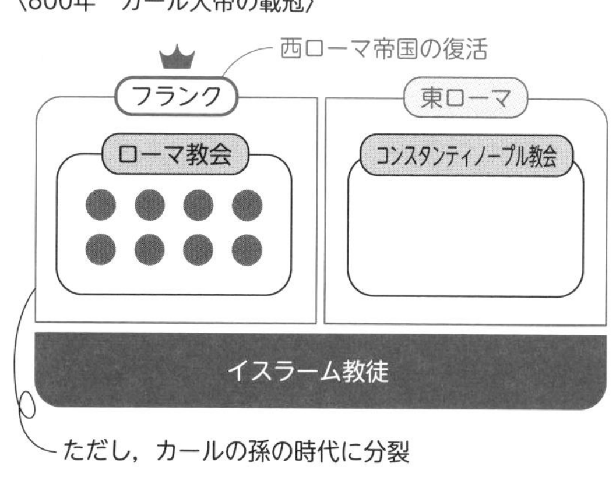

るローマ帝国の後継者になったわけで，カールはゲルマン人によって失われたローマ文化を復興させようと努めました。

▲カロリング＝ルネサンス

カール戴冠の意義を整理しましょう。宗教的には，**ローマ教会は念願かなって東ローマ帝国の影響下から完全に自立しました。**ローマ・キリスト教・ゲルマンの3者が融合した文化面も重要です。

▲東西教会は，この段階で事実上分裂

この3者の融合を示す最も分かりやすい例が現代のクリスマス。クリスマスはイエス生誕の日（**「キリスト教」**）で，12月25日がクリスマスというのは，**「ローマ」**の多神教における冬至のお祭りが起源。そして，**「ゲルマン」**神話における樹木への崇拝がクリスマスツリーの起源とされていますよ。

しかしカール大帝の子孫の間で相続争いが起こり，王国は3分割されてしまって，ローマ教会は改めて再び西ローマ帝国の後継者を探す羽目に。ここでローマ教会は，ヨーロッパに侵入してきた**マジャール人**を撃退した**東フランク王国**に注目。962年，**オットー1世**がローマ教皇から戴冠されました。

ハンガリーを拠点としていたアジア系遊牧民▲　現在のドイツに相当する▲

ゲルマン人の一派，ノルマン人は9世紀頃から移動を始めます。ゲルマン人の移動との相違は，**ゲルマン人が民族全体で移動したのに対し，ノルマン人の場合は先住地である北欧に残った者も多かった，という点です。**

▲「北方の人」の意味。Nor は英語の North に相当

ノルマン人が移動した原因については諸説ある▲

▲デンマーク・スウェーデン・ノルウェーが成立

「引っ越し」なのか，「家出」なのか，の違いですね（笑）。

彼らが操った船は水深が浅い所でも航行が可能で，内陸部にもガンガン入っていきます。ときには略奪も行い**ヴァイキング**として恐れられました。遊園地のアトラクションでおなじみの「ヴァイキング」は彼らの船の形をモチーフにしていますね。このように移動して成立したノルマン人国家に共通するのは，**支配層のノルマン人は現地の住民よりも少数だったため，時代が経つにつれてノルマン人の血が薄れていく**ことです。後でお話するように**ノヴゴロド国**や**キエフ公国**はスラヴ化していきますし，フランス北部に成立した**ノルマンディー公国**も，ほぼ現地の住民に同化していったと考えてください。

▲水深が1.5m あれば，積み荷が満載であっても航行できたという

ゲルマン人の大移動と西ローマ帝国の滅亡をうけ，西欧世界からは人々の身体・権利を守ってくれるような，公的な役所，警察，裁判所などはことごとく消滅（文字通りの無政府状態）。こんな状況下ですから，領地をめぐるライバル同士のいざこざが絶えません。また，8世紀以降イスラーム教徒・ノルマン

人・マジャール人といった外部勢力が西欧にズカズカと入ってきました。治安は極度に悪化し，夜もおちおち寝てられません…（下図の左）。

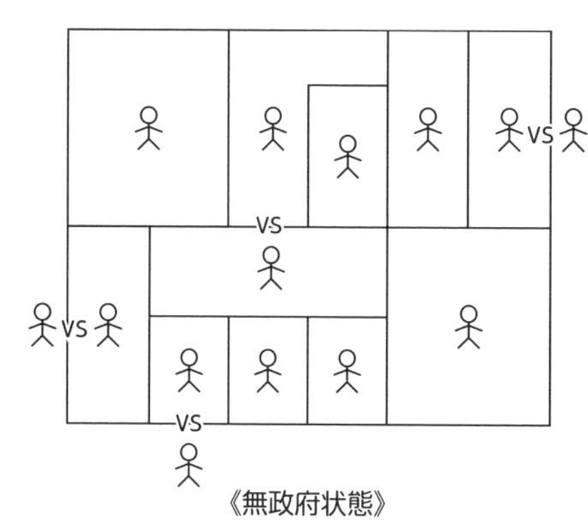

《無政府状態》

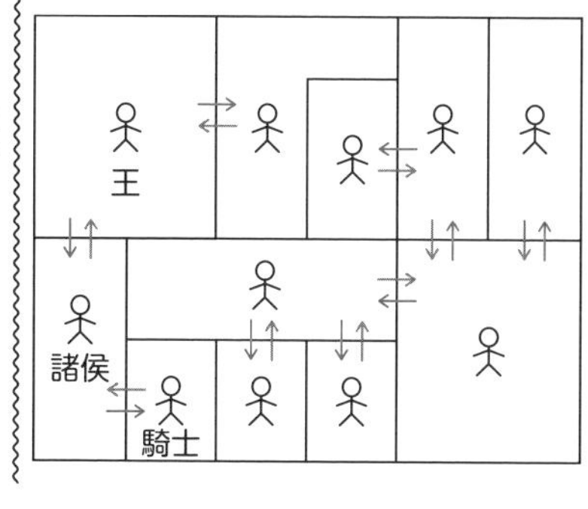

そこで，土地の支配者は自分よりも強い有力者に領地の保護を求め，代償として有力者の臣下となって軍役の義務を果たしました（上図の右，**封建的主従関係**）。この関係の最上位に位置したのが国王で，国王－諸侯－騎士という階層構造が形成されました。西欧の封建的主従関係の最大の特徴は**双務的契約**。主君が義務をサボって保護を怠った場合，臣下には服従を拒否する権利がありました。契約を解消することだってあります。

▲血縁を基盤とする中国（周）の封建制とは対照的

解約したら，臣下は領地を保護してもらえなくなって困るのでは？

実は主君（王）の方にも，臣下（諸侯）との契約を維持したい事情があったんです。**手強い外部勢力と戦うためには臣下の協力が必要ですし，当時は各地に勢力が割拠して効率的な行政機構がなかった。王にとって，私的な忠誠を得られる主従関係は，上位に立つための，せめてもの手段だったんです。**だから臣下は主君に一方的に従うのではなく，「俺の兵力がないと戦争で不安じゃないッスか？　契約で領地を保障してくれれば，協力しますけど？」と結構強気に出る。自分の領地を守るための，まさにビジネスです。

▲イスラーム教徒・ノルマン人・マジャール人

さて，国王・諸侯・騎士は，各々の所領（荘園）の領主という側面も持っていました。その経営を見ていきましょう。この物騒なご時世，農民（**農奴**）は様々な危険から守ってもらう代わりに領主に隷属しました。まず領主サマの畑（**領主直営地**）を無償で「耕して

▲高校世界史で「領主」とあった場合は，ほぼ諸侯・騎士のことを指す

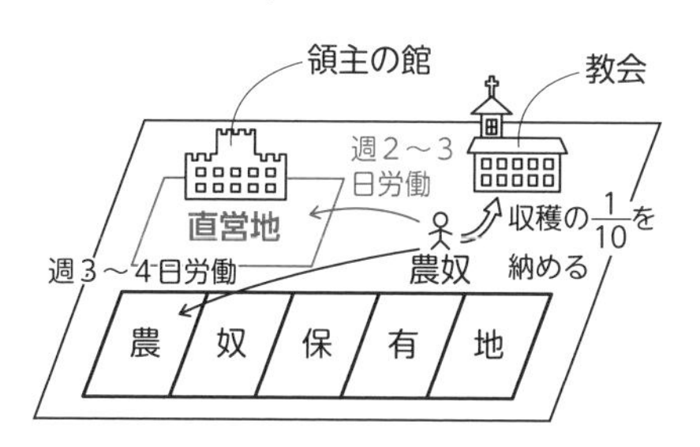

さしあげ」ました（**賦役**）。一方，農奴が使用を認められた**農奴保有地**の生産物は農奴の収入になりますが，一部は領主に**貢納**しました。さらに，教会にも**十分の一税**を納めました。経済的負担は他にもあって，いや～大変だ！

（ふえき）（こうのう）
▲労働地代。「タダ働き」であり，生産性は低い　▲生産物地代　▲収穫の１割

また，王といえども諸侯の領地に手出しすることはＮＧで，これを**不輸不入権**といいます。領地の中では領主が絶対的な権力を握ったわけで，農奴に対する裁判権も行使できました（**領主裁判権**）。

▲もちろん，王は自らの領地では農民から徴税することができる

ここで，東ヨーロッパの状況を見てみましょう。ローマ帝国が東西に分裂した後，一時期だけ地中海世界がほぼ再統一されました。それが**ユスティニアヌス１世**の時代の東ローマ帝国です。**西ゴート王国とフランク王国以外の地中海域を支配下に置きました。**

先ほどお話ししたように，首位権を主張するローマ教会は「格下」のコンスタンティノープル教会＆東ローマ帝国コンビの影響下にあまんじることに耐えられず，東西教会は対立していきます。またユスティニアヌス１世は，東方では**ササン朝ペルシア**の**ホスロー１世**とも対立し，これがのちにイスラームが成立する背景になりますね。**『ローマ法大全』**や**ハギア（セント）＝ソフィア聖堂**など，文化も花開きました。しかし，ユスティニアヌス死後の東ローマ帝国は，ササン朝ペルシアやイスラーム勢力など東方勢力の攻勢に苦しめられることになります。

▲→テーマ12　▲オスマン帝国による征服後はモスクのアヤソフィアとなる→テーマ24

末期には，小アジアはイスラーム教徒，バルカン半島はスラヴ人に侵食され，帝国は首都コンスタンティノープル周辺だけの地方政権になってしまいます。最後はバルカン半島を丸ごと呑み込む勢いの**オスマン帝国**（メフメト２世時代）によって滅亡しました。

▲セルジューク朝，オスマン帝国　（の）　▲→テーマ12

その東ローマ帝国は，東欧へ広範に定着したスラヴ人への布教を熱心に進めました。10世紀末，キエフ公国の**ウラディミル１世**は**東ローマ皇帝の姪と結婚し**てギリシア正教を受容しました。**現在のウクライナの首都キエフは，東ローマ帝国の権威のもとに東スラヴ人諸公国の盟主として君臨していた**のです。しかし，13世紀に東方から侵攻してきたモンゴル軍によってキエフは破壊され，スラヴ諸勢力も支配下に置かれました。このような状況下で力をつけてきたのが，のちのロシアにつながるモスクワ大公国です（地図6－①）。

▲ウクライナ語ではキーウ

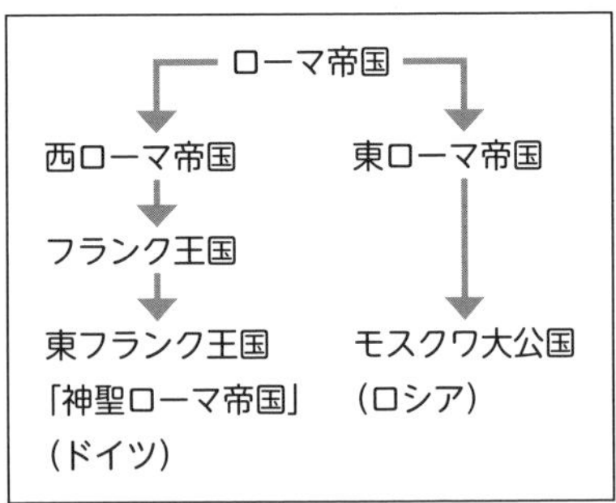

東ローマ帝国が滅亡した後，**モスクワ大公国**の**イヴァン３世**は最後の皇帝の

▲ロシアの前身

姪と結婚し，皇帝権の継承を主張。「**ツァーリ**」を自称します。彼はモンゴル
▲皇帝を意味する。ツァーリ（Czar）はカエサル（Caesar）のロシア語読み
人のキプチャク＝ハン国への貢納を拒否し，支配下から自立しました。**イヴァン4世**はツァーリを公式に採用し，ロシアの基盤が形成されていきました。一方のキエフは，**リトアニアとポーランドが合併して成立したヤゲウォ朝の進出をうけて，カトリック**（宗派の呼称については後述します）**圏の影響をうける**こととなり，盟主の地位からは後退。2022年2月にロシアがウクライナに侵攻したことは国際社会に衝撃を与えましたが，中世以来，モスクワ（ロシア）とキエフ（ウクライナ）は覇権をめぐって張りあっていたのですね。

▲→地図9-②

東欧に定着したスラヴ人の第1のポイントは，キリスト教の宗派です。**ローマ教会に近い西側の民族はカトリックを，コンスタンティノープル教会に近い東側の民族はギリシア正教を受容しました**。まとめパートの図と，地図5－③で整理すると，宗派がスパッと分かれているのが分かると思います。なお，マジャール人とルーマニア人は非スラヴ系の民族をルーツとしています。
ハンガリー。アジア系▲　▲ラテン系

東フランク王国（のちに**神聖ローマ帝国**と呼ばれます）のオットーが戴冠した時の地中海世界が右図です。カール戴冠によって事実上分裂していた**東西教会は1054年に正式に分裂**。西方は「**ローマ＝カトリック**」，東方は「**ギリシア正教**」という呼称が定着しました。東ローマ皇帝と神聖ローマ皇帝が「**神の代理人**」としてそれぞれのトップに君臨していましたが，西方の権力構造はややこしいことに。**「教皇レオ3世がカールに戴冠することで，ローマ皇帝が生まれた（＝教皇が皇帝の生みの親）。ということは，教皇の方が格上じゃないの？」** ということです。両者の上下関係が不明確だったことを背景に，**叙任権闘争**が起こりました。

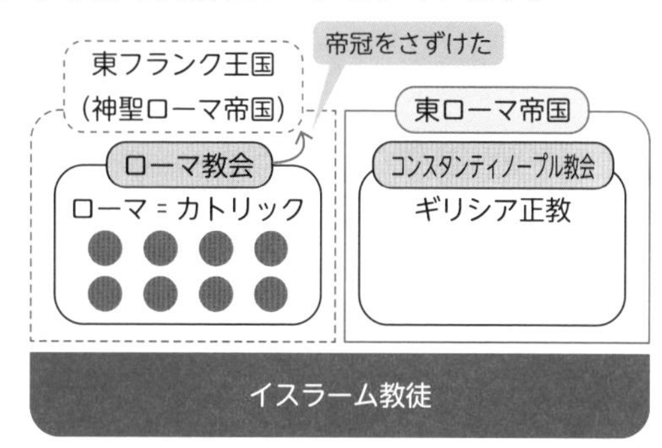

▲叙任権とは聖職者を任命する権利

神聖ローマ皇帝の本拠地ドイツは多くの諸侯が割拠し，また広大な領地を持つ司教など高位聖職者もいました。そこで皇帝は「神の代理人」として叙任権を握り，**息のかかった手下を聖職者に任命して，教会組織（とその領地）を自らの統治下に組み込んで大諸侯に対抗したのです**。しかし，聖職者の資質に欠ける輩（やから）が任命されることも多く，聖職者が世俗化・腐敗する一因に…。これに喝（かつ）を入れたのが教皇**グレゴリウス7世**です。教会の世俗化・腐敗は当時のローマ教会の懸案事項であり，**クリュニー修道院**などが教会改革に乗り出していました。グレゴリウス7世は，この影響をうけ，世俗権力からの教会の解放を掲
▲ドイツの皇帝に限らず，世俗の王や領主は聖職叙任権を持ち，統治に利用

げて皇帝**ハインリヒ４世**と対立，謝罪に追い込みました（**カノッサの屈辱**）。グレゴリウス７世の勝因は，**テーマ6**で説明しますね。叙任権闘争は1122年の**ヴォルムス協約**で一応の決着をみます。いわゆる「灰色決着」で，皇帝と教皇の対立は続きますが，かつての「皇帝が頂点に立つ」状況から「**皇帝権と教皇権が並立する**」という体制に持ちこめたわけで，教皇にとっては万々歳です。

教皇権が高まった背景には，西暦1000年頃から（イエスが生まれてジャスト1000年なので）終末論の噂が飛び交い，人々の**宗教的情熱が高まったことがありました**。そんな11世紀後半，イスラームの**セルジューク朝**が小アジアに進出して東ローマ帝国を圧迫。東ローマ帝国はローマ教会に救援を要請すると，教皇**ウルバヌス２世**が対イスラームの聖戦と聖地**イェルサレム**奪還を叫び，1096年から**十字軍**遠征が始まります。ただ，宗教的情熱を土台とした十字軍ですが，各階層の本心は別にありました。

▲キリストが再来し，「最後の審判」を行う
▲各地に教区教会が建ち，民衆にもキリスト教が浸透したことも背景
▲テーマ12

1054年に東西教会は分裂，1077年にカノッサの屈辱と，当時の教皇は東方教会と神聖ローマ皇帝，双方と火花バチバチです。この状況で教皇が十字軍プロジェクトを立ち上げて成功に導けば，**「教皇こそがキリスト教世界の頂点にふさわしい」**という絶好のパフォーマンスになりますからね。国王，諸侯，商人の狙いは領土，戦利品，交易品にありました。純粋に物欲です（笑）。

▲十字軍開始の段階では，まだヴォルムス協約（1122）は結ばれていない

第１回十字軍はイスラーム勢力の内紛にも助けられ，イェルサレム征服に成功。しかし12世紀後半，新興の**アイユーブ朝**の**サラディン**がイェルサレムを征服。これに対する第３回十字軍は，**リチャード１世**が単独でサラディンと戦うものの，聖地奪還はなりませんでした。そして**第４回**，輸送を担った**ヴェネツィア**商人の手引きで，なんと同じキリスト教圏の**コンスタンティノープル**を攻撃＆略奪！　対イスラームの使命感など二の次で，世俗的な欲が第一，という参加者の下心が露（あら）わになったわけです。敬虔（けいけん）な「聖王」**ルイ９世**率いる遠征が王の死によって頓挫（とんざ）すると，一連の遠征は幕を閉じました。

この時に聖地を守護するためのヨハネ騎士団とテンプル騎士団が成立▲
▲テーマ12
ヴェネツィアの商売敵だった▲

十字軍が失敗した結果，①プロジェクトを立ち上げた**教皇の権威には傷がつきました**。そして②諸侯は目当ての戦利品も手に入らず，戦死した者も少なくなかった。経済的にかなり無理をして遠路はるばる遠征していたので，**多くの諸侯が没落**します。一方，③十字軍に便乗してアジアの物産を取り引きした**イタリア商人は大きな利益をあげ**，また彼らは「国王が国土を統一してくれた方が，安全に商売ができるぞ」と考えて**国王を経済的に支援しました**。これが④**王権強化**の背景となります。

▲この関係は，遊牧民とオアシス民の共生と同様のしくみといえる　→テーマ9

11～13世紀は，農業生産の増加に伴い人口が増えた時代。これが西欧世界拡大を下支えしました。十字軍も，イベリア半島の**レコンキスタ**も，十字軍遠征から帰還した**ドイツ騎士団**による**東方植民**も，同じ文脈の中で語ることができます。

▲→テーマ6

中世ヨーロッパ②

1 十字軍遠征をうけて，中世都市が発展

6－①
■ハンザ同盟の在外４大商館

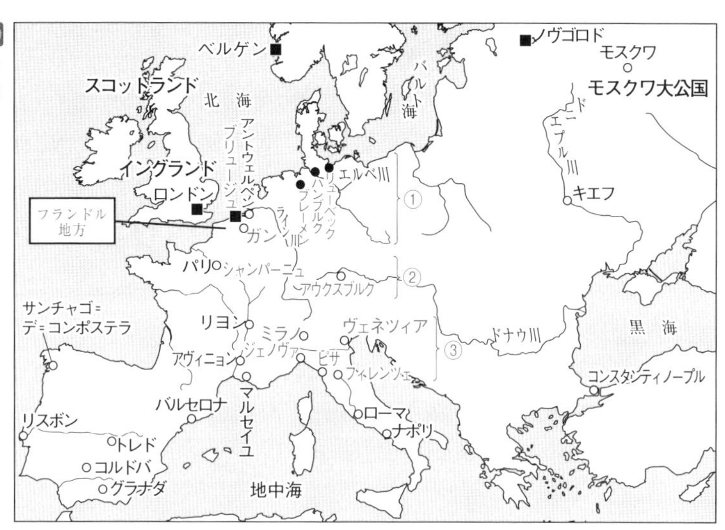

2 英仏王権が伸長し，教皇権は衰退へ

(1) 王権強化の要因
　①十字軍に伴う諸侯の没落
　②荘園制の崩壊
　③国王と大商人の結託
　④火砲の実用化に伴う戦術の変化

(2) 身分制議会の確立
　①**模範議会**（英，1295～）
　②**三部会**（仏，1302～）

(3) 教皇権の衰退
　①仏王**フィリップ４世**による**アナーニ事件**，**教皇のバビロン捕囚**（14世紀前半）
　②**大シスマ**（教会大分裂，1378～）

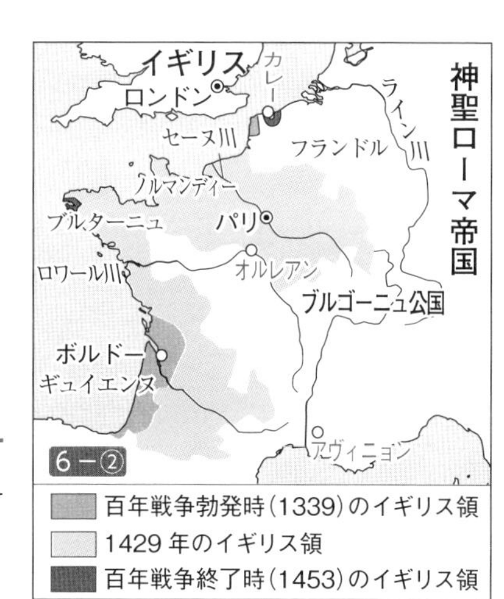

➡**コンスタンツ公会議**（1414～）

(4) **百年戦争**（1339～1453）

①**ジャンヌ＝ダルク**の活躍もあってフランス軍が勝利し，イギリス軍を大陸からほぼ駆逐

②現在のイギリス（イングランド）・フランスの領域がほぼ確定

3 荘園制度が崩壊

(1) 背景…**貨幣経済**の農村への波及，**黒死病（ペスト）**の流行（14世紀半ば）

(2) 農民一揆…**ジャックリーの乱**（仏），**ワット＝タイラーの乱**（英）

4 中世のドイツ・イタリア・イベリア半島

▲東フランク王国

(1) ドイツ（**神聖ローマ帝国**）

①東フランク王**オットー1世**が戴冠（962）

②**イタリア政策**に伴い，ドイツでは地方分権化が進み諸侯が自立

③混乱と収拾…**大空位時代**（1256～73），**金印勅書**（1356）

④**ハプスブルク家**による帝位世襲が始まる（1438）

(2) イタリア…皇帝党（**ギベリン**）と教皇党（**ゲルフ**）が対立

(3) イベリア半島

①**ポルトガル王国**（12世紀），**スペイン王国**が成立（15世紀後半）

②**レコンキスタ**の完成…スペインが**ナスル朝**の都**グラナダ**を攻略（1492）

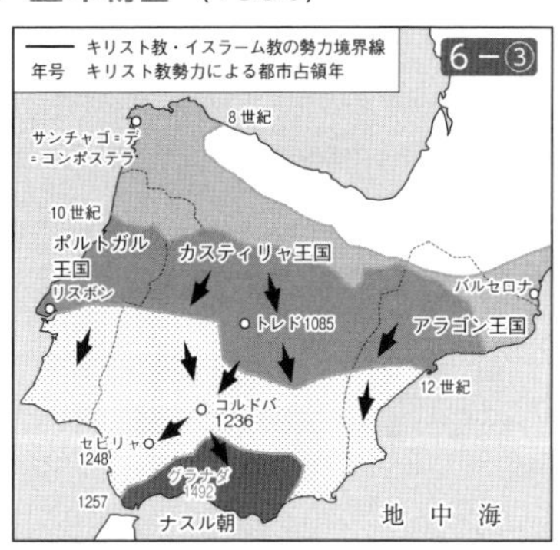

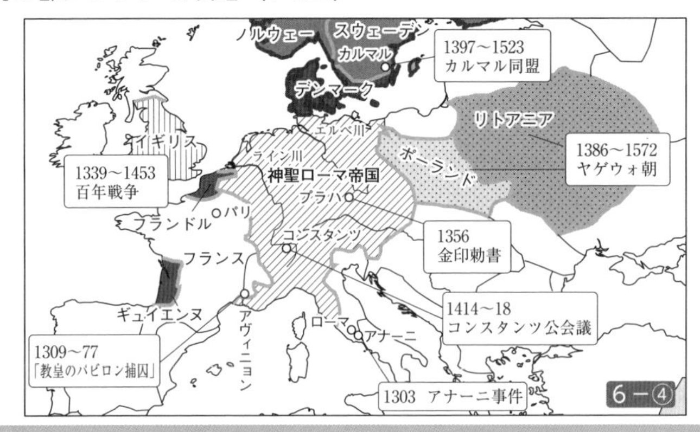

紀元1000年頃からおよそ300年ほど，西欧は温暖な気候に恵まれます。この時期に**三圃制**（さんぽせい）や**鉄製重量有輪犂**（ゆうりんすき）（▲従来は人力で木製農具を用いて耕作）が普及し，農業生産力が大きく伸びました。三圃制は，畑を秋耕地（小麦・ライ麦用▲），春耕地（▲大麦・えん麦用），休耕地（▲休耕地には家畜を放牧して地力の回復に努めた）に三分し，３年周期で使用する農法。従来は畑の半分を休耕地にあてており（二圃制），二圃制では畑全体の1／2しか使いませんが，三圃制では2／3を使えます。この生産増が人口増加につながり，十字軍（▲→テーマ5）の原動力になりました。また，農業生産増加に伴って余剰生産物が発生し，その取り引きが活性化。さらに遠隔地の取り引きも盛んになりました。**十字軍遠征で大量の人員が移動した際，陸路・海路とも輸送ルートが整備されて，このルートを商人が貿易に「再利用」したんですよ。**

十字軍遠征が，結果的に商業発展をアシストしたんですね！

イスラーム教徒やノルマン人の活動によって萎縮（いしゅく）していた経済活動が再び活気を帯びてきます（商業の復活）。交通の要所に定期市が立ち，やがてそこに商人が定住して商業都市が生まれました。都市の多くは封建領主の領内に成立したので，領内で絶対的権力を振るう領主は，当然のように都市の運営に干渉してきます。都市市民は，時には武力，時にはカネ，とあの手この手で領主の干渉から逃れ自治権を獲得し，これらの都市は多くの場合，領主が支配する農村との境界に城壁（▼資料集などに載っているドイツのネルトリンゲンが有名）を築きました。

都市内部の舵取り（かじとり）は大商人が牛耳る市参事会によって行われました。大商人は排他的な同業組合である**商人ギルド**を結成。**非ギルド員が業界に新規参入できないのはもちろん，ギルド員にも店舗の数，販売量，価格など厳しい統制を敷きました**。一方，職人界には厳しい**徒弟**制度があり，新人は無給の見習いからスタートして，厳しい修行を経て有給の職人になれました。さらに限られた親方に昇格した者だけが**同職ギルド**のメンバーになることができました。

同業者の間で競争が激しくなれば，共倒れが怖いですもんね。

当時のヨーロッパの商業圏は地図6－①に示したように，

①日用品を扱う北方の商業圏

②北方と地中海の接点となる内陸の商業圏

③東方貿易で入手したアジアの贅沢（ぜいたく）品を扱う地中海の商業圏

が中核をなしました。都市が諸勢力に対抗し，共通の利益を求めて成立した都市同盟としては，**リューベック**を盟主とする**ハンザ同盟**と，**ミラノ**が参加したことで知られる**ロンバルディア同盟**が有名です。

都市の**貨幣経済**は，農村にも波及してきます。領主は地代に占める賦役の割合を下げ，貨幣地代の割合を高めました。**農民の中には貨幣を蓄え，領主に解放金を支払って独立自営農民になる者も**。こんな中，アジアから伝染した**黒死病（ペスト）**が猛威を振るいました。当然ながら「ソーシャルディスタンス」「飛沫感染」などの概念は希薄ですから，多くの農民が犠牲となり（一説ではヨーロッパ人口の３分の１が失われたとも），労働人口も減って人手不足に。これ以上働き手が減っては困る領主は，やむなく農民の待遇を改善。**黒死病にはとかくマイナスのイメージがありますが，運よく生き残った農民にはプラスに働いた**んですね。相対的に力を高めた農民はあちこちで一揆をおこし，領主が力を誇った荘園のシステムに亀裂が入り始めます。

▲領主は賦役の生産性の低さにも気づきつつあった
モンゴル＝ネットワークを通じて伝播したとされる　→テーマ９▲
▲14世紀に気候が寒冷化して凶作が続き，人々の栄養状態が悪化したことが背景
直営地の解体，結婚税・死亡税・領主裁判権などの撤廃・緩和▲

ここからは，イギリス・フランス・ドイツといった個別の国の状況を見ていきます。北フランスにノルマン人が建てたノルマンディー公国は，「フランス王から領地を与えられた諸侯の国」という体裁で成立したため，支配者は「フランス王の臣下」という立ち位置でした。1066年，**ノルマンディー公ウィリアム**がイギリスへ上陸してアングロ＝サクソン勢力を撃破し，**ノルマン朝**を建てました。この「**ノルマン＝コンクェスト**」によって「**フランス王の臣下がイギリス王になる**」というなんとも複雑な関係が生まれ，領土問題もこじれます。

▲厳密には「イングランド」であるが，本書では慣例的に「イギリス」と表記
▲ノルマンディ公

このノルマン朝が断絶すると，新たに**プランタジネット朝**が成立しますが，初代**ヘンリ２世**はなんと「**アンジュー伯**」，またもフランス諸侯でした。こういった経緯でイギリス王は大陸に広大な領土を領有しました。

▲アンジュー帝国

フランス王
もはやお前は引っ越したんだから，
ノルマンディーはフランス領だ

VS

イギリス王
ノルマンディーは我が王家の故郷であり，当然イギリス領だ

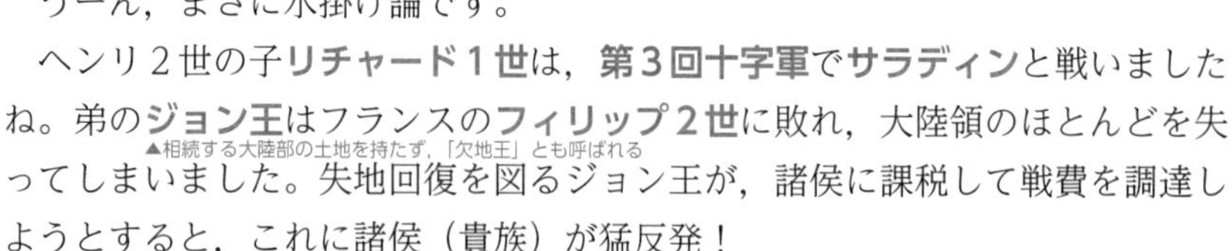

うーん，まさに水掛け論です。

ヘンリ２世の子**リチャード１世**は，**第３回十字軍**で**サラディン**と戦いましたね。弟の**ジョン王**はフランスの**フィリップ２世**に敗れ，大陸領のほとんどを失ってしまいました。失地回復を図るジョン王が，諸侯に課税して戦費を調達しようとすると，これに諸侯（貴族）が猛反発！

▲相続する大陸部の土地を持たず，「欠地王」とも呼ばれる

ここで王と諸侯の関係を整理しておくと，ノルマンディー公は武力でイギリスを征服しましたから，もともと**イギリスの王権は強大**でした。両者は「**全面**

戦争になれば，王は諸侯全員をつぶすことはできる。ただ王も大ケガを負ってタダではすまないから，できれば諸侯との衝突は避けたい」という力関係でした。これを税に当てはめるならば，**「王は諸侯に課税することはできるが，諸侯が提示する条件もある程度は尊重する」**といえるんですね。そこで，ジョン王と大諸侯（大貴族）と高位聖職者の間で，課税の際には必ず話し合いを持つことにしました。これが**大憲章**です。王の専制を抑止し，貴族の諸特権を確認したという点で，**イギリス立憲政治の起源**と位置づけられています。

▲貴族は，無条件に王に服従するほど弱くはない
▲不輸不入権を無視して課税
（大憲章：マグナ＝カルタ）

その後，**エドワード１世**は州の騎士代表と都市の市民代表も議会に加わるシステムを整備して**模範議会**が成立しました。**エドワード３世**の時代には二院制が確立します。

続いてフランスです。三分されたフランク王国のうち，西フランク王国ではカロリング朝断絶をうけて987年に**ユーグ＝カペー**が即位。ただ，**カペー朝**の領地はパリとその周辺のみで（パリがフランスの首都となるのは，ここに由来します），**王より広い領地を誇る諸侯が何人も存在しました**。ここからフランスはコツコツと王権を強化していきます。前述の通り，**フィリップ２世**はジョン王を破ってイギリスの大陸領を奪い，王領に組み込みました。しかし最強の教皇**インノケンティウス３世**には歯が立たず，屈服させられます（ジョン王も）。「聖王」と称される**ルイ９世**は，南フランスの**アルビジョワ派**を討伐，南フランスを手中に収めました。彼が死んで一連の十字軍遠征は終了しますが，ということは前講で触れたようにこの時期に諸侯は没落し始め，商人の支援をうけて王は強大化していくわけです。そして，ついに教皇に全面抗争を仕掛けたのが**フィリップ４世**。

▲→テーマ５
▲敬虔なカトリックであったことにちなむ

今まで歯が立たなかった教皇に，なぜ勝てるようになるんでしょう。

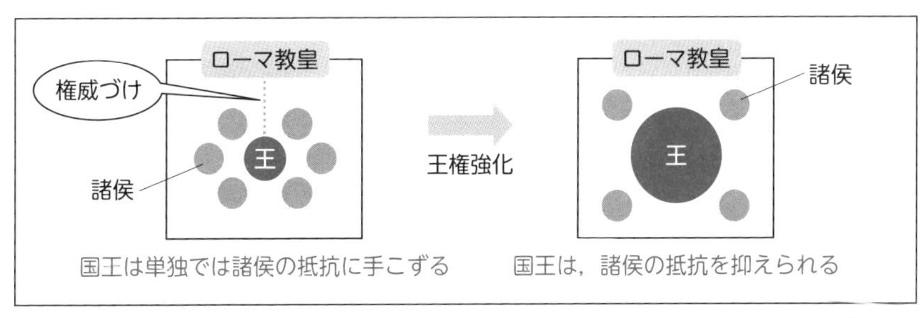

従来のフランスは地方分権で，１人の諸侯ならまだしも，諸侯たちが束になって刃向かってきたら，王にはそれをねじ伏せる地力はありませんでした。国王のことを快く思わない諸侯なんていくらでもいる。諸侯が王の前で家臣とし

て跪くのも，自分の領地を保障してもらうためのビジネス上の「手段」なんです。こんな状況ですから，**王は国内を安定して支配するため，ローマ教会による権威づけを必要としました。**大聖堂でエライ聖職者から仰々しく王冠を授かり，「神が認めた正統な王」というお墨付きをもらい，諸侯はこれを尊重する，という図式です（p.43図の左）。この状況で教皇と王がケンカすると，教皇は伝家の宝刀「破門」を行使。すると，「キリスト教徒失格を宣告された奴に王の資格なし！」と**諸侯がここぞとばかりに王を追い落としにかかるんです。**王は自力で事態を収拾できず，教皇に頭を下げるしかない…。これが**テーマ5**のハインリヒ４世や，国王が教皇に屈してきた構図です。

▲信徒を教会から除外すること。社会的抹殺を意味し，教皇側の最大の武器

しかし**王権が強化されると，王は自力で諸侯を抑え込める**ように（p.43図の右）。14世紀初頭，フィリップ４世はローマ教会の息がかかっていたフランス各地の教会を支配下に収めようとしました。従来なら教会を経由してローマへ送られていた税を王の懐へ入れようという魂胆です（**聖職者課税問題**）。**フィリップ４世**は教皇とケンカするにあたって国民，とくに**諸侯（貴族）の支持を確認するため**に**三部会**という議会を開きました。「この力関係で王に抵抗しても分が悪い。ここは従っておくか」と諸侯はフィリップ４世を支持したのです。教皇**ボニファティウス８世**はフィリップ４世を破門しますが，国内をまとめたフィリップ４世は，ボニファティウス８世を捕縛＆監禁（**アナーニ事件**といい，国王の手下が鉄製の手袋をはめて教皇をシバき倒したそうです…）。さらに教皇庁を南フランスの**アヴィニョン**に移転し，教皇に対するフランスの影響力を強めました。その後もローマとアヴィニョンに教皇が並立し（**教会大分裂**），ローマ教会は混迷します。また，この頃にはローマ教会の権威に堂々と異を唱える**ウィクリフ**や**フス**といった神学者も登場。1414年から開かれた**コンスタンツ公会議**で大シスマは解消し，フスは火刑に。一連のスキャンダルをなんとか火消ししましたが，逆風を食い止めるには至りませんでした。

イギリスとの領土争いに必要な戦費を，課税でまかなおうとした▲

ボニファティウス８世は救出されたものの，その後に憤死▲

こうして強大化したフランス王権が，**百年戦争**でイギリス王権と全面衝突します。原因は，長年続く領土対立に加えて，**フランス王位継承問題**でした。フランスでは**ヴァロワ朝**が断絶したカペー朝を継ぐのですが，これに英王**エドワード３世**（彼の母は上で登場したフィリップ４世の娘）が「私はフランス王フィリップ４世の孫である。カペー朝は断絶していない！」と主張して，フランス王位も求め，戦争の火ぶたが切って落とされました。

▲カペー朝

▲政略結婚でイギリス王室に嫁いでいた

序盤は黒い鎧を身にまとった**エドワード黒太子**率いる長弓隊の活躍もあってイギリスが優勢でしたが，**黒死病（ペスト）**の流行で一時休戦。15世紀初頭にはフランスの大諸侯がイギリス側についたこともあり，イギリスが大陸に広く侵攻して圧倒的優勢に。この危機を救ったのが，神のお告げを聞いたとされ

る農民の娘**ジャンヌ＝ダルク**です。フランスの最後の砦**オルレアン**を包囲していたイギリス軍を突破し，ここから反転攻勢へ（ジャンヌはイギリスに捕らえられ，火刑に処されてしまいますが…）。王太子シャルルはランス大聖堂で晴れて**シャルル７世**として戴冠し，大諸侯とも和解。1453年にイギリス軍を大陸から駆逐し，フランスの勝利に終わりました。

（彼女の名声を恐れていたシャルル７世は，身代金支払いを拒否▼）

（東ローマ帝国が滅亡した年でもあり，中世が終わる節目の年といえる▲）

百年戦争の戦禍で多くのフランス諸侯が没落し，王権は強化されました。イギリスでも戦後に起こった**バラ戦争**で諸侯が互いにつぶし合ったことが，王権強化につながりました。**百年戦争を経て，英仏の領土問題はほぼ清算されてイギリス＝島国，「フランス＝大陸」という領域が確定し，王を頂点とする統一国家の原型ができあがった**といえるでしょう。

続いてドイツ。**テーマ5**で紹介した叙任権闘争で見たように，神聖ローマ皇帝（ドイツ王）はローマ教皇に対し優位に立とうと考え，**イタリア制圧を目指して遠征を繰り返しました**（「ローマ皇帝」なんだからローマを支配して当然，という心情もあります）。これが**イタリア政策**なんですが，皇帝不在の間にドイツの諸侯は羽を伸ばして自立。その数およそ300です！　13世紀半ばに**シュタウフェン朝**が断絶すると，後継選びは大混乱です。諸侯たちは考えました。「マトモな奴を皇帝に選ばない方が，俺達には好都合だぜ」と。皇帝とは名ばかりの外国貴族が即位する**大空位時代**です。その100年後に**カール４世**が**金印勅書**を発して，七人の**選帝侯**の選挙によって皇帝を選出することを規定し，皇帝決定のプロセスを明確化。安定して皇帝を選べるようになった一方で，皇帝を選べる選帝侯は絶大な力を握ります。彼らに睨まれたら皇帝になれないわけですからね。このように，**王権が国土を束ねていったイギリスやフランスとは異なり，ドイツでは諸侯が分立する状況が続く**ことが特徴です。15世紀の半ばからは，辺境の**オーストリア**を拠点とし，お世辞にも大貴族とはいえなかった**ハプスブルク家**が帝位を世襲するようになり，政略結婚も駆使して20世紀まで続く「超名門」となっていきます。

（▲イタリアへ向かうにはアルプス山脈を越える必要があり，年月を要した）

（従来はローマ教皇など外部勢力も皇帝選出に関与▲）

（▲選帝侯は，皇帝選出権以外にも様々な特権を認められた）

（▲ハプスブルク家は自領邦の経営に専念し，領邦や帝国都市を緩やかに統合）

神聖ローマ皇帝によるイタリア政策の方は成功したんですか？

残念，失敗です。教皇を支持する勢力**ゲルフ**は手強く，都市勢力にも苦しめられました。一方のイタリア国内も統一されることなく，分裂状態が続きます。

イベリア半島では，**カスティリャ王国・アラゴン王国・ポルトガル王国**などのキリスト教国が勃興しました。**イサベル**と**フェルナンド**が結婚してスペイン王国が成立した後，1492年に**ナスル朝**の都**グラナダ**を攻略。イスラーム教徒をイベリア半島から一掃して**レコンキスタ**が完了しました。

（▲テーマ12）

テーマ 7

中国史① 黄河文明〜秦・漢

1 黄河と長江の流域で古代文明が栄えた

(1) 黄河文明…**彩陶**文化（仰韶（ヤンシャオ）文化），**黒陶**文化（竜山（ロンシャン）文化）
▲河南省の遺跡　▲山東省の遺跡

(2) 長江文明…河姆渡（かぼと）遺跡

2 最初期の王朝である殷や周が成立

(1) 殷（商，前16〜11世紀頃）…神権政治

(2) **西周**（前11C〜前770）…**封建制**

(3) 東周（前770〜前256）

①**春秋（しゅんじゅう）時代**（前770〜前403）…諸侯は名目上は周王を尊重

②**戦国時代**（前403〜前221）…周王の権威は失墜し，諸侯が天下を争う

7-①

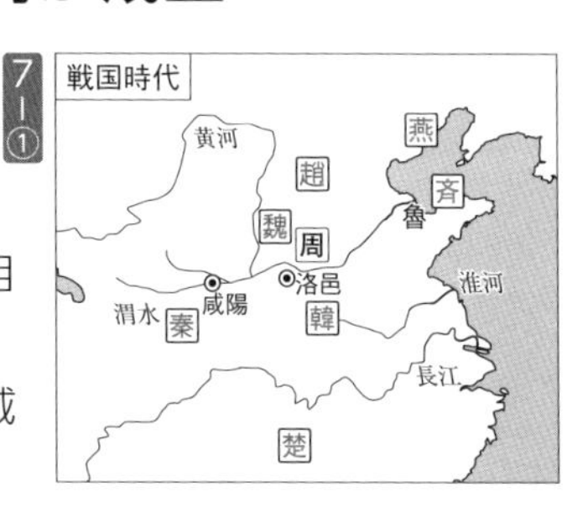

3 秦によって初めて中国が統一された（前221）

(1) 秦王**政**による統一（前221）➡**始皇帝**を称し，中央集権化

(2) 秦の滅亡

①始皇帝の死後，**陳勝（ちんしょう）・呉広（ごこう）の乱**（前209）➡鎮圧されたが滅亡（前206）
▲中国史上最初の農民反乱とされる

②**項羽**（楚の貴族出身） VS **劉邦**（農民出身）の対立 ➡劉邦が勝利
▲垓下の戦い（前202）

4 漢代に中華帝国の土台ができあがった

(1) **前漢**（前202〜後８，都は長安）

①**高祖**（劉邦，位前202〜前195）

②**武帝**（第7代，位前141〜前87）

・**董仲舒（とうちゅうじょ）**の献策によって**儒学**の官学化

・郷挙里選の採用…郡の太守などの地方長官が優秀な人材を中央に推薦
▲豪族が中央政界へ進出

・対外政策…朝鮮・西域・北ベトナムへ進出
➡財政難をうけ，財政再建を試みるが挫折

➡武帝の死後，宦官や外戚が宮廷を混乱させ，前漢は動揺

(2) **新（8～23）**…前漢の外戚であった**王莽**が帝位を奪う

(3) 後漢（後25～220） 首都：洛陽

①**劉秀**（**光武帝**，位25～57）が王莽を破り，漢を復興

②対外関係

・**倭の奴国**の朝貢（57）…光武帝は金印を授けた

※**冊封**……中国の皇帝が近隣国の首長に爵位や官位を与えて領域の統治を認め，主従関係を確立。近隣国の首長は皇帝の徳を慕って貢物を送る**朝貢**を行い，皇帝はこれに対して返礼（回賜）を与えた

・**班超**…１世紀末，西域を奪回し，西域都護に任命される

・大秦王安敦の使者を称する者が日南郡に来航（166）
▲ローマ皇帝マルクス＝アウレリウス＝アントニヌス

③衰退と滅亡

・党錮の禁（166・169）…宦官が反宦官派の官僚を投獄

・**黄巾の乱**（184）…**太平道**の教祖**張角**が指導，後漢は事実上滅亡

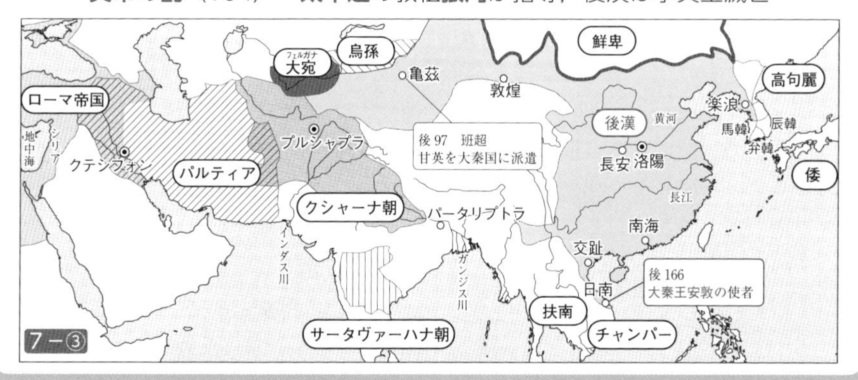

テーマ**7**から**10**では前近代の中国史を扱います。世界史に馴染みがない方は「中国では皇帝を頂点とする王朝がずーっと続く」というイメージを持っていただければ，それでOKです。下の図は，中国史の概観です。

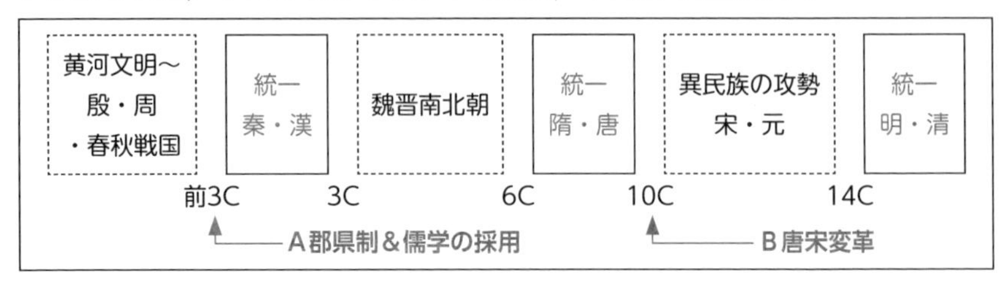

秦＆漢，隋＆唐，明＆清が「This is 中華，と言える強大な統一王朝」と考えると分かりやすいと思います（ただ秦では儒学が弾圧されていたり，宋が弱体であるが故にことさら中華思想を強調したり，清は漢民族の王朝ではない，などこの分類法には強引な点もあるのですが，シンプルにするための方便とお考えください)。「中国は王朝が単調に続くだけでつまらない」と考えてしまうかもしれませんが，ちゃんと起伏に富んだストーリーに満ちています。政治に関しては特に**A**と**B**が大きな節目。今から，これらをお話ししていきましょう。

中国の地勢から紹介しておくと，**黄河**流域と**長江**（▲揚子江）流域の区別は最重要です。前者が流れる**華北地方は乾燥して畑作が農業の中心**であるのに対し，**後者が流れる江南地方は雨が多く稲作に向いています**。黄河で栄えた文明は，土器の特徴によって**彩陶**（▲焼く温度が低いため，もろい）文化と**黒陶**（▼高温で強度が高く，表面を磨いた）文化に分類できます。長江流域で発掘された河姆渡（かぼと）遺跡では稲作を行っていたことも分かっています。

中国でおおよそ都市国家に相当するのが**邑**（ゆう）です。やがて邑を統合する国家が登場し，伝説では**夏**（か）（▲伝説の帝王である禹が建てたとされる）が中国最初の王朝を築いたとされますが，いまだ存在は未確認。確認できるのは**殷**（商）からです。殷の王は邑の連合体の盟主として，神をまつる祭祀を主宰し神意を占い，政治を行いました（政治のことを「まつりごと」とも言うのは，この伝統に由来してます）（▲王が死ぬと，大量の殉死者が一緒に埋葬された）。その結果を亀の甲羅や獣骨に刻んだものが，漢字の起源である**甲骨文字**ですね。殷は都周辺の限られた地域だけを直接統治し，「大規模な邑を拠点とする有力氏族の連合体」というのが国家の実態でした。殷では儀式に用いる青銅器が作られましたが，それに刻まれている複雑な文様は，ラーメンのどんぶりに描かれている四角いうずまき模様のルーツ（雷紋▲）なんだそうです。

その殷の暴君であった紂王（ちゅうおう）を倒した武王が**周**を建てました。周王は**封建制**という新しい方法で他の邑を統合しました。封建制の前提として，周代を特徴づける「**宗族**（そうぞく）」を説明しましょう。宗族とは同姓の父系親族（氏族）集団です（同姓の親戚一同のまとまり，とでもいえましょうか)。一族の長を敬う**団結・絆は，王から農民に至るまで周の社会基盤となりました。**

周王は，一族や功臣に対して邑を与えて統治を委ねました。この一族・功臣を**諸侯**，邑（▲諸侯の領地）を**封土**と呼びます。諸侯は封土を与えられる代わりに，周王に対して貢納と軍役の義務を負いました。諸侯にも**卿**・**大夫**・**士**といった世襲の家臣がいて，諸侯は彼らにも領地（▲采邑（さいゆう））を与えました。このような土地を媒介として形成された主従関係が**封建制**（▲血縁関係を基盤とする点が，個人間の契約であるヨーロッパの封建制との相違点）です。

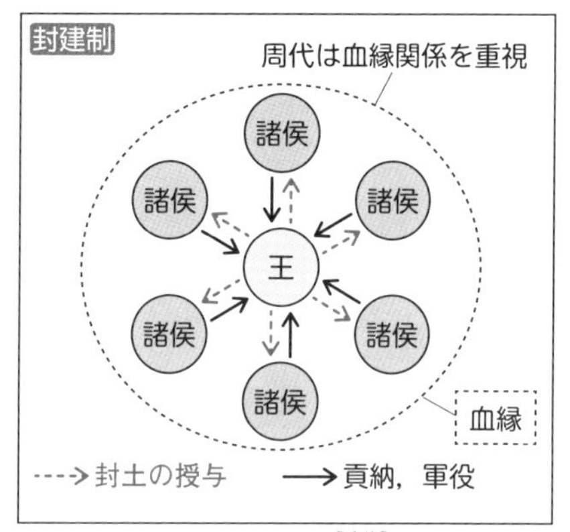

しかし，血縁関係というのは，世代交代するうちに薄れていきます。兄弟の子同士は従兄弟，その子同士は「はとこ」，というように。絆が弱まったことで，諸侯が一族の長，すなわち周王を敬う気持ちも薄れていく。そんな折，前770年に異民族犬戎の攻撃をうけ，周王は**鎬京**（地図7－①の咸陽のあたり）から逃れ，東の**洛邑**に都を移します。周王は洛邑周辺のみを支配する勢力に転落しますが，**「王は天命をうけた存在である」**（▲＝天子）という権威を維持していました。露骨に周王を軽んじることもできず，有力諸侯は「周王をお守りし，蛮族である犬戎を討て！（**尊王攘夷**）」と叫んで同盟（▲会盟）を組み，その盟主が覇者（▲代表的な覇者を春秋の五覇と呼ぶ）となりました。これが**春秋時代**。

前403年に次の転機が訪れます。晋という諸侯の臣下たちが国を乗っ取って領地を三分，さらに周王に**韓**・**魏**・**趙**という諸侯の地位を認めさせてしまいました。「主君に逆らってはならない」という封建制の掟がついに破綻し，**下剋上の世が到来します。**肩書きに関係なく実力のある者が勝ち残って天下を争う**戦国時代**に突入しました。抗争の中で，勢力図は7つの国（戦国の七雄。**秦**・**楚**・**斉**・**燕**・**趙**・**魏**・**韓**）に再編されていきました（地図7－①）。

春秋の末期から戦国時代にかけ，**鉄製農具**と**牛耕農法**が普及して農業生産力が上昇したことは，中国の政治にも大きな影響を与えました。まずは**抗争を勝ち抜こうとする諸王の富国強兵策に結びつきます。**王たちは開墾・灌漑事業を手がけ，また余剰生産の取り引きで商業が活性化すると，商業を手厚く保護・振興しました。この流れの中で，青銅貨幣が流通するようになりました。もう一点，農業力が上昇したことに伴って，**一族全体で力をあわせて行っていた農作業が家族だけで可能になった**こともポイントです。これは一族の絆を弱めることにつながり，**宗族の団結を前提としていた封建制を崩壊させる遠因になってしまいました。**

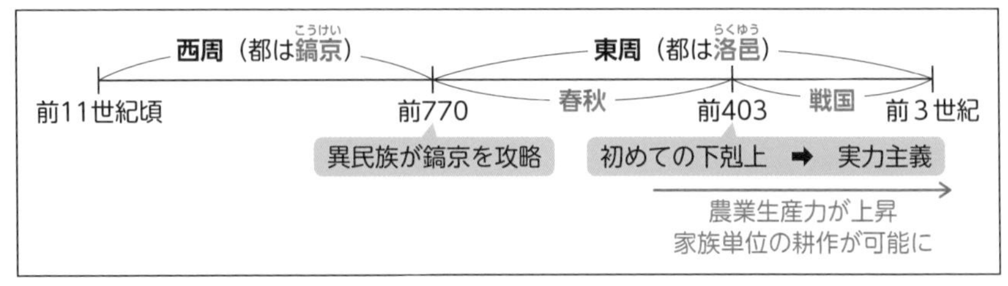

この時代，封建制が動揺して弱肉強食・実力主義の風潮が生まれたことで，**諸国は富国強兵のアイディアを広く天下に募集**しました。目を引くアイディアを提案した人材は重要ポストに登用され，腕をふるうことができました。この様々な提案をした思想家集団が**諸子百家**。血縁重視の氏族制社会が動揺していたことも，幅広く人材が登用された一因です。例えば宰相を任命する時，血縁重視の時代ならば，実力的にイマイチであっても一族（宗族）の中から選ぶしかありませんが，血縁にこだわらない実力主義の時代になれば，全くのアカの他人を宰相に抜擢できます。

封建制が動揺しかけた春秋時代，儒家の祖である**孔子**は**仁**（人を愛すること。細分化すると孝・悌などがある）を重視して周の封建制を評価しました（徳治主義）。しかし戦国時代に入ると，徳治主義とは異質な**法治主義**を採用した**秦**が戦国の七雄の中で強大化し，最終的に中国を統一します。前４世紀に**法家**の**商鞅**が改革を行い，**李斯**は始皇帝の中国統一を支えました。法家思想が熟成されていく過程を，儒家との対比で説明してみます。商鞅とほぼ同時期，儒家の**孟子**は**性善説**を用いて戦国の戦乱を収めようとしました。「**人間の本性は善である**。それを伸ばしてやれば，人々が互いに助け合い，一族の絆は保たれる。後天的な要因によって一族の長を敬う心が薄れ，封建制も崩れたのだ」。これに対し**荀子**は，同じ儒家でありながら孟子の思想に異を唱えます。「性善説など所詮は理想論。**人間の本性は悪であり，だからこそ礼による教化が必要**なんだ」と性悪説を主張しました。荀子の門下生の**韓非**や李斯は「**規範を破ったものを罰するべし**」と発展させて，法家思想は完成します。

一族の長を愛しましょう（仁）。それを行動で表現しなさい（礼）。行動しない奴は罰を与えるぞ！（法） というステップですね。

秦は法を地方に浸透させるため，中国統一以前から**郡県制**が施行されていました。封建制では地方の統治を諸侯に任せっきりなので，王が発した法は辺境まで届きません。対して郡県制では，**王が任命した官僚を地方へ派遣**し，法は末端にまで浸透するようになりました。オリエントで説明した官僚と「中央集権化」と同じイメージを思い出してくださいね。

秦王**政**は史上初めて中国を統一し「**始皇帝**」（「光り輝く神」の意）を名乗りました。法治主義と郡県制を軸に，文字・度量衡（様々な単位）・貨幣・車軌（車輪の幅）などあらゆるモノを統一して秦の規格に従わせました。思想面の統一が**焚書・坑儒**です。下の表を見ると，儒家と秦はまさに水と油，対極の関係にあることが分かります。始皇帝は秦をおびやかすリスクのある書物を全て焼かせ，儒学者を生き埋めにしたのです（▲後世の儒学者が，弾圧を誇張したとする説もある）。

儒家	法家（秦が採用）
性善説－徳治主義－封建制分権	性悪説－法治主義－郡県制

厳しい刑罰，大規模な土木工事（▲阿房宮，長城の建設など），従来の伝統を無視しあらゆる規格を秦に合わせる強引な手法…。有能だったが豪腕な始皇帝が死ぬと不満が爆発！　**陳勝・呉広の乱**（土木工事の召集に間に合わなかった農民が起こした▲）を皮切りに各地で反乱が起こり，**項羽**と**劉邦**という両雄が登場。秦は統一からわずか15年で滅び，激闘の末，劉邦（▲農民出身で皇帝になった人物）が勝利して漢（前漢）を建てました。序盤は，20代で中国をほぼ統一するほど才能に恵まれた項羽が劉邦を圧倒しますが，臣下の心をつかむことを怠り，しだいに劣勢に…。「背水の陣」「四面楚歌」など，現在も用いられている故事成語は，司馬遷の『史記』に記された二人の戦いに由来しています。

劉邦は部下をかわいがり，（部下にほうびを与える意味も込めて）国土の東半では一族・功臣に封土を授与する**封建制**を採用しましたが，半世紀後には**事実上の郡県制**へ移行しました。

そして7代**武帝**が，儒学者**董仲舒**の献策を容れて**儒学を官学化**したことは，中国王朝の大きな節目になりました。

漢は郡県制を採用してますよ？　儒学（▲儒家）は郡県制と仲が悪いのでは？

そう，そこがポイント。秦代には政府から弾圧された儒学を，郡県制と仲直りさせて**王朝を支える両輪の一角に据えた**わけです。「目上の人を敬いましょう」という理念は，支配者には好都合ですからね。秦漢で採用された郡県制＆儒学のコンビによる「郡県制によって皇帝支配を地方まで浸透させ，儒学に基づき人民（▲官僚も）は皇帝を敬う」システムは，原則として**中国の全王朝が受け継ぐフォーマットとなりました**（英語で中国を意味するChinaが「秦」（CHIN）に由来すること，我々が中国の文字や民族を「漢字」「漢民族」と呼ぶことを考えれば，「郡県制の秦・儒学の漢」が中国史で別格であることに気づくはず！）。

「武帝」とは，**戦争で国土を拡大**したことを称えて死後に贈られた名前（▲諡号（しごう））で，東は朝鮮，南はベトナムへと進出し，北は宿敵**匈奴**（▲建国者劉邦は匈奴に大敗した）と戦いました（地図7－②）。

「馬を駆る匈奴を追撃しても逃げられるだけ。ここは挟撃だ」と武帝は**張騫**を中央アジアの**大月氏**に派遣して同盟を組み，匈奴を挟撃しようとしました。しかしにべもなく断られ，張騫は朗報を届けられず…。ただ彼の旅は無意味だったわけではありません。**今まで謎に包まれていた，砂漠の中にオアシスが点在する西域の事情が判明**し，いわゆるシルクロード（中国から絹が輸出されたことに由来）を通じた交易も始まったのです。

しかし，これらの積極的な対外政策は漢の財政を圧迫し，政府が特産品の売買で利益を得る均輸・平準法や**塩・鉄・酒**の専売といった財政再建策も効果は薄く，重税が課されました。豪族は没落した農民を小作人として大土地所有者となり，郷挙里選を通じて中央政界へ進出。宮廷内部では皇帝の周りで宦官（後宮に仕える去勢された男性）や外戚が権力争いを繰り広げ，政府内も混乱しました。

最終的に漢（前漢）は外戚の**王莽**によって一旦滅亡し，彼の手によって，**新**が成立しました。しかし儒学者であった王莽が周の封建制の復活をもくろんだため，社会が混乱して新はすぐに滅亡します。

後25年，漢の帝室の血を引く**劉秀**が漢を復興させました。彼のもとに，日本の一地域（**倭の奴国**）を支配していた王の使者が訪れます。光武帝は使者に「**漢委奴国王**」と刻まれた金印を授けました。このように，中国の皇帝が近隣諸国の首長に官位・官爵を与えて統治を認める行為を**冊封**といいます。簡単に言えば，**中国の皇帝と近隣諸国の首長に封建制を拡大して適用している**ということです。「中国が親分で周りの国が子分」というイメージの東アジア世界を特徴づける重要な概念ですよ。

後漢は，同時期に栄えていたローマ帝国と接点（**班超**の部下である**甘英**はローマ帝国へ向かい，**大秦王安敦**の使者を称する者がベトナムへ来ました）です（地図7－③）。後漢が存在した時代（後25～220）の大部分は，ローマ帝国の繁栄期であるパクス＝ロマーナの時期（前27～180）と重なっているんですよね。本書は「タテ軸」で地域別に説明するコンセプトをとっていますが，**こういった同時代的な「ヨコ」の関係を見るのも世界史の醍醐味**です。

最後に，前漢末や**党錮の禁**で登場した宦官について一言。皇帝にとって，周りの男は全て敵。「こいつは俺を殺して帝位を奪うのでは…？」と疑い始めたらキリがない。しかし，去勢して**子孫を残せない宦官は絶対に皇帝にはなれない**から，安心して皇帝のそばに置けます。宦官はこれにつけこみ，皇帝との関係を深めていく…。これが宦官による政治介入の大まかなしくみです。

▲→テーマ9のオアシス地帯
▲地方の有力者
▲光武帝
▲→テーマ10
▲→テーマ4
▲王家・王朝をつくることができない

テーマ 8

中国史② 魏晋南北朝～隋・唐

1 混迷の魏晋南北朝時代

(1) 魏晋南北朝の展開

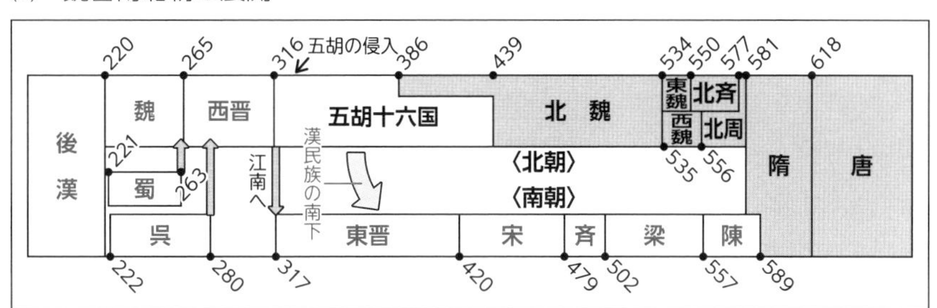

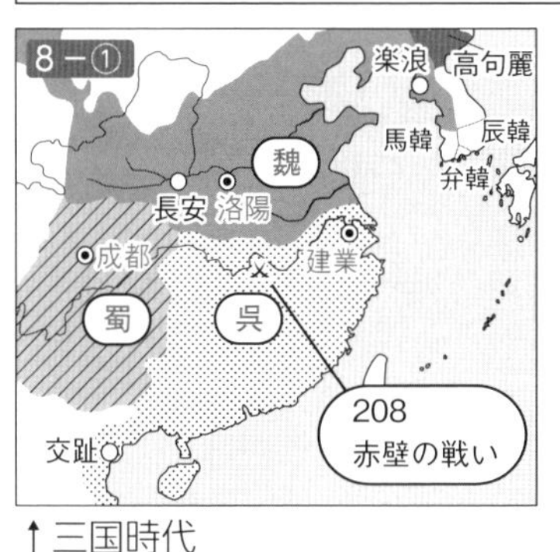

↑三国時代

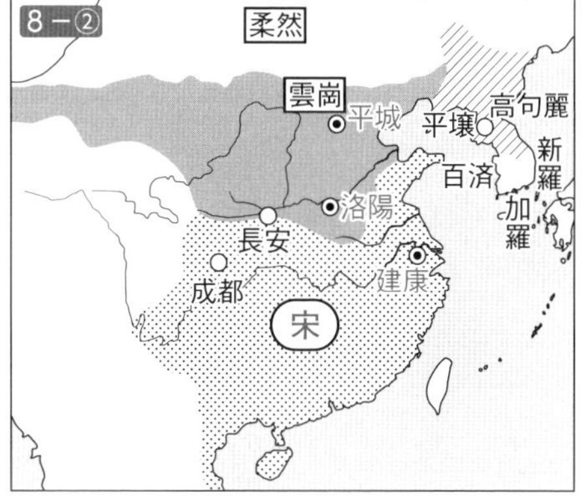

北魏の時代→

(2) **均田制・府兵制**…北朝で整備され，隋・唐が継承

2 短命に終わった隋

(1) **楊堅**（文帝，位581～604）…南朝の陳を滅ぼして中国統一（589）

(2) **煬帝**（位604～618）

①大運河…華北と江南を結ぶ大動脈となる
▲文帝時代から開削

②３度の高句麗遠征に失敗

➡各地で反乱　➡滅亡（618）

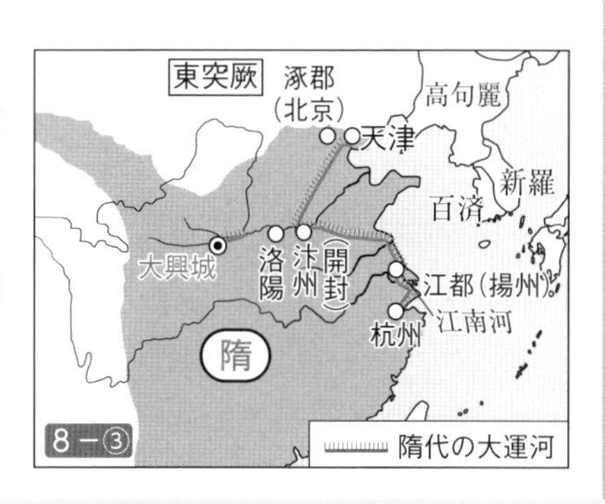

3 東アジアの「インフルエンサー」であった唐　首都：長安

(1) **李淵**（**高祖**，位618～626）…隋末に子の李世民と挙兵し唐を建国

(2) **李世民**（**太宗**，位626～649）…唐の支配体制の基礎を築く

①治世は「貞観の治」と称えられる

②諸制度　・中央官制…**三省六部**

・地方行政制度…州県制（郡県制を継承）
▲全国を10道に分け，道の下に州・県を置いた

・法体系…律・令

・官僚登用…科挙制

・農村支配…**均田制**（土地制度），**租調庸制**（税制）
▲均田制が広域にわたって実施されていたかには，諸説あり

・**府兵制**…均田制と一体化した，農民に兵役を課す制度

(3) 第３代高宗（位649～683）

①**唐の領域は最大となり，「東アジア文化圏」が形成される**

・羈縻政策…唐の辺境では，諸民族の長を長官として実質的な自治を容認。唐は都護府を設置し，監督

・唐の領域外…冊封体制

(4) **則天武后**…高宗の后で，**中国史上唯一の女帝**として即位（690）

(5) **玄宗**（李隆基，位712～756）

①「**開元の治**」…治世の前半，唐の再建に尽力し，二度目の繁栄を築く

②体制の動揺

・府兵制の機能不全　➡募兵制の採用

・辺境民族の自立　➡**節度使**の設置

③**安史の乱**（755～763）…節度使の安禄山による反乱

楊貴妃＝玄宗

楊国忠（楊貴妃の一族） 宰相として実権を掌握	VS	**安禄山**（ソグド系武将） 玄宗の信任をうけ３節度使を兼任

➡乱後，節度使は内地にも設置され，行政権・財政権を掌握

(6) 衰退と滅亡

①**両税法**の採用（780）…安史の乱で均田制・租調庸の崩壊が決定的になったことをうけ，現住地で所有する土地・資産に応じて課税

②**黄巣の乱**（875～884）

・塩の密売商人**王仙芝**が山東で挙兵。同業の黄巣が呼応して大反乱に発展
▲節度使によって鎮圧されるが，唐の支配は有名無実化

③節度使の**朱全忠**が唐を滅ぼし（907），後梁を建国

後漢末に起こった**黄巾の乱**。鎮圧するために立ち上がった群雄たちが織り成す三国時代（地図8－①）群像劇がご存じ『**三国志演義**』です。『三国志演義』にはフィクションが含まれていますが，この時代の大枠をとらえるには十分役に立つでしょう（高校世界史では『三国志演義』に絡む内容は微々たるもので，ファンの方には申し訳ない感じです）。

▲太平道の教祖である張角が起こした

『三国志演義』において，魏の司馬懿が蜀の諸葛亮とライバル関係にあったことは有名ですが，その司馬懿の孫**司馬炎**は，魏の皇帝に譲位を迫って**晋**（**西晋**）を建国し，呉を滅ぼして中国を統一しました。しかし司馬炎の死後にお家騒動が起こり，一族の王８人が挙兵する**八王の乱**が勃発します。この時**諸王が近隣諸民族の武力を頼ったことで，諸民族が力を伸ばす結果に**（彼らを総称して**五胡**と呼びます）。そのうちの**匈奴**が起こした反乱によって都が攻略され，西晋は統一から30年余りで滅亡しました。華北は諸民族が乱立する**五胡十六国**時代に突入する一方，江南では西晋の皇族**司馬睿**が**東晋**を建て，中国史上で指折りの分裂時代を迎えます。p.53の図を見つつ読み進めてください。

▲匈奴・鮮卑・羯は北方系，羌と氐はチベット系

５世紀前半，五胡の一つでモンゴル系の**鮮卑**が建てた**北魏**が五胡十六国の混乱を収拾して華北を統一しました。５世紀後半に登場した**孝文帝**は，中国支配をテコ入れするために，骨太な改革を行いました。まずは**漢化政策**。北魏の人口構成は，支配層の鮮卑に対して漢民族の住民が圧倒的多数を占めていました。そこで遊牧民の伝統を捨て，中国風の言語・風習を取り入れて漢民族に同化することで，円滑な中国支配をもくろんだのです。遊牧民に欠かせない，乗馬向きの二股に分かれたズボンを禁じ，中国人が着用していたワンピースのような着物を義務づけたのが，その好例です。この一環として，北方の平城から中国文明の中枢である**洛陽**に遷都しています。しかし，遊牧民の気風を維持しようとした勢力の間で軋轢が生じ，これが一因となって北魏は東魏と西魏に分裂しました。この後，東魏は北斉に，西魏は**北周**に取って代わられ，北周から**隋**が登場します。

一方，呉以降の江南地方では，現在の**南京**（呉の時代は**建業**，東晋以降は**建康**という呼称）を都として６つの王朝が成立しました。

中国を統一していたのが「西晋」で，それが南に逃れて「東晋」と呼ばれるのはどういうことですか？

都の位置に注目してみてください。中国を統一していた西晋時代の都は**洛陽**。華北を五胡に占拠され，司馬睿が再興した際の都は**建康**。洛陽から建康へ矢印を引いてみると，「都の位置は西から東へ移動している」感覚が分かると

思います。都の位置から「西」と「東」という分け方をしているのですね。

宋・斉・梁・陳の四王朝が「南朝」です。貴族が大きな力を持ったため，王朝は概して短命でした。政治的に安定しない一方，経済は大きく飛躍します。この混乱の時代，異民族支配を逃れて**華北から多くの漢民族系住民が江南へ移住**。江南の人口は増加し，**開発が進んで稲作が発展**しました。今までは手つかずだった地域が開発されて，ついに江南地方がその経済的な潜在能力を発揮し始めたわけです。「江南で生産されたコメを華北に輸送して売りさばく」というアイディアも生まれ，これは中国が統一された隋代に実現を見ます。

北周の外戚**楊堅（文帝）**は隋を建て，589年に南朝の**陳**を征服し，久々の中国統一が実現しました。隋は北朝の伝統を受け継いでおり，中小農民を基盤に**均田制・租調庸制・府兵制**を施行しました（こちらについてはのちほど説明します）。南北が統一されたことで，南朝時代の開発によって生産量が増えた江南のコメを北に運ぶプロジェクトが実現に移されます。**大運河**の開削ですね。

南北間の軍事行動を円滑にする目的もあった▲

文帝・**煬帝**の親子２代にわたって100万人以上の農民を動員し，北は天津から南は杭州までをつなぐ全長約2,500kmの運河が開通（地図8－③）！　しかし，

▲黄河と大興城（長安）を結ぶ運河も開通

長大な大運河の開削・整備によって農民はボロボロ（開通した大運河で煬帝が豪勢なクルージングを満喫したことも農民の神経を逆なでしたとか）。そして極めつけは隋に臣従するのを拒否した**高句麗**への遠征失敗。３年連続で失敗に

▲黄河と天津を結ぶ永済渠（えいさいきょ）は高句麗遠征のために開削された側面もあった

終わった遠征の負担ものしかかり，ついに農民の不満が爆発して各地で反乱が起こり，煬帝は部下に暗殺されて隋はわずか２代で滅亡しました。

隋の煬帝は，大運河開削と絡めて「暴君」と酷評されることが多いです。しかしそれは，隋を継いだ唐が自らの正当性を強調するために隋を貶めた側面もあります。中国の歴史で，きっといつか大運河は作られていたでしょう。「偉大な事業なんだが，誰もやりたがらない仕事」，それを引き受けてくれたわけです。

「ひどい王朝」というより「貧乏クジをひいちゃった王朝」か…。

また，煬帝は聖徳太子時代の日本との国書のやりとりでも知られていますね。彼は対等な外交を求める日本に腹を立てるのですが，結局は国書を受け取りました。これは**高句麗討伐をする上で，日本と協力した方が得策と考えたから**だろう，とも言われています。

唐の建国者は**李淵**ですが，隋が滅亡した後の混乱を収拾して体制を整備したのはその息子**李世民**。中央官制では**三省六部**と称される役所群を編制し，役割

▲即位前に兄弟を殺害している

を細分化したプロフェッショナル集団を作りました。三省のうち「貴族の牙城（がじょう）」といわれたのが**門下省**です。**中書省**が起草した詔勅を審議し，気に入らなければ容赦なくダメ出し。門下省がGOサインを出した詔勅（▲≒法案）は**尚書省**に送られ，六部で施行されました。なお，当時の日本は唐の諸制度を導入しており，唐の三「省」は，財務「省」や外務「省」など，現代日本の中央官庁名として受けつがれています（▲ただ実際は，日本の省の役割は，中国では六部に相当する）。地方行政制度では郡県制が**州県制**（▲郡・県という地方行政単位が道・州・県になった）と名を変えますが，官僚を地方へ送るという中身は以前と同じ。唐も**均田制・租調庸制・府兵制**の３点セットを継承し，また隋・唐では公務員試験に相当する**科挙**も始まりました。

３代目の**高宗**の治世に**唐の領域は最大**となりました。中国の皇帝（天子）は世界の中心に君臨し，燦燦（さんさん）と「徳の光」を放ちます。実際の光と同様，皇帝から近い場所は明るく，遠くなるほど暗くなっていきます。この明るさが「皇帝の支配が届くかどうか」の基準です（そのイメージ図はp.67に載っています）。一番明るいところが「中国」。州県制を敷き，皇帝が直轄支配します。少し遠い，やや暗い場所になると，唐の領内ではありますが皇帝の支配は届きづらい。そこで，**諸民族の首長に事実上の自治を認めました**。これを**羈縻（きび）政策**（牛や馬をつないでおくヒモのこと▲）といいます。イメージとしては犬のリードのようなモノで，散歩の時，犬はリードの長さの範囲ならば自由に動ける。でも肝心な時はしっかり飼い主がコントロールする。諸民族に自治を認めている状況を，牛馬（犬）をヒモにつないだ状況に見たてているのですね。そしてさらに遠くなると，もはや皇帝の光は届かず，そこは近隣諸民族，中国からはさげすんで「夷狄（いてき）」と呼ばれた人々の地です。**近隣諸国の首長は皇帝の徳を慕い，中国の豊かな品々を求めて朝貢してきます。**これに対して冊封（▲→テーマ7）を行い，唐を頂点とする「東アジア文化圏」（▲唐の影響下で漢字・律令・都城・儒教・中国仏教などを共有）ができあがりました。あらゆる国が唐を模範にコピーしていた時代です。

領土が最大になったものの，高宗自身は優柔不断で病弱。切れ者の后（きさき）だった**則天武后（そくてんぶこう）**が実権を握っていました。高宗の死後に２人の息子（▲中宗と睿宗）が皇帝になりますが，いずれも彼女が廃位し，**中国史上唯一の女帝**として即位しました。儒教的な男性中心の視点からは「女性が政治を牛耳るとはけしからん！」というネガティブな評価をされるのですが，則天武后の政治には評価すべき点も多くありました（門閥貴族を排除して，科挙官僚を重用したことなど▲）。則天武后の死後，息子の中宗が復位しますが，今度はその后である韋后（いこう）が中宗を毒殺！　再び女性が権力を握り幅をきかせると，これを憂いた睿宗の子**李隆基（りりゅうき）**が韋后一派をクーデタで打倒しました。彼がのちの**玄宗**です。

唐が成立してから約100年，玄宗の治世には体制に綻（ほころ）びが見え始めました。特に**納税・兵役の負担は農民を苦しめ，逃亡する者が続出**。府兵制とは，農民を兵士に駆り出してタダ働きさせるシステムだったんですが，装備が自弁だったこともあって，農民はズタボロになってしまったんですね。兵力不足は辺境諸民族が自立する一因となり，羈縻政策も限界を迎えます。そこで，辺境に設置した軍司令官（**節度使**）が睨みをきかせることにしました。さらに有給の募兵制を採用し，兵力不足の解消を図ります。
▲節度使が地方の徴税権を持っており，兵士を募集した

大きな権限を与えられた節度使が暴走してしまったのが**安史の乱**です。20代で即位した玄宗も即位して30年，政治に対する情熱を失って**楊貴妃**（俗に言う「世界三大美女」の１人ですね）を寵愛。権勢を拡大させた楊一族と，玄宗お気に入りの節度使**安禄山**が激しく対立した末に，権力闘争に敗れた安禄山が挙兵し，８年にわたる内乱が始まりました。手こずった政府は遊牧民**ウイグル**（回紇）に支援を求め，ようやく鎮圧にこぎつけます。統制力を失った唐政府は，内地 p.67の円錐の頂点付近にも節度使を設置するという「劇薬」を処方しました。中国の中枢部も，軍が睨みをきかせて押さえつけるということです。**節度使は行政・財政の権限も握って巨大な勢力になりました。**
▲宰相となった楊国忠
▲玄宗は逃避行の途上，反抗した兵士をなだめるために，楊貴妃の殺害を命じた
▲藩鎮

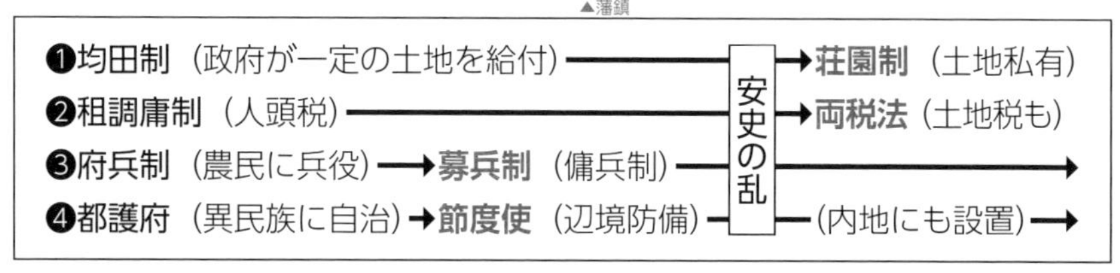

安史の乱の前後で，唐の体制は上のように激変しました。ここで**租調庸**と**両税法**の違いを説明してみます。農民は**均田制**によって均等に土地を分配され，**租調庸**という税制で，**お金持ちも庶民も，同一額の税を支払っていました。**これを**人頭税**といいます。人頭税は庶民でもギリギリ払える水準の額に設定してあるので，お金持ちは税の支払いにはゆとりがありました。お金持ちがギリギリ払える水準の額にすると，庶民は払えませんからね。主たる納税者である中小農民の生活が安定していれば，納税者が多く税収も確保できます。でも中小農民はギリギリの負担にあえぎ，安史の乱で社会は荒廃。貧富差も広がり，納税者の数が減ってしまいました。そこで，政府は**両税法**を採用し，**所有する土地の広さに応じて課税（＝土地税）**することにしました。この場合，貧乏人の税額は少なく，**セレブな大地主であるほど多額の税を納めることになり，税収を補うことが可能になります。**格差社会に対応した現実的な対応を講じたわけですね。

しかし，両税法も国力がＶ字回復する切り札とまではいかず，９世紀末に起こった**黄巣の乱**によって唐の権威は地に堕ちました。乱はなんとか節度使が鎮圧するのですが，唐政府には独立政権と化した節度使の跋扈を押さえる力は残っておらず，節度使**朱全忠**によって，約300年にわたる唐の歴史は幕を閉じました。

中国史③　宋・元

1 軍人たちが覇を争った五代十国

▲十国は江南地方・四川地方に分立した小国群

後梁（朱全忠が唐を滅ぼし建国）➡後唐➡後晋➡後漢➡**後周**

世宗が国内政治を安定。中国統一の準備をしたが，死去▲

2 宋の時代に皇帝独裁が確立した　首都：開封→臨安

(1)　太祖**趙匡胤**（太祖，位960～976）…武断政治から**文治政治**へ転換

①唐末五代の戦乱で門閥貴族は没落，科挙の整備によって**皇帝独裁が確立**

②新興地主層が，科挙官僚となって皇帝独裁を支えた

(2)　財政難［原因　①官僚機構の肥大化…文治主義の影響による
原因　②異民族の圧迫…遼（**澶淵の盟**）・西夏に歳幣（▼絹・銀）を贈る

(3)　**王安石**の新法…財政再建・富国強兵をめざして新法を実施（1069～）
➡旧法党との党争の末，改革は挫折

(4)　**靖康の変**（1126～27）…
金が北宋を滅ぼす

(5)　**南宋**の成立
南宋は金に臣下の礼をとる…皇族が江南に逃れて成立

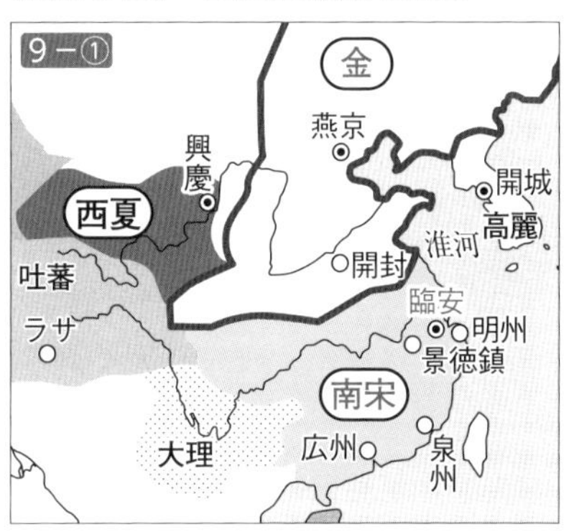

3 広大なユーラシアを制圧したモンゴル帝国（大モンゴル国）

(1)　**チンギス＝ハン**（太祖　幼名テムジン　位1206～27）

(2)　オゴタイ＝ハン…チンギス＝ハンの第３子で第２代の大ハーン

(3)　モンケ＝ハン（憲宗，位1251～59）…チンギス＝ハンの末子トゥルイの子

(4)　諸ハン国の成立…チャガタイ＝ハン国，キプチャク＝ハン国，イル＝ハン国

(5)　**フビライ＝ハン**（世祖，位1260～1294）…トゥルイの子。モンケの弟

①**大都**（現在の北京）に遷都　➡国号を元とする（1271）

②対外政策…南宋を滅ぼす（1276/79），日本への遠征（1274,81）は失敗

(6)　「タタールの平和」…モンゴル帝国が広大な領域を統一し，交流が活性化

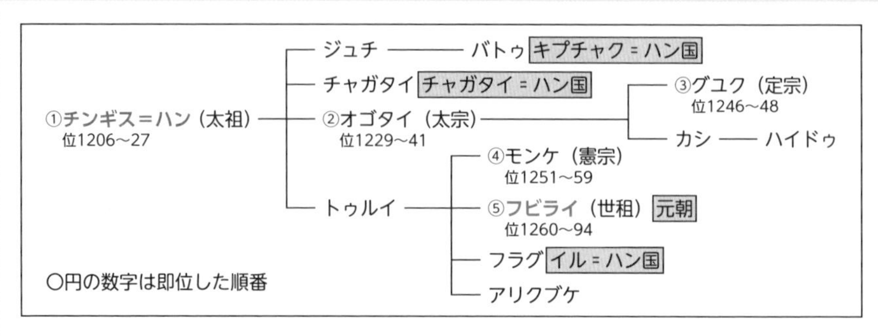

①チンギス＝ハン（太祖）
位1206～27
ジュチ
バトゥ
キプチャク＝ハン国
チャガタイ
チャガタイ＝ハン国
②オゴタイ（太宗）
位1229～41
③グユク（定宗）
位1246～48
カシ
ハイドゥ
トゥルイ
④モンケ（憲宗）
位1251～59
⑤フビライ（世祖）
元朝
位1260～94
フラグ
イル＝ハン国
アリクブケ
○円の数字は即位した順番

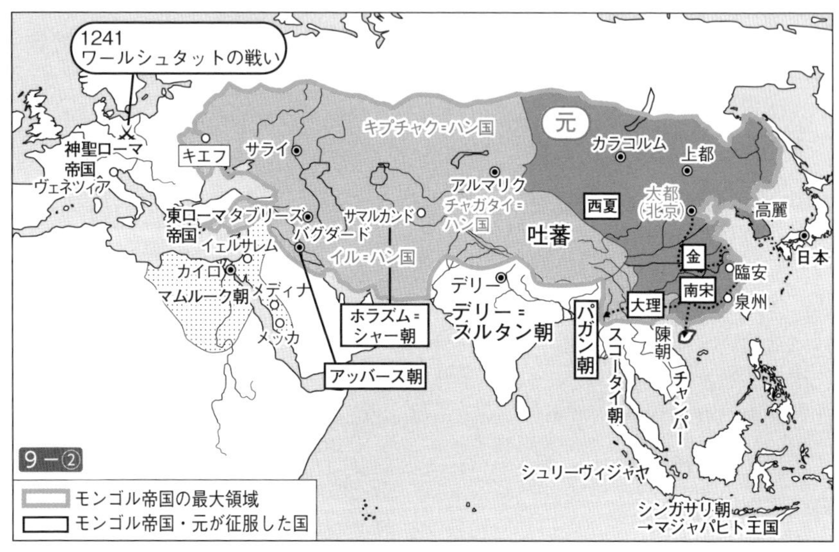

1241
ワールシュタットの戦い
神聖ローマ帝国
ヴェネツィア
キエフ
サライ
キプチャク＝ハン国
元
カラコルム
上都
東ローマ帝国
タブリーズ
サマルカンド
アルマリク
チャガタイ＝ハン国
西夏
大都（北京）
高麗
日本
イェルサレム
バグダード
イル＝ハン国
吐蕃
金
臨安
カイロ
マムルーク朝
メディナ
デリー
南宋
泉州
メッカ
ホラズム＝シャー朝
デリー＝スルタン朝
パガン朝
大理
陳朝
アッバース朝
スコータイ朝
チャンパー
9－②
シュリーヴィジャヤ
モンゴル帝国の最大領域
モンゴル帝国・元が征服した国
シンガサリ朝
→マジャパヒト王国

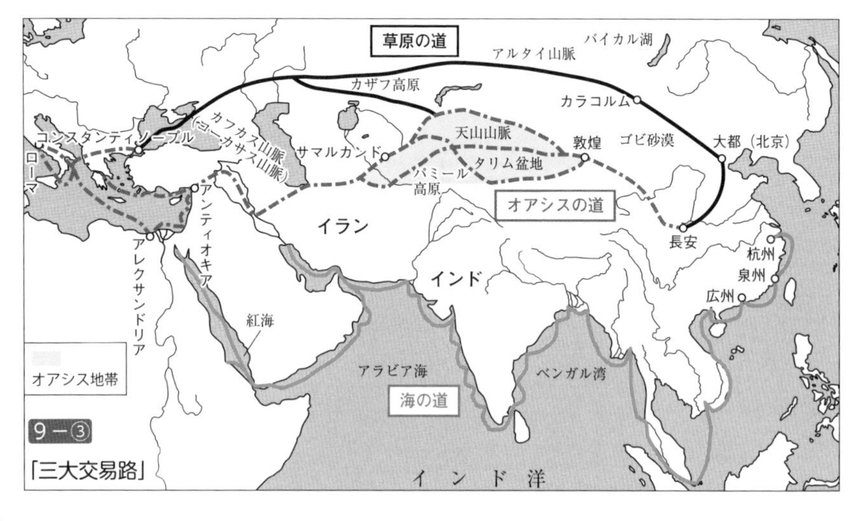

草原の道
バイカル湖
アルタイ山脈
カザフ高原
カラコルム
コンスタンティノープル
カフカス山脈（コーカサス山脈）
天山山脈
敦煌
ゴビ砂漠
大都（北京）
ローマ
サマルカンド
タリム盆地
パミール高原
アンティオキア
オアシスの道
イラン
長安
アレクサンドリア
杭州
泉州
インド
広州
紅海
オアシス地帯
アラビア海
ベンガル湾
海の道
9－③
「三大交易路」
インド洋

このテーマでは，中国における官僚登用制度からお話しさせてください。

３世紀に入って魏が施行した**九品中正**は，本来は地方の優秀な人材を発掘する目的で始まったもので，人材を才能に応じて９等級に評価したことからこう呼ばれるようになりました。しかし，スカウトに相当する中正官が次第に各地の豪族に抱きこまれて癒着(ゆちゃく)がひどくなり，能力に関係なく有力な豪族を「上品」に推挙するようになってしまいます。その結果，特定の家柄の者が高級官僚の座を独占し，親から子へと代々官職を世襲する**門閥貴族**が形成されていきました。**「上品(じょうひん)に寒門なく，下品(かひん)に勢族なし」**はこれを風刺した言葉ですね。彼らは皇帝への忠誠心に欠けても，いや**皇帝に対抗心があったとしても**家柄さえ良ければ任官できたため，皇帝権強化にとって大きな障害となりました。

▲→テーマ8（魏）

▲この評価によって，最終的にたどりつける役職も決定

この弊害を打破するために唐で採用されたのが，**儒学の素養**などを問う学科試験である**科挙**（公務員試験に相当します）。しかし実際は，蔭位(おんい)の制（高級官僚の子弟は科挙を受けずに自動的に父の官位を継承できる）という抜け道があり，**唐代も門閥貴族は勢力を維持し続けました**。学科試験が導入されても完全な実力主義にはなっていない点に注意しましょう。

▼最初に導入したのは隋で，当初は「選挙」と呼ばれていた（科挙）

父のお「蔭（かげ）」で地「位」を得る，という意味▲（蔭位）

ここで，話を唐末に戻しますと，907年，節度使の**朱全忠(しゅぜんちゅう)**が唐を滅ぼし後梁(こうりょう)を建国しました。しかしこの後梁，統一国家とは程遠く，各地で朱全忠と同類の節度使が入り乱れ，頻繁に王朝交代（五代）。南部でも小政権（十国）が乱立…。軍人政権が暴れまわる中国史上でも指折りのバイオレンスな時代ですが，特筆すべき「役割」も果たしました。**今まで権勢を誇った門閥貴族が唐末五代の戦乱でことごとく没落**し，家柄だけで立身出世できる時代は過去のものとなったんです。いわば社会が「リセット」されたわけですね。

後周(こうしゅう)の武将**趙匡胤(ちょうきょういん)**が北宋を建て，２代目の太宗(たいそう)の時代までに天下は平定されます。家柄だけで大きな顔ができる時代は終わり，宋代には科挙の結果のみを判断基準として官僚を採用するようになりました。しかし，学科試験では官僚の卵たちの心の内までは測れない（ひょっとしたら腹黒い奴がいるかも…）。節度使のトラウマが残る宋としては，なんとしても皇帝に従順な官僚がほしい。ここで皇帝自らが臨席する最終試験の**殿試**が導入されました。皇帝が臨席することで「皇帝が師匠，受験生（官僚）が弟子」という**師弟関係ができあがり，両者の主従関係は絶対化されます**。殿試の結果に基づいて合格者に順位をつけることで「皇帝陛下に評価して頂いた！」と官僚はいたく感激する，という構図です。**「皇帝に忠誠を誓う優秀な人材だけを採用する」流れが生まれて科挙制度が整備され，皇帝独裁が確立されていきました**。唐末五代の戦乱をたくましく生き抜いた新興地主層（**形勢戸(けいせいこ)**）が科挙合格を目指して必死に勉強し，**士大夫**と呼ばれる知識人階層を形成し，宋以降の中国社会の中核をなします。

実際には皇帝の臨席は形式的なものであった▲（皇帝が臨席）

門閥貴族・節度使・士大夫の盛衰を下の図で整理しておきましょう。

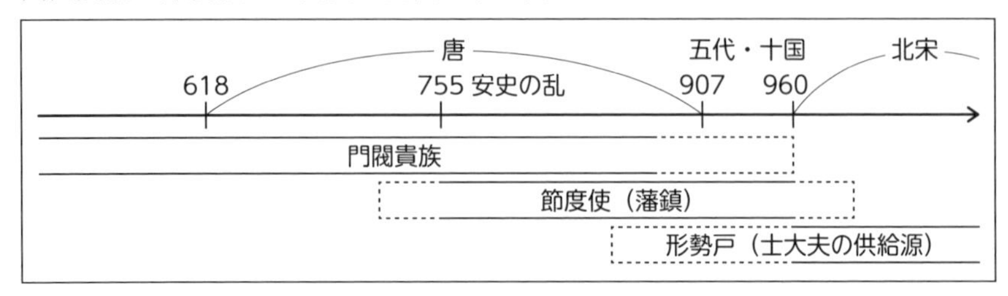

このような，科挙に合格した知識人が皇帝の手足となる政治を節度使（軍人）が行う「武断政治」に対して**文治政治**といいます。政府は優秀な人材を確保してつなぎ留めておこうと，官僚にかなりの好待遇を用意したため，人件費がかさみました。さらには武断政治がトラウマになった中央政府が骨抜きにしたため，近隣諸民族にサッパリ勝てなくなってしまいました（遼や西夏に毎年多額の歳幣（さいへい）という贈り物をして買収・懐柔）。

人件費・歳幣・軍事費で財政難に陥ると，６代**神宗**（しんそう）に抜擢された宰相**王安石**が，新法と呼ばれる改革を断行しました。目玉であったのが，**農民や商人への低利融資**である**青苗法**（せいびょうほう）と**市易法**（しえきほう）。当時，大地主や大商人が副業で手掛けていた高利貸しが民衆を苦しめていました。これに対抗して政府が**低利融資を行い，民衆を救済するとともに利子収入を財源にあてようとした**わけです。副業をつぶされた地主たちは猛反発。考えてみると，科挙官僚の多くは地主出身ですから，彼らが政府内部で抵抗の声を上げたわけですね。これが**旧法党**です。抗争の末，王安石が政府を去ってしまったため，新法は結局廃止され，北宋は国勢を回復する機を逸してしまいました。

1126年，新興の**金**（▲ツングース系女真の国）が開封を占領し，翌年に皇帝を含む数千人の要人が金に連行されて北宋は滅びました（**靖康の変**）。最後の皇帝欽宗（きんそう）の弟（高宗）が江南に逃れ，**南宋**を建て金に対抗しました。10年以上にわたって金と戦ったものの，ついに南宋は降伏して，**金は南宋に臣下の礼をとらせました**（地図 9－①）。「世界の頂点に君臨する中華」という価値観がひっくり返ってしまった，中国人にとっては屈辱の時代です。主戦派だった**岳飛**（がくひ）に罪を着せて死に追いやり，「売国的」な講和をまとめた和平派の**秦檜**（しんかい）は，後世までさんざんな評価をうけることに…。

秦檜自身は，無用の戦争を避けて犠牲を少しでも減らそうとしたんですよね。ちょっと気の毒な感じもします。

宋代は，中国史の中でも農業・商工業が特に目覚ましく成長した時期です。

江南地方では**干拓による新田開発**が行われ，東南アジアから伝わった新種の**占城稲**が普及し，**長江下流域が穀倉地帯**となりました。余剰生産物が取り引きされて商業はにぎわいます。そして，隋代に開かれた大運河によって盛んになった物流も商業を活性化させて，唐代を経て宋代に花開きました。

この頃の中国は，食生活の質が向上した時代でもありました。醸造用の米や麦が流通するようになり，麺などの粉食も一般化し，魚の養殖や野菜の品種改良も行われていたんですよ。調理法も多彩となり，火力の強い石炭を燃料とし，金属製の鍋で食用油とともに食材を熱する炒め料理が確立されました。そう，これが中国料理のルーツです。都市では外食が日常化し始め，食堂ではテイクアウトもできて，盛り場では芝居・人形劇・影絵といった出し物が見られました。

南宋を滅ぼすモンゴルの導入として，脇役に追いやられがちな遊牧民の生活についてお話しようと思います。

農耕民と遊牧民では，土地に対する考え方が大きく異なります。遊牧民にとっては，家畜が草を食べ尽くしてしまえばその土地は用無しとなり，さっさと移動してしまいます。特定の土地を所有するという概念がなく，草原をめぐる抗争が絶えません。馬を自在に操る個々人の武勇は特筆すべきものがありますが，団結力を欠くことがありました。裏を返せば優れた指導者が出現すれば驚異的に強くなるわけで，**チンギス＝ハン**一族はとりわけ傑出したリーダーだったわけです。クリルタイという部族会議でリーダーを決めていたのですが，これはその時その時で最も優秀な人をトップに据えるため，ともいえますね。

ここで，ユーラシア大陸を往来する３つのルートを，地図9―③を用いて紹介します。まずは，おもに遊牧民が馬を駆って往来する最北の「**草原の道**」。このルートはインドやイランと直接アクセスできないのが，ややマイナス点。続いて中国，インド，イランを結ぶＴ字路にあたる要所，中央アジアのオアシス地帯（地図の□部分）を通る「**オアシスの道**」。様々な地域の物産が集積するドル箱エリアなんですが，砂漠に点在するオアシスを往来するのは一苦労でした。このルートを経由して中国から絹が輸出されたことから，「**シルクロード**」とも呼ばれますね。最も南に位置するのが，地中海－インド洋－南シナ海を結ぶ「**海の道**」。**重くてワレモノである陶磁器の輸送に向いていました。**

今回はオアシスの道に注目です。モンゴル帝国よりもはるか昔から，遊牧民とオアシスの住民は深い結びつきを持っていました。

第3章 前近代のアジア世界

遊牧民	オアシス民
軍事力は強大	**交易の要所を押さえ経済力に富む**
穀物を生産せず，また蓄えを持てないために**生活は不安定**	オアシスは砂漠に点在し人口も少ないため，**自力での統一国家形成は困難**

上のように，草原を駆ける遊牧民と「オアシスの道」で商業にいそしむオアシス民，それぞれに強みと弱みを抱えていました。そこで彼らは歴史の中で，**「遊牧民がオアシス地帯を征服して安定をもたらす見返りに，交易で稼いだオアシス民は遊牧民を経済的に支援する」**という関係を築いていったのです。

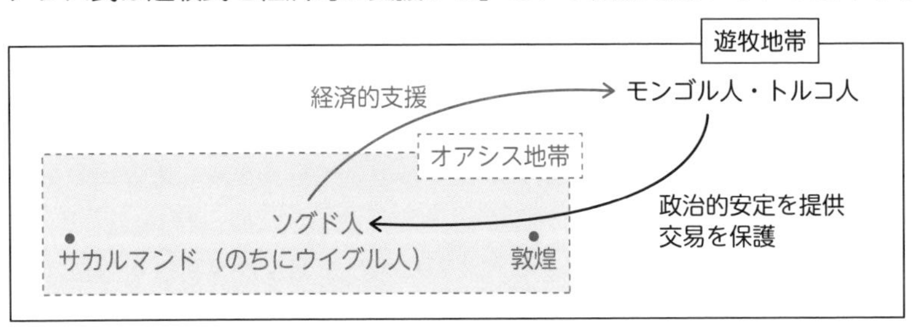

チンギス＝ハンはこの伝統にならい，**ホラズム＝シャー朝**と**西夏**を征服して「オアシスの道」を掌握し，オアシス地帯のウイグル商人が交易しやすい環境を整え，彼らから経済面など各種支援をうけました（地図9－②）。

各ハンの征服地については，下のようなイメージになりますね。

①チンギス＝ハン時代は**「オアシスの道」**を征服
②オゴタイ＝ハン時代は**「草原の道」**を征服
③フビライ＝ハンは**「海の道」**にまで進出を図る

チンギス＝ハンが西夏滅亡の直前に死去すると，後継者を決めるクリルタイが開かれました（p.60の系図をごらんください）。長男ジュチは既に亡くなっており（ジュチはチンギス＝ハンの子ではないともいわれる），次男チャガタイは短気でキレやすい。そこで冷静沈着な三男**オゴタイ**が選出されました。オゴタイは都**カラコルム**を起点に**駅伝制（ジャムチ）**を整備して「草原の道」のアクセスを向上させました。東方では自ら金を滅ぼし，西方ではジュチの子**バトゥ**が東欧にまで進出して，「草原の道」がモンゴル帝国の支配下に収まります。

４代**モンケ**はアジア大陸全土を平らげようと様々な地に軍を送りました。イスラームの盟主**アッバース朝**（テーマ12）も，弟**フラグ**によって滅亡。中国内陸部の**大理**や朝鮮の**高麗**を服属させたのは，アジア最後の大国南宋を征服する足掛かりといえるでしょう。

フビライは兄の死後，自分の支持者だけを集めてクリルタイを開き，強引に大ハーンに即位。この「抜け駆け」に異母弟アリクブケとオゴタイ家の秘蔵っ子**ハイドゥ**が次々と蜂起しました。
▲トゥルイ家による大ハーン位独占を警戒した

年功序列じゃなく会議でリーダーを決めるのは，実力主義の観点からすると合理的ですけど，こういうリスクもあるんですね。

フビライはついに南宋を滅亡に追い込み，中国全土が異民族の支配下に入ることに（南宋最後の皇帝は幼く，臣下に背負われて海に身を投げるという壮絶な最期を遂げました…）。また，南宋滅亡に前後する1274年と1281年に**日本**遠征も行われましたが，いずれも失敗に終わっていますね。フビライは**中国の農耕社会を尊重した合理的な支配**を行いました。宋以来の中国の行政制度を踏襲し，モンゴル人を高官にあてたものの，有能な人材であれば民族に関係なく要職に抜擢（ばってき）。モンゴル人を最上位とする分類がありましたが，固定的な身分制度や差別があったわけではありません。
▲科挙に重きを置かなかったため，不満を持つ士大夫もいた

南宋を攻略し，**泉州**などの海港都市を手中に収めたフビライは，ついに「海の道」の攻略に乗り出しました。**「交易ルートを統治下に置き交易を保護・振興し，商人から支援をうける」**というビジネスモデルを「海の道」にもあてはめようとしたわけです。しかし，広大な海や密林・水田は遊牧民に不慣れな「アウェイ」の戦いを強いることになり，ベトナム遠征やジャワ遠征は失敗に…。一方，フビライは中国内部では水運を抜かりなく整備。隋代に開削された大運河は，見方を変えれば「海の道」の延長と考えることができます。それまでの運河の北端は首都の**大都（北京）**に届いていなかったので，フビライは**運河を新築して大都まで延伸させました**。ここに大都は「草原の道」「オアシスの道」「海の道」が全て集結する，巨大ターミナルとなったのです。
▲マルコ＝ポーロが「ザイトン」と呼んだことで知られる
大理を経由して陸路で侵攻したビルマ征服は成功▲
▲→テーマ8
運河をサポートする目的で，山東半島方面の海運も整備▲

こうして**人・モノ・カネ・情報がユーラシアの東西を行きかう空前の状況が生まれました**。当時ヨーロッパ世界は十字軍遠征を行っており，ローマ教皇はイスラーム勢力に対抗する観点からモンゴルに関心を抱いて使節を派遣した，という「ヨコ」の視点にも注目です。
▲→テーマ5

14世紀に入ると気候が寒冷化して，飢饉や凶作が頻発しました。ここに疫病が追い打ちをかける（モンゴル＝ネットワークでヨーロッパに伝播したペストと推測されます）。また，フビライが連れてきたチベット僧パスパの影響で，宮廷で**チベット仏教**が流行！　寺院建立や儀式に莫大なお金をつぎ込んで，財政が厳しくなります。過酷な徴税は民衆を苦しめ，財源を確保するために濫発された紙幣（**交鈔**（こうしょう））はインフレを引き起こす。ネガティブ要因が重なりあって**紅巾の乱**が起こり，元は中国を放棄して撤退するに至りました。
ペストはもともとはアジア内陸部の風土病であったとされる▲
世代交代のつど，クリルタイの結果をめぐり紛争が生じたことも一因▲
▲弥勒仏を救世主とする白蓮教徒

テーマ10

中国史④　明・清

1 明（1368～1644）の成立で中華王朝が復活

(1)　**朱元璋**（太祖，洪武帝，位1368～1398）…農民出身

①皇帝親政体制の確立…中書省の廃止，朱子学の官学化

②農村支配に尽力…衛所制，里甲制，**魚鱗図冊**，**賦役黄冊**，**六諭**

(2)　第３代**永楽帝**（朱棣，成祖，位1402～24）

①**靖難の役**（1399～1402）を経て即位

②対外積極策を展開…**鄭和**の南海遠征によって朝貢貿易体制を確立

10－①

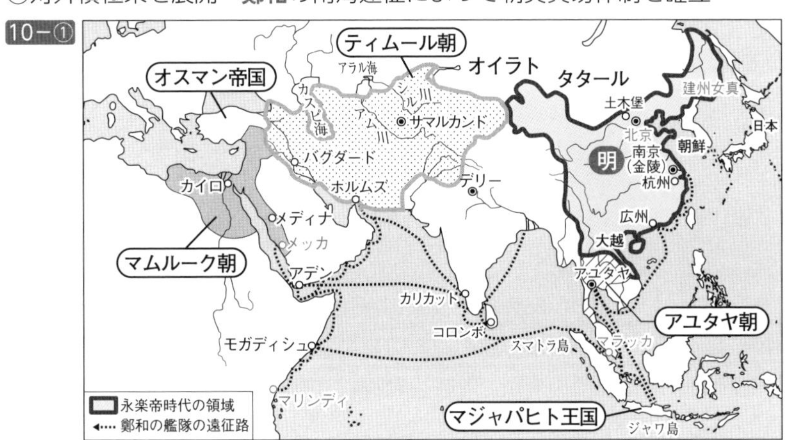

(3)　**北虜南倭**…北方からのモンゴル勢力の侵攻と，沿岸地帯での倭寇の活動

(4)　衰退と滅亡

①張居正…万暦帝（位1572～1620）の治世前半に財政再建を図る

②**豊臣秀吉**の朝鮮侵攻（1592～93，1597～98）

▲「文禄・慶長の役」，「壬辰・丁酉の倭乱」

③**李自成**の乱（1631～45）…農民の大反乱。毅宗崇禎帝は自殺して明は滅亡

(5)　明代の社会・経済

①長江下流域での手工業発達に伴い，中流域が穀倉地帯となる

②メキシコ銀・日本銀が流入　➡税を銀納で一本化する**一条鞭法**が普及

2 異民王朝の清（1616～1912）が中国を統一した

(1)　**ヌルハチ**（太祖，位1616～26）…女真の長。後金を建国（1616）

(2) **ホンタイジ**（太宗，在位1626～43）…国号を「**清**」と改称（1636）
(3) 順治（じゅんち）帝（1643～1661）…明が滅亡した後，北京に入城
(4) **康熙（こうき）帝**（聖祖，位1661～1722）
　①中国統一…三藩（さんぱん）の乱（1673～81）を鎮圧，鄭氏を打倒し台湾征服（1683）
　②対外政策…ロシアと戦い，**ネルチンスク条約**を締結（1689）
(5) 雍正（ようせい）帝（世宗，位1722～35）
(6) **乾隆（けんりゅう）帝**（高宗，位1735～95）…領土が最大となる

3 清はどのようにして支配下の諸民族を束ねたのか

(1) 漢民族統治…懐柔策と威圧策を巧みに使い分けて統治
(2) 領土の区分

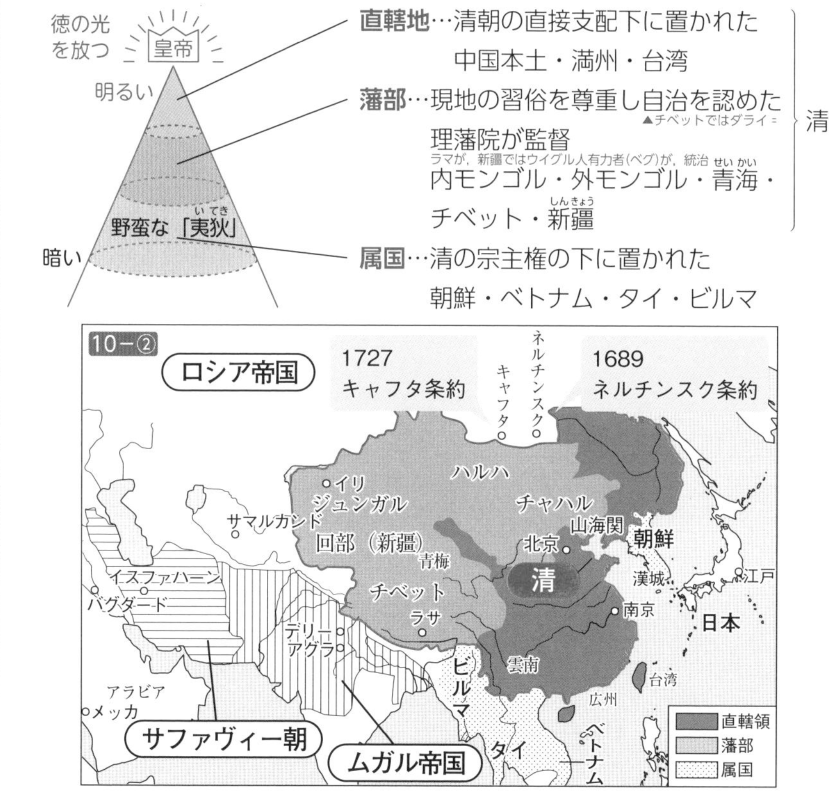

(3) 典礼問題…キリスト教布教をめぐる，皇帝と宣教師の摩擦
(4) 税制改革…人頭税を事実上廃止する地丁銀（ちていぎん）制を導入

第3章 前近代のアジア世界

明を建てた**朱元璋**（しゅげんしょう）は，貧農から皇帝にまで上りつめた有能な男です。しかし人格的には難ありで，他人を信頼せずとても猜疑心（さいぎしん）が強かった。農民から成り上がったこともコンプレックスだったようで，気に入らない臣下や農民時代を知っている連中を標的として数万人を粛清（しゅくせい）し，誰も皇帝に逆らえぬシステムを創りあげました。皇帝に次ぐ権力を持っていた**中書省**の長官（丞相）を脅威とみなし，中書省を廃止しました。儒学の一派**朱子学**を官学化しました。朱子学は**主君と臣下の主従関係を絶対視**し，これを国家関係にも当てはめて**中国と近隣諸国の上下関係**を強調しました。この二つの理念は他人を信用せず，また中華帝国の復興をめざす朱元璋にはうってつけだったわけです。**一世一元の制**は，皇帝一代につき元号を一つだけ使用するルール。もともと元号は**「皇帝は空間だけではなく時間をも支配する」**というコンセプトから生まれたんですが，従来は天災など凶事が起こると，皇帝の在位中でも縁起をかついで元号を変えていました。即位から退位まで単一の元号を使い続けることになると，皇帝の治世と元号が完全一致して，時間を支配するイメージが強化されますよね。

図説の朱元璋の肖像は，たいてい２種類掲載されている▲
▲大義名分論
▲華夷の別
現在の日本でも採用されている▲
だから皇帝に従いなさい，ということ▲
朱元璋時代の元号が「洪武」だったことから「洪武帝」と呼ぶ▲

他方，農民出身である洪武帝は農村支配に心を砕きます（商業を振興した元に対抗して農業を重視した事情もあるでしょう）。従来の農民は納税と兵役の双方を課せられており，大きな負担になっていた（その好例が唐の農民）のですが，洪武帝は農民を**軍戸**と**民戸**の２種類分け，**兵役と納税を分担させました**。**六諭**（りくゆ）は儒学の理念をかみ砕いて農民に教えたもので，「皇帝を敬う社会」の思想基盤といえます。

→テーマ８▲

洪武帝が死去した際，長男朱標（しゅひょう）がすでに亡くなっていたため，その長男（＝洪武帝の孫）が**建文帝**として即位しました。16歳で即位した彼の側近たちは，権力基盤を固めるためにも朱標の弟である叔父たちを排除することを進言。建文帝が何人かの叔父を弾圧すると，洪武帝の四男朱棣（しゅてい）が反発して蜂起！　自身の拠点北京から都の**南京**に攻め込んで，３代**永楽帝**として即位しました（**靖難（せいなん）の役**）。しかし甥（おい）とはいえ，自分の主君に弓を引いてしまった…。

▼洪武帝から軍団を与えられ，各地の王となっていた

朱子学で，一番やってはいけないことじゃないですか！

宮廷にいる高級官僚は，科挙を突破した儒学の超エリートたちですから，皇帝の正統性をめぐって大騒ぎ！　永楽帝としてはこの上なく居心地が悪い。そこで，**自分こそが中華の皇帝にふさわしい徳を備えている人物であることを証明しようと考えたようです**。とにかく積極的な対外政策で中華帝国の復興をアピールしました（永楽帝にはそれを実現できるだけの，軍事的才能がありました）。その目玉が**鄭和**（ていわ）の南海諸国遠征。全長120m もあるジャンク船艦隊の威

▲イスラーム教徒の宦官

容に圧倒された東南アジア・インド洋沿岸諸国は明にひれ伏し，**朝貢貿易体制が確立**しました。また，洪武帝がサポート役であった中書省を廃止したことで皇帝の業務がブラック企業なみに忙しくなったので，永楽帝は内閣大学士という補佐役を新設しています。これが現在の政治用語「内閣」という言葉の由来で，明治時代に英語の「Cabinet」の訳語として用いられるようになりました。
▲事実上の丞相の復活

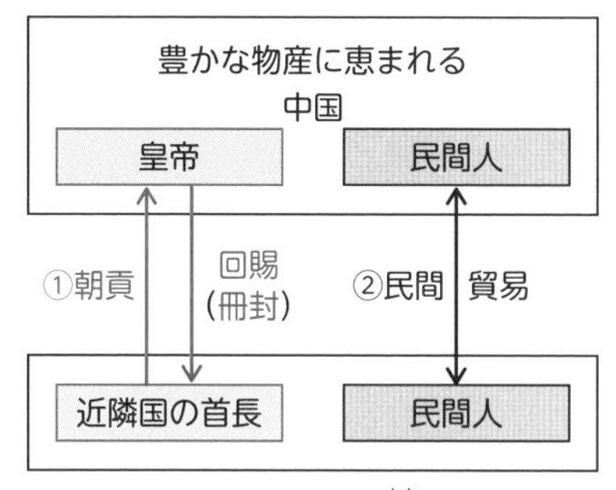

明でとても興味を引くのはズバリ**海禁**政策。中国と諸外国が行う貿易には

①**皇帝と近隣国首長が行う朝貢貿易**
▲いわば「官」の貿易
②**民間人が行う貿易**
▲いわば「民」の貿易

の2種類があります。①は近隣国の首長の使節が中国皇帝の徳を慕って貢物を持参し，これに対して皇帝はほうびを与える。②は政府の意向などおかまいなしに，民間人が好き勝手に行う。中国の皇帝は②を極度に嫌い，②を制限しました（これが**海禁**）。②が盛んになると，①の影が薄くなって，**「中華皇帝の徳を慕ってやって来る近隣国の首長に，皇帝が恩恵として中国の物産を授ける」という図式が崩れてしまう**からです。
▲回賜　▲この際に冊封が行われることも多い　▲「中国の物産がほしいならば，皇帝の下へ参上せよ」ということ

建国者の洪武帝は中華復活を掲げて海禁を敷き，朝貢貿易を強調しました。しかし，この時代は中国だけでなく**日本や朝鮮も政権交代の時期**であり東アジアの秩序はグダグダ。その間隙を突いて，民間商人の中に武装して狼藉を働く者が現れました。これが**前期倭寇**です。
▼1338年に室町幕府が成立し，南北朝時代へ　▲1392年に高麗が滅亡し，朝鮮が成立　▲日本人が中心

永楽帝の政策って，①を強調する手法にマッチしてますね。

その通り。有能な永楽帝の時代には日本や朝鮮の秩序が安定したこともあって，朝貢貿易体制を確立し，「中華皇帝」たることを内外に示せたわけです。

しかし，永楽帝が死去すると状況は一変。背景には永楽帝が朝貢国を惹きつけるために，採算を度外視して回賜を与えていたことがあります。豊かで太っ腹な中国も，さすがに財政が圧迫されたため，政府は**朝貢貿易縮小に転じました**。これに対して「貿易をケチってんじゃねえよ！」と中国にゴネてきたのが，モンゴル高原の**オイラト**と**韃靼（タタール）**なんですね（**北虜**，地図10－①）。
▲この時も海禁政策は継続している

16世紀に入ると中国内で諸産業が成熟し，綿織物・絹織物・陶磁器といった「売れ筋商品」がバンバン生産されました。一方，この時期にはヨーロッパからポルトガル人が来航。現在の島根県にある石見銀山で採掘された銀を手に
▲景徳鎮が産地

した日本人とともに，中国商品を求めました。しかし明は海禁継続の一点張りなので，海禁を破って貿易に従事する者が続出。これが**後期倭寇**です。
▲中国人が中心
1567年，ついに明は海禁を緩和する方針に転換し，東アジアに空前の「大交易時代」が到来しました。

政府はというと，北虜南倭への対応に軍事費がかさみ明は財政難におちいっていました。
現状に合わない海禁を維持するのに膨大なコストがかかった▲
万暦帝に仕えた**張居正**は，タタールの**アルタン＝ハン**と和解して軍事費を削減，地主の土地隠しを摘発，後述する新税制の普及など財政再建に力を注ぎました。しかし張居正が去った後，明の征服をもくろむ**豊臣秀吉**の軍が朝鮮へ侵攻してきました。明属国である朝鮮を支援して日本を撤退に追い込みますが，財政は火の車に。異常気象に伴う飢饉（ききん）も重税に追い打ちをかけました。
▲万暦帝は政治を宦官に任せて，自身は享楽にふけった

宋の時代に長江下流域が中国の穀倉地帯になりましたが，明代にはさらに経済が成熟して**長江下流では綿織物や絹織物といった手工業が盛んになりました**（これが上述した「売れ筋商品」を指します）。下流域が穀倉ではなくなったことをうけて，長江の中流域が新たな穀倉地帯に成長しました。

	宋	明末
長江下流	穀倉**「蘇湖熟すれば天下足る」**	綿織物，絹織物業が発展
長江中流	----------	穀倉**「湖広熟すれば天下足る」**

外国人は長江下流域で生産された物産を求め，対価として中国に流入した銀が，新税制**一条鞭法**が普及する背景になりました。今までの両税法では，「モノ・カネ・肉体労働」など様々な形で税を納めており，手続きが非常に煩雑になっていました。これを銀納だけに一本化することで簡素化し，無駄な手続きや経費をカットした，ということです。
▲従来の煩雑になっていた税の支払い方法を，銀納で一本化・簡素化

女真が建てた**金**がモンゴル帝国に征服された後，女真の人々は故郷の中国東北部で半農半猟の生活を送っていました（地図10－①の右上部）。16世紀後半，女真が再び力を伸ばした背景にも「大交易時代」がありました。中国に銀が流入して好況になると，**女真人が取り引きする毛皮と薬用人参が中国の富裕層の間でブームとなって飛ぶように売れた**のです。これを基盤に**ヌルハチ**は諸部族を統一して**後金**を建国し，清の礎（いしずえ）をつくりました。２代目**ホンタイジ**は，元の大ハーン位を継承していた内モンゴルの**チャハル部**を攻略し，元の玉璽（ぎょくじ）を手にしました。彼は「皇帝の印鑑をゲットした俺が元の後継者だ！」と宣言し，国号も「**清**」に改めました。なお，彼の時代あたりから「女真」に代わって「満州」という民族名が定着していきます。また，この時点で明はまだ存続しており，**明の滅亡と清の中国進出は並行して進みます。**
▲テーマ9
▲皇帝の印

中国進出を狙う清の前に立ちはだかったのは万里の長城。その東端にある山海関（地図10－②）にはイエズス会の宣教師が設計した大砲が並び，明の将軍**呉三桂**が守っていました。清が何度突撃しても返り討ちにされたのですが，そんなさなか，**李自成**率いる反乱軍が北京になだれこみ，崇禎帝が首を吊って明が滅びます。主君を失った呉三桂は考えた。「北京には李自成，山海関の北には清，二つの敵を抱えてしまった。農民から成り上がった李自成に頭を下げるのも癪だし，主君だった明を滅ぼした李自成を討つ！」と，呉三桂は清に降って山海関を開放，清の３代**順治帝**を北京へ先導したのです。清は李自成を撃破し，呉三桂の功績に報いて雲南地方を与え藩王（▼他の漢人二人にも福建と広東を奉じた。これを「三藩」という）（▲封建制のイメージ）としました。一方，清に徹底抗戦したのが台湾に逃れた**鄭成功**。**母が日本人**で，日本との貿易上のつながりも強く，江戸幕府に協力要請もしています。

清に降った呉三桂と，清に対抗した鄭氏，対照的な両者を平らげたのが４代**康熙帝**（▲８歳で即位）です。雲南の呉三桂は半ば独立政権と化していきました。成人した康熙帝は今までの腫れものを扱うような弱腰に喝を入れ，三藩の取り潰しを決断。中国で指折りの名君とされる康熙帝の胆力を垣間見ることができますね。孫ほど年齢の離れた康熙帝がしかけた挑発に呉三桂が激怒し挙兵すると，連動して鄭氏台湾も清を攻撃！　反乱軍は一時は長江流域まで侵攻し，清は危機に陥ります（宮廷では北京から満州へ避難する案も出たほど▲）が，呉三桂が病死したことで下火になり，なんとか鎮圧することができました（清は結局，呉三桂本人には勝てずじまいだったわけですね）。

三藩の乱を鎮圧した翌々年，鄭氏台湾も清に降伏し，**抵抗勢力は一掃されて中国は平定されました**。ただ，中国平定もつかの間，内陸に目を向けると**ピョートル１世**（→テーマ14▲）時代のロシアが満州へ進出して来ました。また遊牧民の**ジュンガル**との対立も激しくなります。ロシアとの戦いを優位に進めた康熙帝は，**ネルチンスク条約**（講和の背景には，ロシアとジュンガルが協力することへの警戒があった▲）で国境を画定させ，ジュンガルにも親征しました。**清とジュンガルはチベット仏教の保護者の地位をめぐり争っていた**のですが，康熙帝はチベットを統治下に治めることに成功しました。

ここで，チベット仏教について，お話をしておきましょう。標高の平均が4000m をこえるチベット高原では，７世紀に**吐蕃**が成立しました。吐蕃が世界史上に果たした役割として，**チベット仏教**は欠かせません。インドから伝わった大乗仏教とチベットの民間信仰が融合して成立しました。即位する前の**フビライ**がチベットを征服した際，僧**パスパ**（▲→テーマ９）を宗教顧問として招きましたね。

このチベット仏教がアジア諸地域に定着する決定打となったのは，16世紀に先ほど登場したタタールの**アルタン＝ハン**がチベット仏教に帰依したことです。彼は教主に「**ダライ＝ラマ**」の称号を贈り，教主は代々この名称で呼ばれるようになりました。チベット仏教は，モンゴルだけでなく満州にも広まり，清の皇帝もチベット仏教を信仰していたんですよ。

5代**雍正帝**はロシアとは**キャフタ条約**を結び，対ジュンガルの作戦司令部として**軍機処**を設置しました。6代**乾隆帝**はついにジュンガルを征服し，こうして親子3代にわたったジュンガルとの激闘に終止符がうたれました。この康熙・雍正・乾隆年間が清の全盛期です。

満州人の人口は多く見積もっても100万人には届かなかったのに対し，中国の人口は18世紀末には3億人に達したとされています。異民族王朝であった清は，圧倒的多数を占めた漢民族をまずは「懐柔」しました。**要職の定数を偶数にして満州人と漢人を同数任命**し，平等な待遇をアピール（その官僚も，ちゃんと中国伝統の科挙で選抜していますよ）。そして中国文化にまつわる**大編纂事業**を命じて，中国をリスペクトしていることもアピール。一方で「威圧」も行います。満州人伝統の髪型**辮髪**を漢人男性に強制しました（拒否した者は殺されたとか…）。**禁書令**・**文字の獄**によって，反清的な思想や言論は厳しく取り締まりをうけました。まさに「アメ」と「ムチ」ですね。

この思想統制と根底ではつながっているといえるのが**典礼問題**です。中国の民衆には**孔子や祖先を崇拝する「典礼」**が浸透していました。中国を訪れたイエズス会宣教師は，キリスト教に改宗した中国人が典礼を続けていても，これを黙認しました。清の政府も，典礼を否定すれば儒学的価値観を重んじる漢人の反発を買うと考え，「キリスト教を布教してもよいが，典礼も認めること」という条件をつけていました。しかし「イエズス会は中国で典礼なる邪教を認めている！」という知らせがローマ教皇に届いたため大問題になり，イエズス会は教皇と清の板挟みになってしまいました。清も妥協するつもりはなく，**雍正帝が全てのキリスト教布教を禁じる**ことになってしまいました。

▲「孔子」「祖先」から分かるように，儒教的価値観を多分に含む
▲まずは信徒を増やすことを優先させた
▲キリスト教の平等思想を危険視した側面もある

漢民族ではない諸民族の居住域はどうだったんでしょうか。p.67の円錐上の図を見ていただくと唐では辺境の諸民族に自治を認める**羈縻政策**を敷いていましたが，清では**「藩部における自治」**がこれに相当します。そして，皇帝の徳の光が届かない暗い場所が近隣諸国（属国）になるわけです。王朝が変われど「中華」の考え方は変わらないんですね。

▲→テーマ8

そもそもなんですど…，満州人って中華思想からすれば「夷狄（異民族）」なんだから，その人が皇帝になるのはヘンですよ。

その手のツッコミは当時も山ほどあったようです。このクレーム処理は雍正帝が行い，**「漢民族でなくても，有徳者であれば中華の皇帝たりうるのだ」**という理論で，満州人が中華皇帝として君臨することを正当化しました。

古代インドと東南アジア世界

1 インダス文明(前2600頃～前1800頃)～ヴェーダ時代

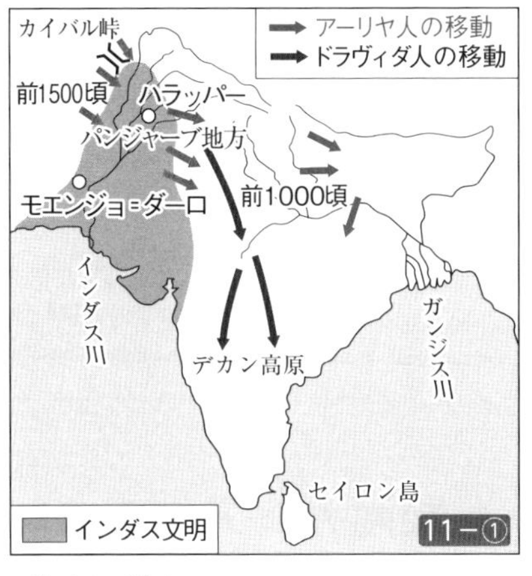

⑴ **インダス文明**…**モエンジョ＝ダーロ**，ハラッパーなど
▲洪水，河川の流路変更，気候の変化などで衰退？

⑵ ヴェーダ時代
①**アーリヤ人**がカイバル峠からインドへ進出
②ヴァルナ…身分制
・**バラモン**…司祭層。自然現象に神性を認めるバラモン教を司る
・**クシャトリヤ**…武士・貴族
・**ヴァイシャ**…一般庶民。のちに商工業に従事
・**シュードラ**…隷属民。のちに農耕・牧畜に従事

⑶ 新宗教…従来のバラモン教への不満から，**仏教**，**ジャイナ教**が成立

2 古代インドに巨大な王朝が出現

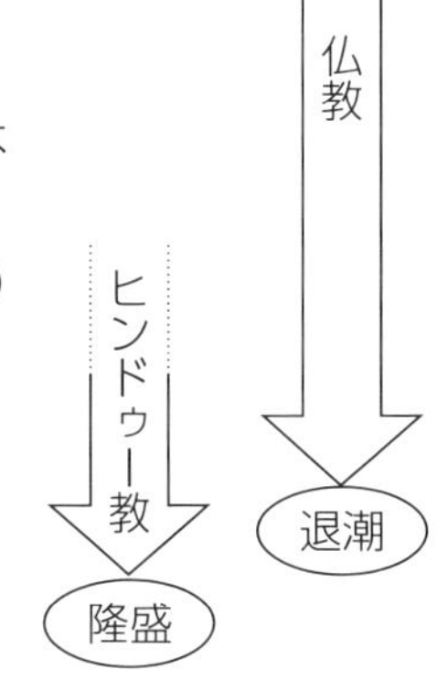

⑴ **マウリヤ朝**（前317頃～前180頃　都：**パータリプトラ**）

⑵ **クシャーナ朝**（1～3C　**イラン**系　都：**プルシャプラ**）
▲カイバル峠を通じてインドへ進出

⑶ **サータヴァーハナ朝**（前1～3C　南インド）
①ナーガールジュナが，大乗仏教（**菩薩**（ぼさつ）信仰によって在家信者も救済）を理論化
人々の救済のために修行する者▲

⑷ **グプタ朝**（320頃～550頃　都：**パータリプトラ**）
①**ヒンドゥー教**の成立
…バラモン教と民間信仰が融合

⑸ **ヴァルダナ朝**（7C 前半　都：カナウジ）

3 東南アジア文明の考え方

東南アジアは**インド洋交易圏と南シナ海交易圏の接点に位置し**，国家の興亡の多くは交易ルートの盛衰と結びつく

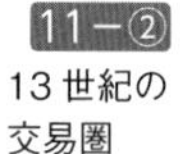
13世紀の交易圏

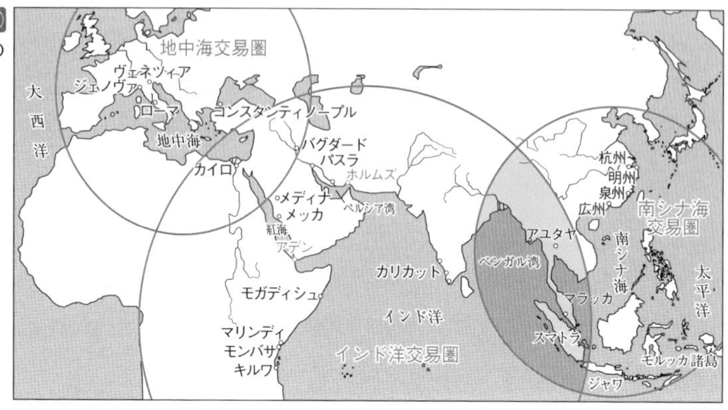

4 東南アジアに成立した諸王朝

⑴ 北部ベトナム…中国文化圏

李朝（13C～） ➡**陳朝**（13C～） ➡**黎**(レイ)**朝**（15C～） ➡**西山**(タイソン)**朝**（18C～）

⑵ 中南部ベトナム・カンボジア（メコン川流域）…仏教・ヒンドゥー教

扶南(ふなん)（1C～） ➡**チャンパー**（林邑(りんゆう)，占城(せんじょう)，2C～） ➡**真臘**(しんろう)（6C～）

⑶ 島嶼(とうしょ)部（ジャワ・スマトラ）…大乗仏教，ヒンドゥー教，イスラーム

スマトラ島・マレー半島	ジャワ島	
シュリーヴィジャヤ王国（7～14C）	**シャイレンドラ朝**（8C～）	大乗仏教
	古マタラム朝（8C～） **シンガサリ朝**（13C～） **マジャパヒト王国**（13C～） ▲現在のインドネシアに相当する地域を支配	ヒンドゥー教
マラッカ王国（14C～） **アチェ王国**（15C～）	**マタラム王国**（16C～）	イスラーム

⑷ タイ（チャオプラヤ川流域）…上座部仏教

スコータイ朝（13C～） ➡**アユタヤ朝**（14C～） ➡**ラタナコシーン朝**（18C～）

⑸ ビルマ（ミャンマー，イラワディ川流域）…上座部仏教

パガン朝（11C～） ➡**タウングー朝**（16C～） ➡**コンバウン朝**（18C～）

文字が解読されておらず，謎多き**インダス文明**。計画的に都市は整備されているのに，**強大な王権を誇示するような建築物は存在しない**。おそらくは先住民の**ドラヴィダ人**の手によって創り上げられたのだろうと推測されています。

そのインダス文明が滅亡した後，前1500年頃に**アーリヤ人**がインドへ進出してきました。インドの北方に横たわる峻嶮（しゅんけん）な山脈群は人々の往来を妨げていますが，**カイバル峠は北方からインドに進入するほぼ唯一のルート**。インド史において実に多くの個人・勢力がここを往来しました。インドに入るとそこはパンジャーブ地方で，アーリヤ人は二輪の戦車を駆ってインドの北の玄関口パンジャーブ地方の先住民を征服しました（地図11－①）。彼らは火や雷などを自然神として崇拝し，賛歌を**ヴェーダ**にまとめました。これを根本経典として成立したのが**バラモン教**です。その後，アーリヤ人は前1000年頃には**ガンジス川流域へ移って農耕生活を開始**し，農業生産の増加に伴って神官や軍人といった非生産層が形成されました。さらに先住民と交わる中で，**ヴァルナ**という身分観念が成立。ヴァルナとは「色」という意味ですが，これは**「肌の色」の違いが身分の違いだった**ことに由来しています。後にヴァルナと各種の職業集団が結びついて形成されたのが，現在もインドに根強く残っているとされる**カースト制度**。15世紀末にインドに来航したポルトガル人が，インドの身分を「カスタ」と呼んだことに由来します。

▲インド＝ヨーロッパ語系。いわば「白人」
肌が白いアーリヤ人が，肌の色が濃いドラヴィダ人を支配▲
ジャーティ▲
▲家柄・血統

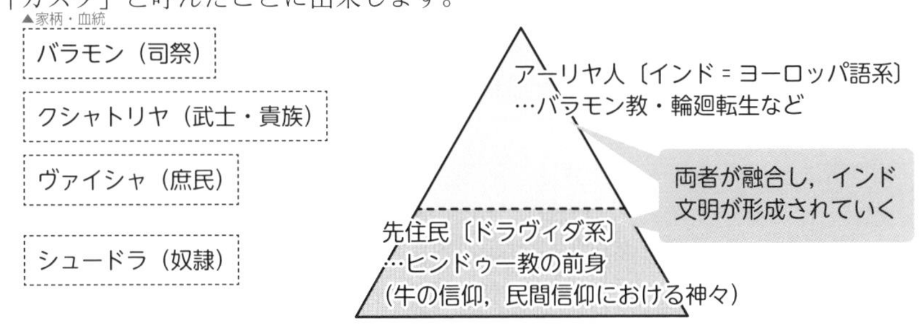

農業生産の増加はさらに国家を発展させました。分立する都市国家群は，次第に大都市を拠点とする王国へと統合。**マガダ国**や**コーサラ国**がその筆頭ですね。政治・軍事を司るクシャトリヤは存在感を高め，余剰生産を取り引きすることで商業も活況を呈し，ヴァイシャも力を蓄えました。しかし…，当時の社会の頂点に君臨したのは司祭層の**バラモン**でした。

▲小王国

彼らは神への儀式を行っているのですが，これが非常に複雑で，バラモンしか執り行うことができません。「この儀式を正確に行わないと，神の怒りを鎮めることができないぞ！」と言われたら，他の身分は従うしかない。**クシャトリヤやヴァイシャはこの儀式中心のバラモン教，およびバラモンを中心とする社会体制に反発し，新しい宗教を求めました**。こうして幾つもの新宗教・思想が誕生します。

第3章 前近代のアジア世界

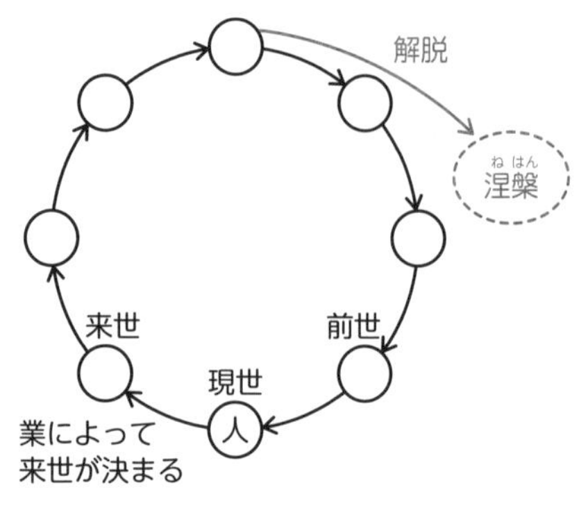

儀式中心だったバラモン教が内部改革して生まれたのが，内面の思索を重視する**ウパニシャッド**哲学です。彼らが唱えた**輪廻転生**は，インドの多くの宗教に影響を与えました。インドにカーストが根づいた一因は，**「来世で何に生まれ変わるかは，現世の行い**（▲業（カルマ））**によって決まる」**と考えられていたから。この観念から生まれた四字熟語が「自業自得」です。「下賤な身分に生まれたのは前世で悪いことをしたから」というように，現代ではネガティブな意味で用いられますが，本来的には「高貴な身分に生まれたのは前世に良いことをしたおかげ」というポジティブな意味も持つんですよ。

仏教の開祖である**ブッダ（仏陀）**（▲ガウタマ＝シッダールタ）は，輪廻の中で永遠に「生老病死」を繰り返さねばならない事実に絶望して出家し，輪廻から逃れる（解脱）方法を追究しました。悟りを開き，苦悩の原因を煩悩（▲心身を乱す欲）に求めました。「老」に関して言うならば，「老いが怖いのは，若さへの執着・欲があるからだ。無常観（一定・普遍のものはなく，全てのものは衰えゆく▲）の立場に立ち，老いていく現実を受け入れよ」。この境地に至るため，ブッダは修業を説いたのです。のちに，修行者本人だけが解脱できるとする従来の仏教（▲上座部仏教）に対し，**在家の信者も菩薩を信仰することで菩薩とともに解脱できる**，とする**大乗仏教**が生まれました。

同時期に生まれた**ジャイナ教**は，**不殺生主義と苦行**を特徴とします。人を殺める軍人（クシャトリヤ）などもってのほかで，畑仕事で虫と接する農民にも受けが悪い。**殺生とは縁遠い商人（ヴァイシャ）層に広まりました。**不殺生を貫くと餓死する危険が高くなりますが，ジャイナ教における餓死は尊い行為とされています。なかなか馴染みのないジャイナ教ですが，神戸市の異人館街には日本唯一とされるジャイナ教の寺院がありますよ。

前４世紀，ついに統一王朝が登場。ほぼ全インドを統一した**マウリヤ朝**が後世に残した影響は，それまでメジャーとはいえなかった**仏教をインド全体に猛プッシュし広めたこと**です。これを進めたのが**アショーカ王**で，カリンガという地方を征服した時に多くの血を流したことに心を痛め，仏教に帰依したといわれています。**仏典結集**，**仏塔**（▲日本の寺院にある三重塔や五重塔の起源）の建設，**スリランカ（セイロン島）**布教などの業績を残しました。現在のインド国旗の中央に描かれている輪は，アショーカ王が用いた，仏教の教えを象徴する「法輪」がモチーフです。

前４世紀，東方遠征で中央アジアにまで進出した**アレクサンドロス大王**の軍勢ですが，このうちギリシア人の一部はそのまま中央アジアに住みつき，子孫が**バクトリア**を建てました。ヘレニズム彫刻の技術はギリシア系住民の間で
▲中心都市バクトラ
脈々と受け継がれます。そして，カイバル峠付近の**中央アジア**で成立した**クシャーナ朝**がインドへ南下すると，**ヘレニズム彫刻と仏教が融合して，ギリシア風の仏像が製作されました**。これが**ガンダーラ美術**です。
領域の中にバクトラが含まれている▲

4世紀に成立した**グプタ朝**で**形作られたインド文化とヒンドゥー教的社会秩序は，のちのインド社会の規範になりました**。そういう点では最も重要な王朝かもしれません。ヒンドゥー教は，バラモン教と伝統的な民間信仰の神々が融
▲ヒンドゥー教には特定の開祖は存在しない
合して形成されていった宗教です（p.75のピラミッドで，ピンク部分とグレー部分が融合するイメージ）。3本柱とされる**シヴァ神**と**ヴィシュヌ神**とブラフマーの起源はアーリヤ人が編んだヴェーダにまでさかのぼることができます（余談ですが，いわゆる七福神のうち，大黒天はシヴァ神が，弁財天はブラフマーの奥さんがルーツです）。二大叙事詩である『**マハーバーラタ**』『**ラーマーヤナ**』には様々な神が登場しますが，『マハーバーラタ』に登場する英雄クリシュナはヴィシュヌ神の化身です。あと，ガンダーラ美術ではギリシア色が濃
▲ヴィシュヌ神が，先住民の英雄・神と融合している
かった仏像も，**グプタ美術**では**純インド色を帯びてきます**。

北インドを一時的に統一した**ヴァルダナ朝**が崩壊したあたりから，仏教は劣勢に立たされ，インドではヒンドゥー教が主流になっていきました。ヴァルダナ朝滅亡後，分裂状態になると商業網が寸断されて，**仏教を支えていた大商人が没落してしまった**んですね。また**ヒンドゥー教では「ブッダはヴィシュヌ神の化身である」と位置づけられて，仏教がヒンドゥー教に吸収されていってしまった**ことも目を引きます。

統一王朝の解体と仏教衰退は無関係ではないんですね。

続きまして東南アジアは，まずp.74の**4**で5つの地域区分を確認してください。その際，**メコン川・チャオプラヤ川・イラワディ川**は地域を判断する目安になります。もう1点，**地域ごとの文化・宗教分布も重要**です。北ベトナムは中国文化圏で，タイとビルマは上座部仏教が盛ん。興味深いのが島嶼部。**大乗仏教➡ヒンドゥー教➡イスラーム**と流行する宗教が変化します。

▼南シナ海交易圏
また，地理的には地図**11－②**で示した，**東南アジアがインドと中国の結節点という役割を担ってきた**点に注目です。
▲インド洋交易圏

かつて，マラッカ海峡は船の難所であったため，南シナ海とインド洋を往来
▲風が弱く船の速度が出ず，海賊などに襲われる
する際，**人々はマレー半島を陸路横断**していました（地図**11－③**）。このルートの拠点として栄えたのが**扶南**の港市**オケオ**ですね。交易を通じ「インド化」

が進みました。インドからバラモンが渡来し，仏教，ヒンドゥー教，サンスクリット語などが流入します。扶南の東北部にあるチャンパー，この呼称はインド風で，「林邑」は中国風。インドと中国，双方の影響をうけているのが分かりますね。一方，インド文化よりも**中国文化の影響を強くうけたのは海陸双方で中国と深くつながっている北ベトナムです**。多くの王朝が中国の冊封をうけ，漢字から派生した**字喃**（チュノム）が用いられ，**朱子学・科挙・律令なども導入されました**。これには，中国的なシステムを作ることで「自らも中国と並ぶ中華である」とアピールして，中国の脅威に対抗しようとした，という見方があります。

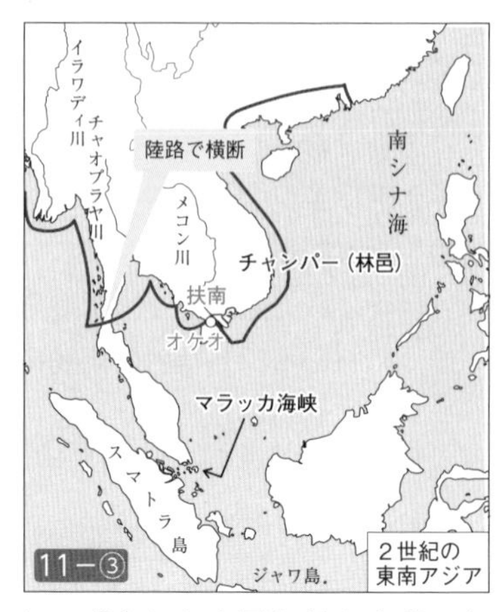

2世紀の東南アジア

7世紀は大きな節目ですよ。まず①**中国の唐，西アジアのウマイヤ朝 という大帝国が東西に成立し，交易が発展。これに伴い，交易の中継地となる港市が次々に成立して，マラッカ海峡を通過する海上ルートが開かれたのです**。港市国家群は連合して**シュリーヴィジャヤ王国**を形成し，マラッカ海峡の交易を支配しました。**ボロブドゥール遺跡**で知られる**シャイレンドラ朝**は，マラッカ海峡ルートの香辛料貿易に参入しました（地図11－④）。

▲マレー半島を横断するルートは衰え，扶南も衰退

▲ジャワ島では，稲作を基盤に古マタラム王国も繁栄

また6～7世紀，②**インドから新しい稲作技術が伝わり，大陸の平原部の農業生産が増加しました**。現在のカンボジアに成立した**真臘**（しんろう）は，9世紀初頭に統合され，**アンコール朝**が成立しました。壮麗な寺院**アンコール＝ワット**は有名ですね。また，タイとビルマにも**ドヴァーラヴァティー**や**ピュー**が成立し，インドから**上座部仏教**を取り入れています。

内陸の陸真臘とメコン川水系の水真臘▲

雲南地方の南詔を経由して唐と交易を行った▲

次に大きなヨコの変動は13世紀です。

13世紀といえば…。分かった，モンゴル帝国です！

13世紀は「モンゴルの世紀」，正解です。ビルマの**パガン朝**は元の侵攻をうけて内紛の中で滅びました。しかし，ベトナム（**陳朝**）遠征，ジャワ遠征は失敗に終わりました。ジャワ島では元軍の侵攻の直前に**シンガサリ朝**が滅亡し，

▲→テーマ9

王の娘婿(むすめむこ)率いる軍が元軍を首尾よく撃退しました。この娘婿が建てたのが**マジャパヒト王国**です。

続いて15世紀，まず中国側からのアプローチです。**永楽帝**が派遣した**鄭和**の大艦隊に腰を抜かした東南アジア諸国は競って明に朝貢しました。この**鄭和艦隊の遠征の基地**となったのがマレー半島西岸の**マラッカ（ムラカ）王国**（▲→テーマ10）です。当時のマラッカはタイの**アユタヤ朝**の脅威におびえる日々を送っており，これ幸いと**明の冊封をうけて**巧みに港市国家として生き延びたんですね。

しかし，永楽帝の死後に明は朝貢を縮小したため，東南アジアへの明の影響力も低下。そんな折に，**マラッカが結びついた勢力が，インド洋方面から香辛料を買い求めにやって来ていたイスラーム商人**でした。**王はイスラームに改宗**し，東南アジアがイスラーム化していくきっかけの一つとして位置づけられます。現在マラッカはマレーシア領ですが，マレーシア国民の約６割はイスラーム教徒で，マレーシアと同様にイスラームが根づいたインドネシア（▲スマトラ島，ジャワ島が属する）は，世界で最もイスラーム教徒が多い国家です。

16世紀になると，ヨーロッパから**ポルトガル**人が香辛料の一大産地**モルッカ（香料）諸島**を目指してさかんにやって来ました。**ポルトガル人は既存のイスラーム＝ネットワークに割り込んできた**（▲→テーマ15）わけで，イスラーム勢力と軋轢(あつれき)を起こします。1511年のマラッカ征服はその典型で，ポルトガルがマラッカ海峡ルートを制圧すると，**イスラーム商人はマラッカ海峡を避けてスマトラ島を迂回しました**（地図11－⑤）。その「まわり道」上に隣接する，スマトラ島西北端の**アチェ王国**と，ジャワ島西端のバンテン王国（▲スマトラ島とジャワ島の間に位置するのはスンダ海峡）が交易拠点として栄えました（ジャワ島東部の**マタラム王国**も，イスラーム国家として栄えました）。ポルトガルに目を戻すと，16世紀にビルマで成立した**タウングー（トゥングー）朝**は鉄砲を用いるポルトガル人傭兵を雇って勢力を拡大しているんですよ。

11－⑤

地図11－②にあるように，**交易圏の接点である東南アジアでは，多くの国家の盛衰が交易ルートに依存している**ことが分かっていただけたでしょうか。交易を国家形成の基盤として，港市を中心に栄えた国家を港市国家と呼びますが，特に東南アジアでは港市国家が多く出現しました。

テーマ 12

イスラーム世界

1 イスラームはアラビア半島で生まれ，勢力を拡大

⑴ **ムハンマド**（570頃～632）

①アッラーの啓示をうけ，イスラームを創始（610頃）

②**ヒジュラ**（聖遷，622）…迫害を逃れ，メッカから**メディナ**へ移住

③メッカを征服（630），アラビア半島統一（632）

⑵ 正統カリフ時代

①**カリフ**…「後継者・代理人」の意味。政治的指導権を持つ最高指導者

アッバース朝以降は，カリフに宗教的権威も認め神格化されていった▲

②**正統カリフ**…信徒の合意によって選ばれた，４人のカリフ

2 最初の王朝であるウマイヤ朝 (661～750) 都：ダマスクス

⑴ **ムアーウィヤ**（位661～680）…建国後，ウマイヤ家がカリフ位を世襲

⑵ イスラームの分裂…ウマイヤ朝成立をめぐりスンナ派とシーア派に分裂

⑶ アラブ人第一主義…不平等な税制を敷き，ムスリムの平等を無視

		ジズヤ（人頭税）	**ハラージュ**（地租）
イスラーム教徒	アラブ人（ムスリム）	免除	免除
	非アラブ人の改宗者 ▲マワーリー	**払う**	**払う**
異教徒（ズィンミー）		払う	払う

3 「信徒の平等」を実現したアッバース朝 (750～1258) 都：バグダード

⑴ 新都バグダートを建設…第２代カリフの時代

⑵ 税制の不平等の解消…イスラーム教徒間での平等が実現

		ジズヤ（人頭税）	ハラージュ（地租）
イスラーム教徒	アラブ人（ムスリム）	免除	**払う**
	非アラブ人の改宗者	**免除**	払う
異教徒（ズィンミー）		払う	払う

⑶ 第５代**ハールーン＝アッラシード**（位786～809）…全盛期

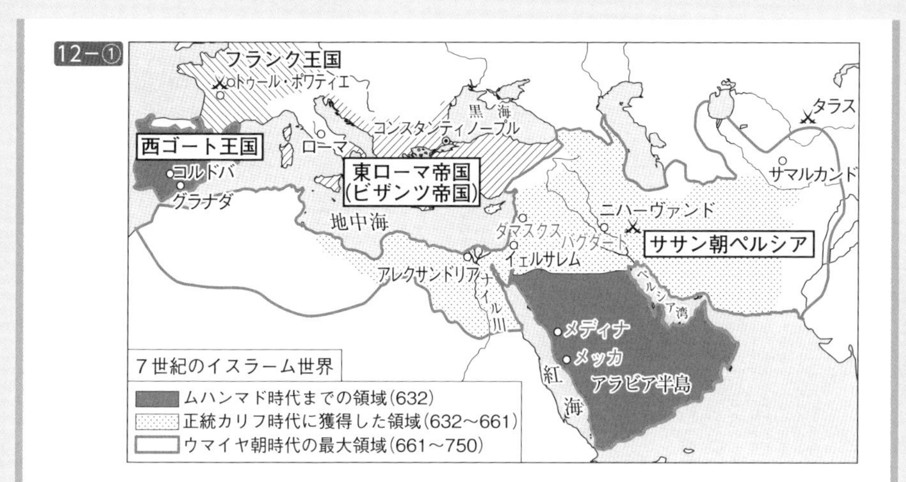

4 各地で分立したイスラーム王朝

<table>
<tr><th></th><th>イベリア半島
北アフリカ</th><th>エジプト</th><th>メソポタミア
イラン</th><th>中央アジア</th><th>アフガン・
インド</th><th></th></tr>
<tr><td>750</td><td rowspan="6">後ウマイヤ朝
カリフ</td><td colspan="4" rowspan="2">アッバース朝（〜1258）
カリフ</td><td>750</td></tr>
<tr><td>800</td><td>800</td></tr>
<tr><td>850</td><td colspan="2"></td><td rowspan="2">サーマーン朝</td><td rowspan="2"></td><td>850</td></tr>
<tr><td>900</td><td rowspan="5">ファーティマ朝
カリフ</td><td rowspan="3">ブワイフ朝</td><td>900</td></tr>
<tr><td>950</td><td rowspan="3">カラハン朝</td><td rowspan="4">ガズナ朝</td><td>950</td></tr>
<tr><td>1000</td><td>1000</td></tr>
<tr><td>1050</td><td rowspan="2">ムラービト朝</td><td rowspan="2">セルジューク朝</td><td>1050</td></tr>
<tr><td>1100</td><td rowspan="2">カラキタイ</td><td>1100</td></tr>
<tr><td>1150</td><td rowspan="2">ムワッヒド朝</td><td rowspan="2">アイユーブ朝</td><td rowspan="2">ホラズム・シャー朝</td><td>ゴール朝</td><td>1150</td></tr>
<tr><td>1200</td><td></td><td rowspan="6">デリー＝スルタン朝</td><td>1200</td></tr>
<tr><td>1250</td><td rowspan="5">ナスル朝</td><td rowspan="5">マムルーク朝</td><td rowspan="2">イル＝ハン国</td><td rowspan="2">チャガタイ＝ハン国</td><td>1250</td></tr>
<tr><td>1300</td><td>1300</td></tr>
<tr><td>1350</td><td colspan="2" rowspan="3">ティムール帝国</td><td>1350</td></tr>
<tr><td>1400</td><td>1400</td></tr>
<tr><td>1450</td><td>1450</td></tr>
<tr><td>1500</td><td rowspan="4">スペイン・ポルトガル</td><td rowspan="4">（オスマン帝国）</td><td rowspan="4">サファヴィー朝</td><td rowspan="4">ウズベク3ハン国</td><td rowspan="4">ムガル帝国</td><td>1500</td></tr>
<tr><td>1550</td><td>1550</td></tr>
<tr><td>1600</td><td>1600</td></tr>
<tr><td>1650</td><td>1650</td></tr>
</table>

5 14世紀以降，巨大なイスラーム帝国が出現

(1) **ティムール朝**（トルコ系，1370～1500/07） 都：サマルカンド

①西チャガタイ＝ハン国から自立。チンギス＝ハンの血をひく女性と結婚

②**アンカラの戦い**（1402）…オスマン帝国に勝利

(2) **サファヴィー朝**

①**イスマーイール**（位1501～24）

・**シーア派**を国教とした ➡イラン人にシーア派が根づいていく

②**アッバース１世**（位1587～1629）…全盛期

・**イスファハーン**に遷都…その繁栄ぶりは**「世界の半分」**といわれた
▲最盛期には人口は70万を数えた

(3) **オスマン帝国**

①**メフメト２世**（第７代）…**東ローマ帝国**を滅ぼす（1453）

②**セリム１世**（第９代，位1512～20）…マムルーク朝を征服

③**スレイマン１世**（第10代，位1520～66）…全盛期

・ハンガリーを征服，ウィーンを包囲，地中海の制海権も掌握

(4) **ムガル帝国**（1526～1858） 首都：デリー（一時アグラに遷都）

①建国者**バーブル**（位1526～30）…ティムールの子孫で，北インドへ侵攻

②**アクバル**（位1556～1605）…13歳で即位しインド支配の基礎を築いた
▲第３代

・**イスラーム教徒・ヒンドゥー教徒の融和を推進**…**ジズヤ**を廃止

③**シャー＝ジャハーン**（位1628～58）…**タージ＝マハル廟**を造営

④**アウラングゼーブ**（位1658～1707）

・帝国の最大領土を現出…デカン高原方面を征服し，ほぼ全インドを領有

・**ジズヤ**復活・ヒンドゥー教寺院の破壊などを行い，異教徒の反抗を招いた

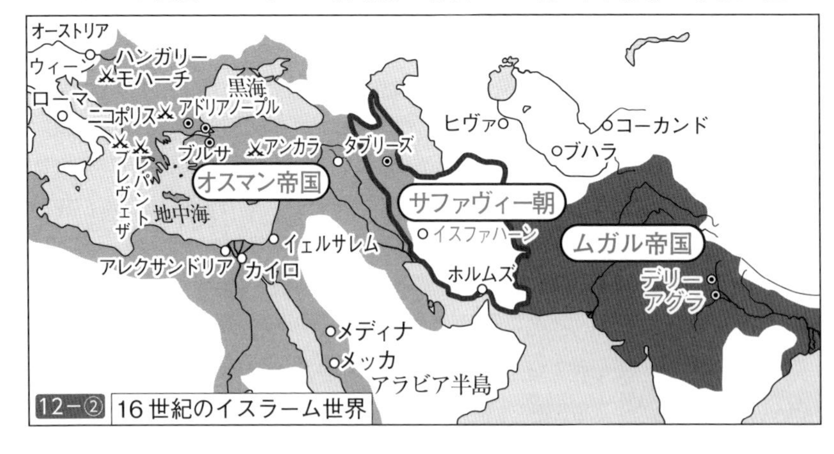

12－② 16世紀のイスラーム世界

6世紀半ば，東ローマ皇帝**ユスティニアヌス1世**（▲→テーマ5）は地中海世界をほぼ統一しました。その矛先は東方にも向けられ，**ササン朝ペルシア**と激しく対立しました（地図12–①）。そのあおりで「オアシスの道」の西部の安全が脅(おびや)かされます。これをうけて，オアシスの道を避けて紅海方面を経由するルートが商業で潤います。ヒジャーズ地方にある**メッカ**もその一つでした。アラビア半島には遊牧民（ベドウィン▲）や商人などが暮らしていましたが，富を築いた大商人が出現すると貧富の差が拡大し，殺伐(さつばつ)とした世の中に…。メッカの**クライシュ族**ハーシム家に生まれた**ムハンマド**（▼日本の聖徳太子とほぼ同時代を生きた）は隊商貿易に携わりつつ，大商人が富を独り占めして貧しい人に見向きもしない現状に疑問（▼自然条件が厳しいアラビア半島では，互いに財産を分配する習慣があった）を持ったようです。

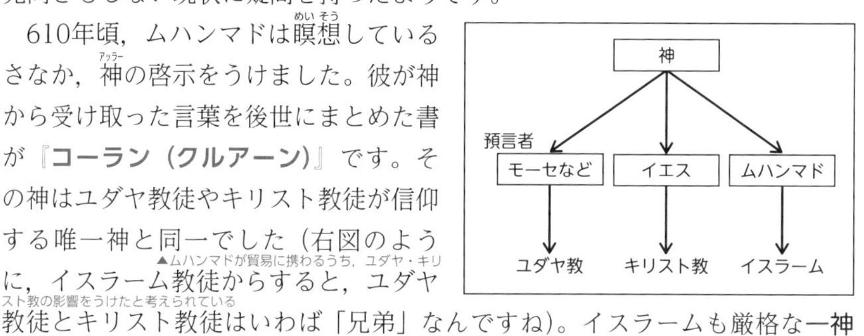

610年頃，ムハンマドは瞑想(めいそう)しているさなか，神(アッラー)の啓示をうけました。彼が神から受け取った言葉を後世にまとめた書が『**コーラン（クルアーン）**』です。その神はユダヤ教徒やキリスト教徒が信仰する唯一神と同一でした（右図のように，イスラーム教徒からすると，ユダヤ教徒とキリスト教徒はいわば「兄弟」なんですね）（▲ムハンマドが貿易に携わるうち，ユダヤ・キリスト教の影響をうけたと考えられている）。イスラームも厳格な**一神教であり，偶像崇拝も禁じます**（テーマ**2**でモーセの十戒をご覧ください）。また信徒（ムスリム）の平等を徹底させて大商人による富の独占を批判し，財産を貧しい人に分配せよ，とも。これに対し，**多神教の神々の像をカーバ神殿に祀(まつ)っていた大商人は猛反発**。まあ当然ですよね。煙たがられたムハンマドはわずかな信者を連れて北の**メディナ**に移ります（**ヒジュラ**）。メディナでの布教に成功し，成立した宗教共同体(ウンマ)はメッカへ進軍，ムハンマドは故郷に帰還しました（ムハンマドは，カーバ神殿の神像を破壊▲）。ヒジュラが行われた西暦622年が**イスラーム暦**（▲1年を354日とする太陰暦）の元年とされています。

では，イスラームの教義について，信徒の代表的な義務である五行を紹介します。**信仰告白**：「アッラーのほかに神はなし，ムハンマドはアッラーの使徒なり」と唱えること（▲サウジアラビアの国旗にはこの文言が記されている）。**礼拝**：一日に5回，メッカの方角に向かってお参りします。**断食**：断食月(ラマダン)（▲イスラーム暦で9番目の月）の間は，日中は一切の飲食を禁止。これには「断食によって心を清め，また貧しい人のひもじさを実感することで，彼らに財産を施すように」という狙いがあるようです。**喜捨**(ザカート)：貧者への施し，社会的な相互扶助です。**巡礼**：メッカに巡礼に行くこと（▲経済的に余裕があるならば，という条件がある）。その他，信徒の生活はイスラーム法によって細かく規定されていました。世界に存在する多くの宗教では，戒律は「心がけ・努力目標」に過ぎず，戒律を破っても警察に逮捕されたり罰せられることはありません。しかしイスラームでは，**『コーラン』に記された戒律がそのまま法として適用されます**。戒律を破れば，刑罰が科せられるのです。一つ例を挙げると，イスラームの教義では飲酒はご法度で，破ったら鞭打ちの刑！　宗教の枠を超えて人々の生活規範にまでなっているため，包括的な意味を込めて「イスラーム教」ではなく「イスラーム」と呼ぶこともあるんです。皆さんにこのことを知ってもらいたいので，本書では「教」を外して表記しています。

アラビア半島をほぼ征服した632年にムハンマドが死去。共同体の指導者である**カリフ**は，**信徒の合議で決定されました**（**正統カリフ時代**）。第２代**ウマル**は，西方ではシリアとエジプトを東ローマ帝国から奪って地中海方面へ進出。東方では**ニハーヴァンドの戦い**でササン朝ペルシアに圧勝して，ササン朝は事実上滅亡します。第３代カリフのウスマーンが暗殺されると，ウスマーンと同じウマイヤ家の**ムアーウィヤ**が，第４代カリフの**アリー**と激しく対立し，アリーが暗殺されるや機を逃さずカリフになることを宣言。

▲カリフはアラビア語のハリーファ（「後継者」の意）のヨーロッパなまり

さらに彼は，カリフ位継承のルールも変え，**自分の子に継がせました**。イスラーム世界の頂点カリフ位を世襲するということは，「カリフ位≒王位」とも解釈できるので，ウマイヤ家が世襲していた時期を**ウマイヤ朝**と呼びます。アリーの支持者たちはウマイヤ朝カリフを容認せず，「アリーとその子孫のみが指導者（イマーム）たるべし！」と主張し，**シーア派**を形成しました（支持者は，ムハンマドの従兄弟&娘婿（むすめむこ）であったアリーの血筋に神聖さを見出していました　→p.88）。一方で，ウマイヤ朝カリフの権威を認めた党派が**スンナ派**です。こちらは「カリフの資質は，預言者ムハンマドの血統ではなく，信仰・行動によって決まるべきだ」と考えていたのですね。

▲世襲カリフ制

▲シーア派は，アリー以外の３人の正統カリフも認めない

▲血統よりも，個人の能力

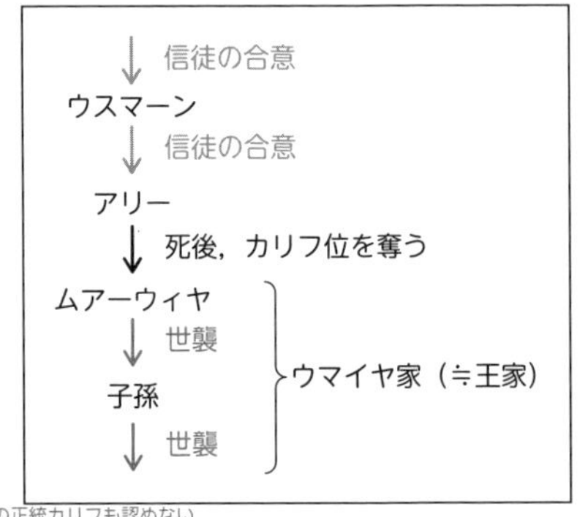

ウマイヤ朝は東はインダス川流域，西はイベリア半島まで支配しました。

▲西ゴート王国を征服

トゥール・ポワティエ間ではフランク王国に負けますよね。

そう，ヨーロッパ側からの視点も意識しててGOODですよ。こんな風に版図が広がるうちに，被征服民の処遇が問題に。征服者であるアラブ人ムスリムは免税特権を持ち，被征服民には**ジズヤ**と**ハラージュ**が課せられました。被征服民の中にはイスラームに魅力を感じて改宗する者も現れてきます。**「信徒の平等」の観点からすれば改宗者も免税になるはず**なのですが，ウマイヤ朝は財源を確保するために，改宗者からの徴税を続けました（p.80**2**の表参照）。当然，改宗者の不満は募ります。

▲→テーマ５

▲支配階級として要職を独占

▲≒異民族

▲人頭税

▲地租

▲マワーリー

ムハンマドの叔父の家系であるアッバース家は，ウマイヤ朝の支配に不満を持っていました。アブー＝アルアッバースは，改宗者やシーア派の支持を得て蜂起，ウマイヤ朝を滅ぼして**アッバース朝**を開きました。アッバース朝下で税制は改められます。異教徒は従来通りジズヤとハラージュを支払い，**イスラーム教徒は民族を問わずジズヤは免除されハラージュのみを支払う**というルールです（p.80**3**の表参照）。これによって，税制上のイスラーム教徒の平等が実現し，改宗者の不満は解消です！　さらに，アラブ人でなくとも優秀な人材であれば要職に就けるようにもなりました。ここで発想を転換させて，「異教徒がジズヤを支払う」ではなく**「ジズヤを支払う人は異教徒でいられる」**と考えてみます。ジズヤが「イスラーム以外の宗教を信仰するための代金・料金」に相当することが分かるでしょうか。イスラーム世界は，**「有料」という条件下ではありますが信仰の自由が保障**されており，寛容さも持ち合わせていたんですね。広大な領域の王朝が長期に存続できた秘訣（ひけつ）の一つです。

▲このような税を信仰税という

中世のキリスト教世界ではキリスト教は国教とされ，他の選択肢はなかった▼

８世紀末に即位した第５代**ハールーン＝アッラシード**の治世にアッバース朝は黄金期を迎え，第２代マンスールの時代に建設されていた都**バグダード**は繁栄を謳歌（おうか）し，その人口は100万人に達したといわれています。

縦横に王朝が絡み合うイスラーム王朝をp.81の表にまとめておきましたが，覚える必要は全くないので，王朝を整理する感覚で気軽に見てくださいね。世界史らしく時代別（ヨコ）に見る場合，以下の３テーマに注目です。

①10世紀のカリフ権衰退，②トルコ人の移動，③13世紀のモンゴル帝国

まずは①10世紀。エジプトへ進出した**ファーティマ朝**の君主は，**自らアリーの子孫を名乗っており，アッバース朝と真っ向から対立**します。アリーの子孫，ということは**シーア派**ですね。ファーティマ朝の新都**カイロ**は，バグダードに代わるイスラーム世界の中心として栄えました。イベリア半島では，アッバース朝に滅ぼされたウマイヤ朝の一族が，８世紀半ばに**後ウマイヤ朝**を建てました。ここの君主も**ファーティマ朝に対抗してカリフを称した**のです。**アッバース朝を含め３人のカリフが鼎立（ていりつ）する事態になりました**（p.81の表のピンクの部分）。一方でアッバース朝内でも一大転機が訪れます。イランで勢力を伸ばした**ブワイフ朝**がバグダードに入城し，カリフから「**大アミール**」の称号を授けられました。以降，**大アミールがカリフに代わって政治の実権を握り，アッバース朝カリフには宗教的権威だけが残されることに**（誤解を恐れずに強引に日本で例えるならば，「カリフ＝天皇」，「大アミール＝征夷大将軍」と考えてください。江戸幕府が開かれた時，名目上のトップである天皇には権力はなく，将軍の徳川家康が実権を握ってましたよね）。アッバース朝の宮廷内も，

ファーティマはアリーと結婚した女性で，ムハンマドの娘であった▲

第3章 前近代のアジア世界

マムルークがカリフの廃立を左右するほどの力を握る有様でした。

マムルークって何ですか？

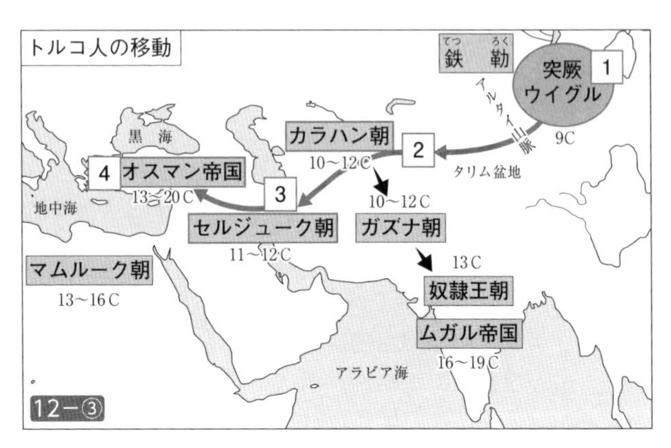

はい，そこがヨコの２つ目のポイント，②**トルコ人の移動**です。**テーマ９**で，遊牧民とオアシス民の協力関係を紹介しました。当初トルコ人は，突厥やウイグルといった遊牧国家を形成していたんですが，ウイグルが滅亡すると，トルコ人の一部は中央アジアへ移ってオアシスに定着しました。「保護する側」から「保護される側」へモデルチェンジしたのです。彼らは９世紀後半に興った**サーマーン朝**からイスラームを受容していきます。そして10世紀半ばに，トルコ人のイスラーム王朝**カラハン朝**が成立しました。この過程で「イスラーム教徒のトルコ系住民が居住」という，現在の中央アジアの状況が出来上がりました。トルコ人というと現在のトルコ共和国のイメージが強いですが，中央アジアにも多くのトルコ人が暮らしているんです。11世紀に成立した**セルジューク朝**は，イラン・イラクへと進出し，1055年にバグダードを占領して，ブワイフ朝を追放しました。建国者**トゥグリル＝ベク**は，アッバース朝カリフから**スルタン**の称号を与えられ，実権を掌握（大アミールとスルタンは異なる称号ですが，政治的実権を持つ点では共通しています）。セルジューク朝はさらに西進し，1071年に東ローマ帝国を破って小アジアも制圧しました。これが現トルコ共和国の源です。

▲サーマーン朝はトルコ系ではなくイラン系

▲トルコに由来する「トルクメニスタン」という国がある

これがトルコ人の「主力」の動きですが，トルコ人は他の地域にもちらばっていきます。騎馬遊牧民の伝統を持つトルコ人は優秀な戦士でした。中央アジアでイスラーム勢力と接触する過程で，**奴隷となったトルコ人は商人によって売却され，各地の軍事力の中核を担うようになる**んです。前置きが長くなりましたが，これが**マムルーク**（奴隷軍人）。奴隷とはいっても，実力があれば司令官などの幹部に出世することも可能で，エジプトのマムルーク朝など，マムルーク出身者が王朝を乗っ取ることもありました。

▲全てのトルコ人が定住へ移行したわけではなく，遊牧を続ける者もいた

以上の「ヨコ糸」を踏まえて「タテ糸」を見ていきましょう。イスラームの

心臓部だったイラク・イランからです。ブワイフ朝・セルジューク朝の概略は上でお話しした通りです。セルジューク朝の後に中央アジアとイランを支配した**ホラズム＝シャー朝**は**チンギス＝ハン**に攻略されるので，「ヨコ」の13世紀にも絡みますよ。

あとは西から順に，イベリア半島から行きましょう。カリフを称した後ウマイヤ朝の後は，北アフリカの先住民**ベルベル人**が建てた**ムラービト朝**と**ムワッヒド朝**。しかし，かつてローマ帝国～ゲルマン民族期にかけてイベリア半島を支配していたキリスト教徒が，領土を回復すべく逆襲してきました。この**国土回復運動**（レコンキスタ）の前にイスラーム教徒は劣勢となり，**ナスル朝**の首都**グラナダ**の陥落をもってイベリア半島から撤退しました。 ▲→テーマ6

エジプトでは，ファーティマ朝を倒した**アイユーブ朝**の**サラディン**（サラーフ＝アッディーン）が，十字軍遠征をうけキリスト教徒の手中にあった聖地**イェルサレム**を再度奪取。**第３回十字軍**で英王**リチャード１世**と戦い，聖地をガッチリ守り抜きました。1258年，モンケの弟**フラグ**が**バグダードを攻略してアッバース朝が滅亡**。この時，カリフの一族が逃げ込んだのが，アイユーブ朝を継いだ**マムルーク朝**です。マムルーク朝は**「カリフの保護者」という肩書を持つことで，他から一目置かれる格上の存在になりました。** ▲→テーマ5

中央アジアは上述のサーマーン朝とカラハン朝がポイントで，一部のトルコ人は，アフガニスタンのカイバル峠を経由してインドへ南下します（カイバル峠のあたりがアフガニスタン）。インドといえばヒンドゥー教徒が圧倒的に多いのですが，イスラーム王朝はシズヤの支払いを条件に，ヒンドゥー教の信仰を認めました。イスラームへの改宗者も一定数存在し，インドで基盤を築いたイスラーム勢力は，**デリー**を都に５つの王朝を建てました（**デリー＝スルタン朝**）。 ▲→テーマ11

▲下層カーストのヒンドゥー教徒を中心に広まった

14世紀以降のイスラーム世界では，各地に王朝が分立する状況が再編され，広域国家が登場しました。中央アジアでは，モンゴル帝国の分家である西チャガタイ＝ハン国から，**ティムール**が登場します。**チンギス＝ハンの後継者であることを強烈に意識し，チンギス＝ハン一族の女性と結婚**。彼は周囲にそれを納得させるだけの実力を持っていました。ロシア方面でキプチャク＝ハン国を撃破し，イル＝ハン国崩壊後のイランを支配下に置きます。極めつけは小アジアの**アンカラ**でオスマン帝国に勝利して，帝国を一時中断に追いこみました。

当時のチャガタイ＝ハン国は，東西に分裂していた▲

▲「鉄の男」という意味

ここからは地図12－②をご覧ください。16世紀初頭，ウズベク人の侵入でティムール朝が崩壊へ向かうのと前後して，ティムール朝の支配下にあったイランで**サファヴィー朝**が成立。トルコ系遊牧勢力を率いていた建国者**イスマーイール**は，**「イラン人を統治」することに細かく気を使いました。**もともと**シ**

ーア派であった彼はイラン人にシーア派を宣伝するのですが，その際に**第４代カリフアリーの息子がササン朝ペルシアの王女と結婚した**という伝説を強調（右図参照）。これは「イマーム（▲シーア派の指導者）にはイラン人（ペルシア人）の血が流れている」ということを意味し，イラン人には誇らしい。この戦略が見事にはまって，**現在に至るまでイラン人にシーア派が浸透することになります**。サファヴィー朝は16世紀末に即位した**アッバース１世**の時代に全盛期を迎え，新都**イスファハーン**は**「世界の半分」**と呼ばれるほど繁栄しました。これをペルシア語で言うと「イスファハーン ネスフェ　ジャハーン」と韻を踏んでいて，リズムが良いんですね。だから決まり文句になったのです。

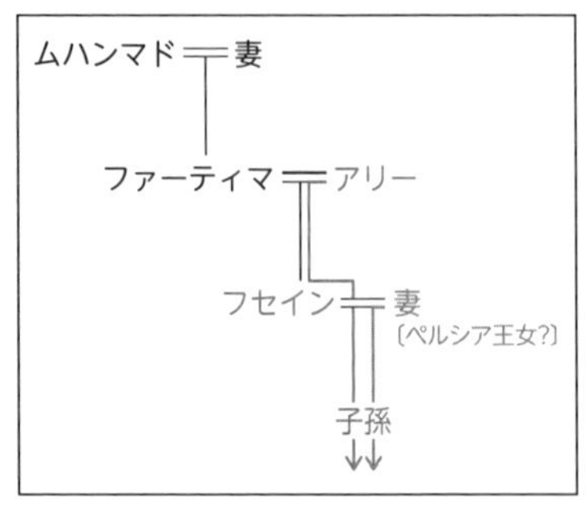

小アジアでは**オスマン帝国**が勃興。ヨーロッパ側には，落日の東ローマ帝国がありました。とはいえ，都コンスタンティノープルは難攻不落の要塞です。まずは外堀を埋めるべく，ヨーロッパ側へ遷都し，コソヴォの戦い・**ニコポリスの戦い**に勝利してバルカン半島に着々と足場を築きます。しかしこの時，ティムールが東方から進軍し，**アンカラ**で衝突！　味方の裏切りもあってオスマン軍は壊滅し，**バヤジット１世**は囚われの身のまま生涯を閉じます。

15世紀半ば，**メフメト２世**は帝国を再建して**コンスタンティノープル**攻略に本腰を入れました。東ローマ帝国に仕えていた技師を引き抜いて城壁を破壊する巨石を放つ大砲を開発。また彼は「艦隊の山越え」を命じました。油を塗った丸太を並べ，その「道」の上を軍艦を引いて移動させ，鎖によって守られていた湾の内部へ侵入。守備側の士気はくじかれ，**1453年，1000年あまり続いた東ローマ帝国は滅亡**し，メフメト２世はこの地に遷都しました。

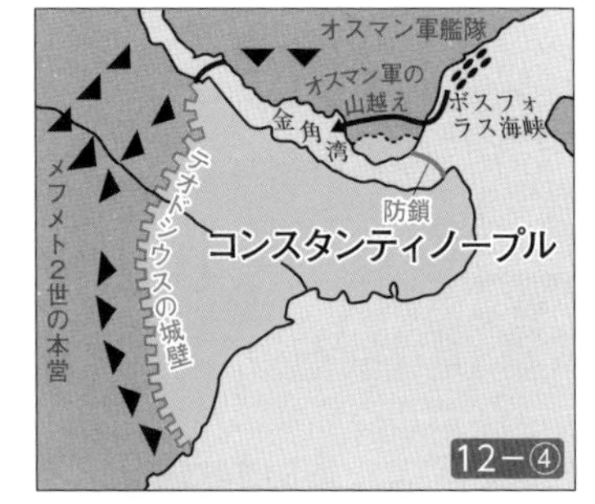

支配下に収めた東ローマ帝国領は，当然ながら住民はほぼ全てがキリスト教徒でした。そこでオスマン帝国はキリスト教徒の若者を徴発してイスラームに改宗させ，政府に仕えさせました。特に見どころのある若者は，スルタン直属の歩兵軍団に抜擢。これが帝国軍の花形**イェニチェリ**です。

セリム１世は，オスマン帝国の「格」を高めました。エジプトの**マムルーク朝**を征服

し，**聖地メッカ・メディナの保護権を掌握**。さらにマムルーク朝が匿っていたアッバース朝カリフの末裔からカリフ位を奪い，スルタンがカリフを兼ねる**スルタン＝カリフ制**を確立させます。
▲18世紀になってから「後づけ」した理念，というのが現在の定説

東ローマ帝国を滅ぼしたオスマン帝国は，さらに西の神聖ローマ帝国にも迫ります。**スレイマン１世**はモハーチでハンガリー軍を一蹴，ハプスブルク家の本丸ウィーンはあと一歩のところで攻略できませんでしたが，キリスト教世界を恐怖に陥れました。**プレヴェザの海戦**でヨーロッパ連合艦隊に勝利し，地中海の制海権も掌握しました。当時のヨーロッパ国際情勢に目を向けてみると，フランスは神聖ローマ帝国とスペインに挟み撃ちされていたため，フランソワ１世はスレイマン１世との同盟にふみきります。
▲神聖ローマ皇帝カール５世とスペイン国王カルロス１世は同一人物

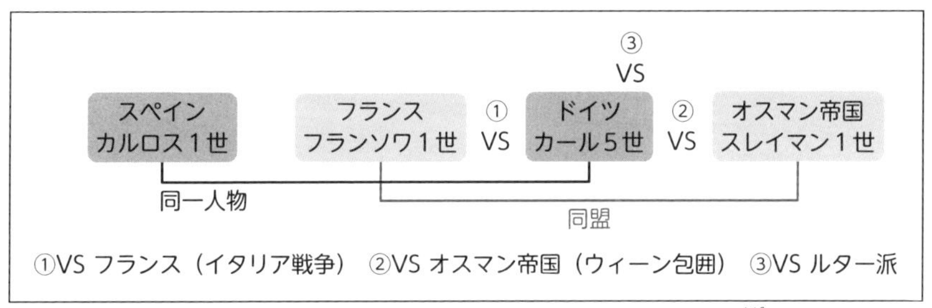

スレイマン１世の死後，**レパントの海戦**で敗れるなど覇権に翳りは見え始めるものの，帝国はヨーロッパの一大強国であり続けました。

スレイマン１世と同時期，滅亡したティムール朝は，その王族**バーブル**がティムール朝復活を目論みますが失敗。彼はインドへ目を向け，**ムガル帝国**を建てました。ムガル帝国とは「モンゴル帝国」のことで，ティムールが持っていたモンゴル帝国のプライドを彼も受け継いだわけです。
バーブルの母も，チャガタイ家の血を引いている▲

インドで生まれ育った第３代**アクバル**は，インドを統治するには多数派であるヒンドゥー教徒の協力が欠かせないと感じます。そこで異教徒に課していた**ジズヤを廃止**するという大ナタを振るいました。ここでp.80**3**の表を確認してください。今まで，ヒンドゥー教を信仰するのは「有料サービス」であった（これでも十分寛容なんですけど）のを「無料」にしたのです。

しかし，第６代の**アウラングゼーブ**は厳格なスンナ派でした。ジズヤ廃止というのは，従来のイスラーム界の原則に反することです。異教徒への「激甘」な方針に耐えられなかった彼は**ジズヤを復活**。**さらにヒンドゥー教徒を徹底的に弾圧**したため，各地で反乱が起こりました。アウラングゼーブの治世に**ムガル帝国の領域は最大となりますが，その彼の治世にインドの分裂が加速する**，という皮肉な事態になったのです。
▲シーア派も弾圧

大航海時代と宗教改革

1 大航海時代でポルトガルとスペインがアジア・アメリカへ！

(1) 背景…**国土回復運動**(レコンキスタ)の進展，**香辛料**需要の高まり，アジアへの関心，航海術の発展
▲胡椒・肉桂・丁字など

(2) スペイン人とポルトガル人の進出

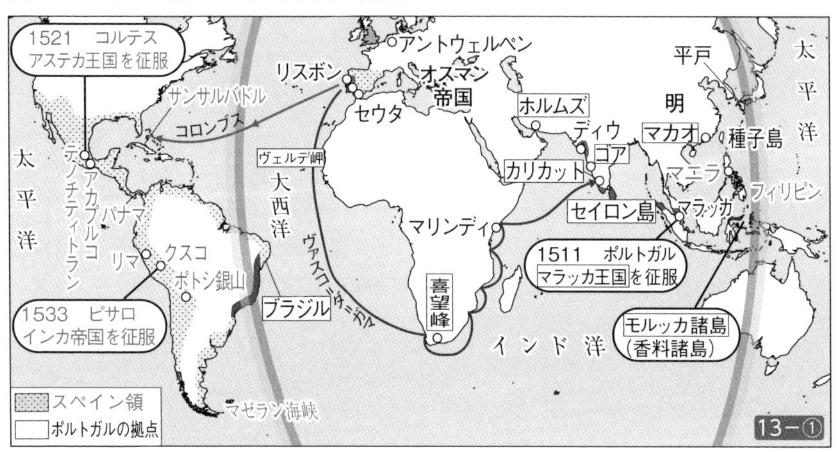

(3) 大航海時代の各地への影響

①ヨーロッパ

・**商業革命**…経済の中心が，地中海沿岸から大西洋沿岸へ
　➡東西ヨーロッパ間で国際分業体制が確立

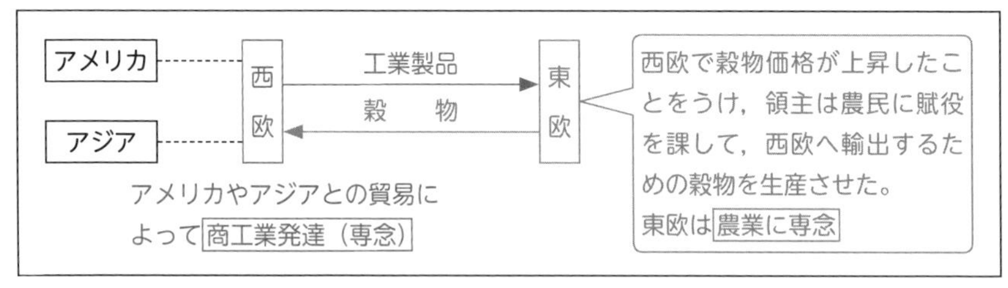

・**価格革命**…アメリカ大陸から大量の銀が流入し，物価が上昇
　➡地代額を固定していた領主層が没落
・生活革命…ジャガイモやタバコなどのアメリカ原産作物が次第に普及

②アメリカ大陸…疫病の流行，酷使によって先住民人口が激減

➡アフリカから黒人奴隷を導入

③中国…メキシコ銀が流入　➡新税制**一条鞭法**（いちじょうべんぽう）が普及

2 宗教改革によって,ローマ＝カトリックから自立した新宗派が誕生

★ドイツとイギリスにおける宗教改革の比較

カトリック　ルター派

ドイツ
諸侯の勢力が強く，国内は分裂。反皇帝派の諸侯がルター派を受容

国王
国教会

イギリス
国王が国内を政治的・宗教的に統一

※世俗の君主が領内の教会を支配する，という理念は両国に共通

(1)　ルターによる宗教改革

①ローマ教皇による**贖宥状**（しょくゆうじょう）販売に反発

②主張…
- ・人は善行・金銭によってではなく，信仰によってのみ神の愛を得て救われる（**信仰義認説**）
- ・**聖書の読解だけが信仰にいたる道**と主張（聖書第一主義）
  ▲ローマ＝カトリック教会の権威を否定

③**アウクスブルクの和議**（1555）…諸侯がカトリックかルター派を選択し，領民には宗派選択権は認められず

(2)　**カルヴァン**による宗教改革

①**予定説**…魂の救済は人間の善行や意志に関わらず，神によって予め決定されている。信徒は神から与えられた職業に禁欲的にはげむべき，と主張
▲職業召命観

➡その結果としての**蓄財**を容認　➡**カルヴァン派は商工業者に普及**

②イギリス・オランダ・フランスなどへ波及

(3)　イギリスにおける宗教改革

①**国王ヘンリ８世**が離婚問題を一因としてローマ教会と対立

・**首長法**（国王至上法，1534）…イギリス国教会が成立

➡イギリスはローマカトリック教会の影響下から自立

②**メアリ１世**…カトリックを復活させる

③**エリザベス１世**…**統一法**（1559）でイギリス国教会を確立

(4)　対抗宗教改革

①**トリエント公会議**（1545～63）…カトリック教義と教皇至上権を再確認

②**イエズス会**…カトリックの海外伝道に貢献

この時代に外洋へ漕ぎだしていく主役は，ポルトガルとスペインが支援した船乗りたちです。15世紀，**レコンキスタ**にひと区切りをつけたポルトガル人には，まだ「もっと領土を手に入れたい，キリスト教を広めたい」という情熱がたぎっていました。それが海外へ乗り出すエネルギー源になります。

また，イタリア商人が東南アジア産の**香辛料**を仲買人であるイスラーム商人から地中海で買いつけていました。その香りは食欲をそそり，さらに防腐作用もあったため，冷蔵技術が未発達な時代には高値で取り引きされていました。これをアジアへ直接仕入れに行こう！ということです（地中海東部ではオスマン帝国が伸長しており，東方貿易が妨げられるのでは？という懸念もありました）。**マルコ＝ポーロ**らの旅行記も，アジアへの興味をかきたてましたよ。

▲胡椒，肉桂（シナモン），丁字（クローヴ），ナツメグなど

▲東方貿易　→テーマ6

本講では地図**13－①**が頼れる相棒です。1488年には**バルトロメウ＝ディアス**がアフリカ南端の**喜望峰**に到達してインド洋へ。1498年には**ヴァスコ＝ダ＝ガマ**がインドの**カリカット**に至りました。16世紀前半には，インド西岸の**ゴア**に総督府を設置し，香辛料の一大産地**モルッカ（香料）諸島**にたどり着きます。さらに中国・日本にも来航して，日本にはキリスト教や鉄砲が伝わりましたね。ポルトガル商人は，香辛料などをヨーロッパへ運び大きな利益を得ましたが，これだけではありません。中国で**生糸**を仕入れて日本で売り**日本銀**をゲット。また中国へ向かい，日本銀で生糸を仕入れて日本で売りさばく，という「転売」を繰り返したことも「ドル箱」になりました（このような貿易を**中継貿易**といいます）。

主に自国以外の地を往来し，地域間の商品価格差で利益をあげる▲

こういった貿易に依存するポルトガルの手法ですが，16世紀いっぱいで陰(かげ)りが見え始めます。その大きな要因はイスラーム商人との競合。イスラーム商人は，ポルトガル人がアジアへ来航する数百年前からインド洋に交易権を確立していました。ポルトガル人はアジアでは**「後から割り込んできた新参者」**にすぎず，交易路の維持に忙殺されたんです。

▲1511年のマラッカ征服が対立の典型　→テーマ11

スペインが**グラナダ**を陥落させてレコンキスタを完了させたのは1492年。ポルトガルはすでに喜望峰を回ってインド洋へ進出しており，アジアへの競争には完全に出遅れ…。そんな折，イタリアのジェノヴァ出身の**コロンブス**は一発逆転のルート，「西回りでアジアへ到達するプラン」を売り込んで，女王**イサベル**の支援を取りつけます。サンタ＝マリア号に乗ったコロンブスは，大西洋を横断して到達した島を**サンサルバドル島**と命名，周辺の島々や大陸を探検しました。彼は自分が降り立った地をインドと確信し，大陸は「インディアス」，先住民は「インディオ，インディアン」と呼ばれました。アメリカ合衆国にもインディアナ州（州都インディアナポリス）という州がありますね。

▲西インド諸島北西部に位置するバハマ諸島

インディアスの探検も続けられましたが，何か様子がおかしい。アジアにあ

るはずの香辛料は見当たらず，言語は聞き慣れないものばかり…。

コロンブスは，アメリカ大陸をインドと勘違いしてたんですよね。

はい，**アメリゴ＝ヴェスプッチ**がこの大陸を「未知の新大陸」と主張。この説が認められると，**彼の名にちなみ「アメリカ」という呼称が定着**しました。

このアメリカからさらに西航してアジアへ向かおうとしたのが，**スペイン王の支援をうけたポルトガル人マゼラン**（マガリャンイス）で，太平洋横断を果たして**フィリピン**に到達！　彼自身はフィリピンで戦死しますが，生き残った部下がスペインへ戻り，地球が球体であることが証明されました。

▲265人で出航し，生きて帰ったのはわずか18人

アメリカ大陸で，スペイン国王はインディオの使用を植民者たちに委ねましたが，その目に余る酷使に，**ラス＝カサス**などスペイン人からも告発者が出る始末でした。また**ヨーロッパ人が持ち込んだ伝染病に対する免疫を持たないインディオはバタバタと倒れ，人口は激減**してしまいます。コロナ禍を身をもって体験してきた我々には身近なテーマといえますね。

▲エンコミエンダ制

アメリカ大陸からヨーロッパへは様々な物産が運ばれましたが，16世紀に最大のインパクトを与えたモノは**銀**です（1545年，アメリカ最大級の**ポトシ銀山**が発見されました）。大量の銀がヨーロッパに流入したことで，ヨーロッパでは**銀（貨幣）の価値が下落**しました（今までなかなかお目にかかれないレアな存在だった銀が，どこにでもあるありふれたモノになってしまった，というイメージ）。貨幣価値の下落は，**物価の上昇**を意味します。これが**価格革命**なんですが具体例で考えてみましょう。

A：パン１個＝100円 ──→	**B：パン１個＝200円**
	（b：パン1／2個＝100円）

Aから**B**への変化は，一般に「**パンの値段（物価）が上がった**」と表現しますね。この「**B：パン１個＝200円**」という状況は「b：パン1／2個＝100円」と言い換えることができます。ここで「100円」に注目。Aの時は100円渡せばパンを１個もらえたのに，bの時には100円渡してもパンは半分しかもらえなくなった。同じ金額のお金を渡した時，もらえるパンの量が減っているわけですから，A→bの変化は，貨幣の価値は下がったと表現できるわけです。**封建領主は，貨幣価値下落という時代の変化をつかめず農民から徴収する地代の額を固定し続けた**ため，実質的な収入は目減りして没落に拍車がかかりました。

一方，メキシコで採掘された銀は，アカプルコから太平洋を横断してスペイン領の**マニラ**へ運ばれ，中国製品を購入する代金になりました。当時の東アジ

▲サカテカス銀山

アは，明が海禁を緩和したことで「大交易時代」を迎えていました。空前の活況下で，メキシコ銀は上述した日本銀とともに中国へ流入して中国経済を潤し，またテーマ10で登場した**一条鞭法**が普及する背景ともなりましたね。
▲1567年　→テーマ10

価格革命と並ぶ，大航海時代がもたらしたヨーロッパへの影響が**商業革命**。当時のヨーロッパで経済の勝ち組になる条件は，**「香辛料など需要の高いアジア産の贅沢品を仕入れ，売りさばくこと」**でした。今までは，ヴェネツィアなどイタリアの商人が，イスラーム商人から香辛料を買いつけていました。しかし大西洋岸のポルトガルがアジア航路を開拓すると，アジアから直接香辛料を入手できるようになりました。安く仕入れることができて非常に大きなアドバンテージです。さらにアメリカ大陸という「ドル箱」が，銀の採掘・プランテーション経営・種々の貿易によってヨーロッパに巨利をもたらしました。大西洋岸に面しアジア・アメリカへ直接赴くことができる大西洋岸の西ヨーロッパが，北イタリアに代わる「勝ち組」になったわけです。**商工業が発展した西ヨーロッパでは穀物が不足し，東欧が西欧への穀物供給地**となりました（p.90の図参照）。やがて「西欧は商工業に専念して，東欧は農業に専念する」という**国際分業体制**が確立。この流れが**「英仏などの西欧は商工業が発展した先進国で，東欧は概して後進国」という現代世界のあり方につながっていく**んですね。

このようにヨーロッパ人が海外へ乗り出していた時代，ヨーロッパに激震をもたらしたのが宗教改革で，p.91に政治的な結果を示してみました。イギリスでは国王が「我が国はローマ＝カトリックとは異なる宗派を旗揚げし，余がこれを束ねる。教皇は手を出すな！」という体制を作り上げました。

一方で，ドイツでは皇帝権が弱くて，諸侯が自立したんですよね。

そうですね。図の左側のような状況です。この分裂に乗じて，ローマ＝カトリック教会はドイツを恰好の搾取の対象にしていました。16世紀前半，バチカンの教皇のオフィスたる**サン＝ピエトロ大聖堂**のリフォーム代を捻出しようとした教皇**レオ10世**は，「**贖宥状**を金銭で購入することは，教会への寄進に等しい。こうした善行によってあなたの罪は赦され，魂は天国へ導かれるのです」とドイツで贖宥状を販売。これに対し**ルター**が，「聖書は贖宥状について一言も言及していない！」と一石を投じたんです。これが思わぬ大反響を呼び，日頃から金まみれの聖職者に疑問を持っていた人々の心もつかんで，一躍ルターは有名人に。ルターとカトリック教会の考え方の違いを端的に示すと，
▲イタリア政策などの経緯はテーマ6で確認を
▲本来は，十字軍参加者など教会に対し功績を残した者に与えられた

聖典である聖書のみに依拠するルター	VS	キリスト教が1500年間積み上げてきた伝統や慣行も大切にするカトリック

という構図です。その伝統には清濁(せいだく)様々なモノ（教皇の至上権，聖職者階層制(ヒエラルキー)，贖宥状，共通語となったラテン語など）があるわけですが，ルターは「聖書にはローマ教皇が偉いなんてひと言も書いてありませんが？」と一刀両断。**ローマ＝カトリック教会の権威を否定**してしまったのです。

ローマ教会が黙っているはずもなく，ルターを破門。さらに皇帝**カール５世**（神聖ローマ皇帝はローマ教会の保護者ですから当然カトリック）は，自説を曲げないルターを帝国から追放する処分を下しました。危機におちいったルターを保護したのが，皇帝と対立していた**ザクセン選帝侯フリードリヒ**。刺客におそわれる心配もなくなって身の安全を確保したルターは，城にこもり**新約聖書のドイツ語訳**にいそしみました（今風に言うならば，「ステイホーム」の期間を最大限に有効活用したわけです）。聖職者しか読めないラテン語ではなくドイツ語の聖書を広めることによって，信徒がローマ教会を介さずにダイレクトに聖書に触れられる環境が整えられていきました。

ローマ＝カトリック教会の保護者▲

▲ドイツには反皇帝派の諸侯も多かった

国内が混沌とするドイツですが，ここにフランス（**フランソワ１世**）と同盟を組んだオスマン帝国（**スレイマン１世**）軍が迫り，対外関係もテンテコ舞いに（→ p.89の図）。カール５世は諸侯の協力を得るため，**ルター派を一時黙認**するのですが，戦況が好転すると手のひらを返して**ルター派の弾圧を再開**し，これにルター派が抗議(プロテスト)しました。旧教(カトリック)に対して，宗教改革の時期に生まれた宗派を新教と呼ぶのですが，新教徒を「**プロテスタント**」と呼ぶのは，この抗議(プロテスト)に由来します。

その後，ドイツは皇帝派（カトリック）と反皇帝派（ルター派）に二分され，シュマルカルデン戦争にまで発展。ルターの死後も彼の信仰は守られ，カール５世はついに根負けして，**アウクスブルクの和議**でルター派を容認しました。とはいえ**諸侯が自領の宗派を選択し，領民個人には信仰の自由は認められなかった**ため，自分が望む宗派を信仰できない人も多く，不満はくすぶり続けました。

続いて，社会に与えた影響という点ではルター以上に重要な**カルヴァン**です。その肝は「**予定説**」。カトリックは「善行を積めば，罪は赦(ゆる)される」。ルターは「信仰すれば，罪は赦される」。カルヴァンは双方を否定します。「善行・信仰によって罪が赦されることはない。**救済は全能の神によって予(あらかじ)め決定されており**，人間ごときの力で運命を変えることはできぬ」。この考えを提示すると，「運命を変えようがないなら，善行もお祈りも意味ないじゃん」と言う人が当然出てきますが，カルヴァンはしっかりと生活・信仰の指針を示しました。「自分が救済されるかどうかは神のみぞ知る。でも『自分は救われる人間に違いない』と信じて，神が望む生活をせよ。具体的には，欲望に溺(おぼ)れることは（聖書にあるように）罪だから，**禁欲的な生活を送って勤勉に働き続けること**。そうすれば『自分は救われるに違いない』と確信できるだろう」と。

勤勉な労働の奨励は，「人間の職業も神が定めたモノ（天職）」という考えに基づきます。ただここで，働けば働くほどお金がたまっていくことが問題に。カトリックでは「**蓄財**など欲の現れ。お金は貧しい人に施せ or 教会に寄進せよ」と説いており，蓄財は悪行になってしまいます。これに対しカルヴァンは，**「職業に励んで稼いだお金は天職に励んだ証であり，尊い」**と主張して**蓄財を容認**したんですね。職業による営利活動を肯定的にとらえた**カルヴァンの思想は広く商工業者に受け入れられました**。「カルヴァンの教義が，ヨーロッパ資本主義を発展させる原動力の一つとなった」と考えることもできます。

▲職業召命観

お金を使うために蓄えるのではなく，蓄財そのものが自己目的化▲

最後にイギリスの状況を見ましょう。**テューダー朝**を建てた**ヘンリ７世**の息子**ヘンリ８世**は，妻キャサリンとの間に男児が生まれないことに不満を持ち，侍女アン＝ブーリンを愛人として身ごもらせてしまいます。彼はキャサリンとの離婚を望みますがカトリックの教義では原則として離婚はNGであり，ローマ教会がこれを認めませんでした。

ヘンリ８世はローマ教会と手を切って新宗派を旗揚げする！という荒業(あらわざ)で離婚を成立させました。これが，**国王至上法（首長法）**を発して**イギリス国教会**が成立した，ということです。この背景には，先ほど説明した**「国王がローマ教会の影響下から自立したい」**という意図もありました。国教会の長となったヘンリ８世は，**没収した修道院領を地主層であるジェントリに安く払い下げて彼らを掌握**。イギリスの「Gentleman(ジェントルマン)」の語源でもあるジェントリはイギリス絶対王政の支持基盤になっていきます。

ヘンリ８世はその後も離婚と結婚を繰り返し，最初の妃キャサリンとの間に生まれていた**メアリ１世**が即位（次のページの系図参照）。彼女は両親の離婚時に一般庶民に落とされていたため，父への怒りは相当だったようで，**カトリックを復活させて新教徒を徹底して弾圧**しました。そのメアリを継いだのが，２番目の妃アン＝ブーリンの子**エリザベス１世**です。腹ちがいの姉メアリからすれば，「父を奪った不倫相手の子」ですから，エリザベスは憎まれてロンドン塔に閉じ込められていました。離婚のゴタゴタの際に生まれた彼女は当然国教徒なので，1559年に**統一法**を制定。こういった紆余曲折(うよきょくせつ)の末，国教会が定着しました。

テーマ14
絶対王政の時代

1 16世紀から17世紀にかけて主権国家体制が成立していく

(1) **主権**とは…領域内において行使される最高の権力

(2) 絶対王政…主権を行使する国王による強力な統治体制

① **官僚制・常備軍**が絶対王政の柱

② **重商主義**…官僚制・常備軍を維持するため，国富増大をめざす

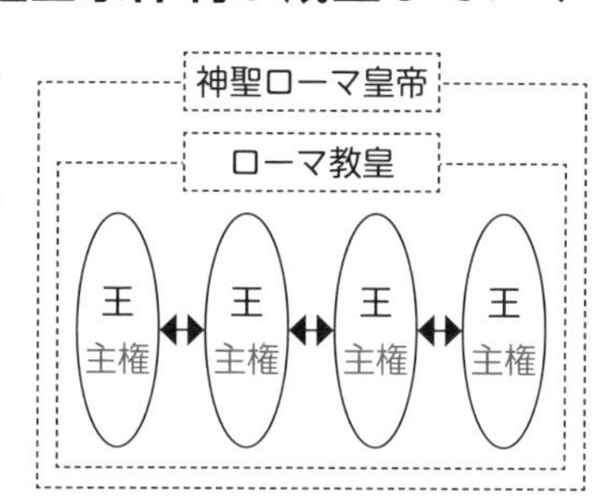

2 絶対王政は，まずスペインで形成された

(1) **カルロス1世**（位1516～56）…スペイン国王と神聖ローマ皇帝を兼ねる

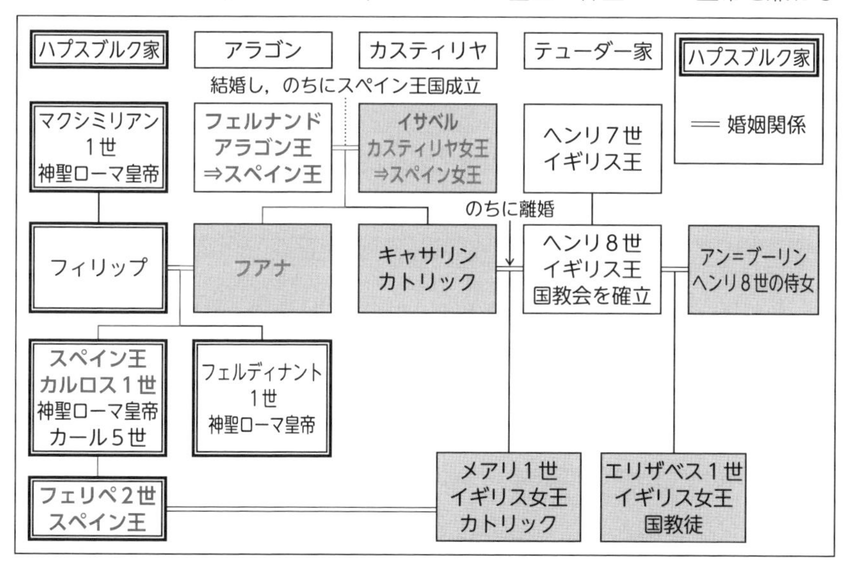

(2) **フェリペ2世**（位1556～98）…スペイン絶対王政の全盛期

①繁栄…**レパント**の海戦（1571）で勝利，**ポルトガル**を併合（1580）

②**オランダ独立戦争**（1568～1648）…ネーデルラントの新教徒と抗争

③**無敵艦隊**がイギリスに敗北（1588）➡スペインは徐々に衰退へ

3 小国イギリスのエリザベス1世がスペインの無敵艦隊に勝利

(1) ヘンリ8世（位1509～47）…イギリス国教会が成立
▲→テーマ13
(2) メアリ1世（位1553～58）…カトリックを復活
(3) **エリザベス1世**（位1558～1603）
①統一法（1559）でイギリス国教会を確立
②スペインとの対立…オランダ独立戦争を支援，無敵艦隊に勝利（1588）

4 フランスとドイツでの宗教戦争は凄惨(せいさん)を極めた

(1) **ユグノー戦争**（1562～98）…フランスの宗教戦争
▲フランスにおけるカルヴァン派の呼称
①**サンバルテルミの虐殺**（1572）
②**ブルボン朝**成立…**アンリ4世**が即位　➡**ナントの王令**（1598）
(2) **三十年戦争**…ドイツの宗教戦争

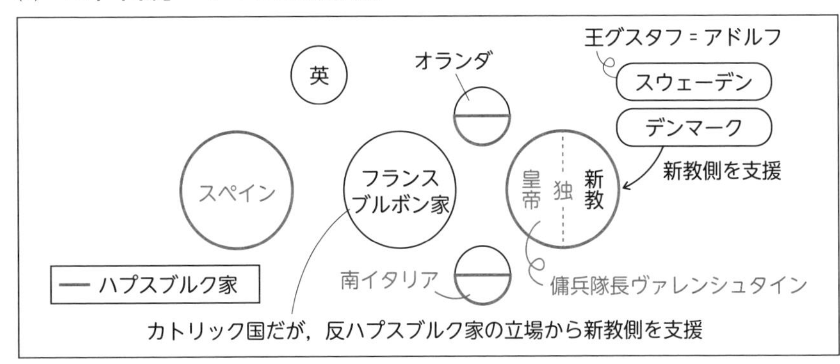

①**ウェストファリア条約**（1648）
・ドイツの領邦主権が確立　→**神聖ローマ帝国は事実上解体**
・ブルボン家の優位が確立
・主権国家体制が法的に確立

5 フランス絶対王政　～ルイ14世が全盛期を現出～

(1) アンリ4世（位1589～1610）…ブルボン家の始祖。ナントの王令
(2) **ルイ13世**（位1610～43）…三部会停止，三十年戦争に参戦
(3) **ルイ14世**（位1643～1715）…フランス絶対王政の全盛
①国内…**フロンドの乱**（1648～53），ナントの王令廃止（1685）
②国外…**スペイン継承戦争**（1701～13）でスペイン＝ブルボン朝成立

6 ドイツでは，新興のプロイセンと古豪オーストリアが対決

(1) プロイセン国王**フリードリヒ２世**（位1740～86）

①**啓蒙専制君主**…貴族の伝統的特権を抑えるため，啓蒙思想に依拠し改革

(2) オーストリア大公**マリア＝テレジア**（位1740～80）

①**オーストリア継承戦争**（1740～48）

オーストリア	VS	プロイセン（フリードリヒ２世）
イギリス		フランス　バイエルンなど

・結果…マリア＝テレジアが家督相続。プロイセンは**シュレジエン**占領

②**七年戦争**（1756～63）

オーストリア	VS	プロイセン（フリードリヒ２世）
フランス　ロシアなど		イギリス

・プロイセンがシュレジエンを保持

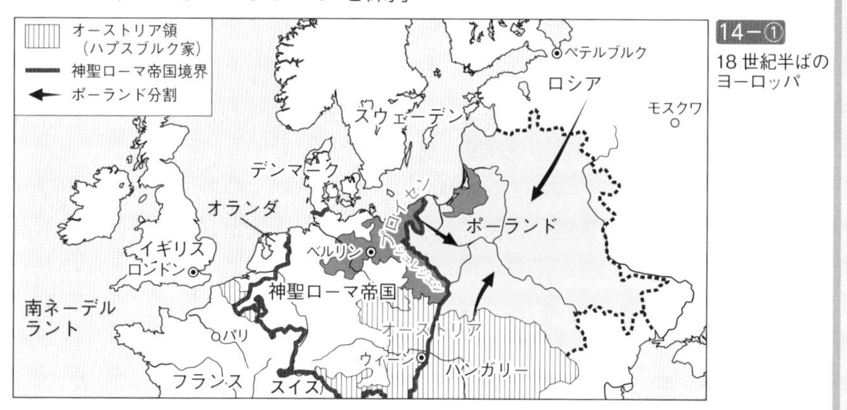

14－①
18世紀半ばのヨーロッパ

7 ロシアはロマノフ朝のもとで絶対王政を確立

(1) **ピョートル１世**（位1682～1725）

①自らイギリス・オランダを視察し，先進的な技術・文化を導入

②**北方戦争**（1700～21）…スウェーデン（**カール12世**）と戦い勝利

→バルト海に面した**ペテルブルク**を建設，遷都。バルト海の覇権を握る

▲「西欧への窓」と呼ばれ，交易ルートを確保

(2) **エカチェリーナ２世**（位1762～96，ドイツ出身）

①啓蒙専制君主

②対外進出　・クリミア半島を中心とする黒海北岸をほぼ領有

▲クリム＝ハン国

・**ラクスマン**を根室に派遣し，通商を要求

▲漂流民の大黒屋光太夫を日本に送り届ける

・３度にわたるポーランド分割に参加

中世には，西ヨーロッパ全体を覆う２つの権力がありました。神聖ローマ**皇帝権**とローマ**教皇権**です。皇帝権は早期に形骸化してしまいますが，教皇権は普遍的権威（→ p.37の図）を持ち続けます。中世末期，王権強化を進めた国王は国内を掌握し，目の上のタンコブだったローマ教皇の影響力を排除しようと動きますが，トラブルのたびにいちいち戦うのも面倒な話（テーマ６のアナーニ事件が典型）。そこで「王が最も偉い。何人（なんぴと）も私に逆らうことはできぬ」というルールを作ってしまった。それが**主権**（Sovereignty）で，**「領域内において行使される最高の権力」**と考えてください。

ありていに言ってしまえば「この世には主権という至高の権力が存在し，国王がそれを手にしている。だから誰もが王に従わねばならない」ということです。明確な領域（国土）を有し，主権者（主権を持つ者）によって主権が行使されている国家を**主権国家**と呼び，この主権国家が並立する政治体制が現代まで続く**主権国家体制**（1648年のウェストファリア条約において，完全に確立）です。

複数の主権国家が存在する時，双方が最高の権力である主権を保持しているため，一方が他方の命令に従うことはありません。**主権国家同士の関係は必ず対等**になるわけで，これは近現代史を貫く大きなポイントになってきます。

主権の概念が産声をあげた当初，主権を握っていたのは国王ですよね。この状況がいわゆる**「絶対王政」**です。国王は官僚を手足として，行政の網を地方にまで拡大。また，諸侯が馳せ参じて兵力を提供してくれる中世の封建制はすたれ国王が自前で軍を用意する時代に。これが絶対王政の二大支柱，**官僚制**（テーマ５）と**常備軍**です（なお，**火器の普及に伴って戦争が大規模化**し，ケタ違いのカネがかかるようになったことも，国内の徴税システムの整備を促しました）。

以上を見てみると官僚の人件費やら軍事費やら，絶対王政にはやたらカネがかかることが分かります。国民からの税収も重要ですが，それだけではとてもまかないきれない。そこで，政府は国富の蓄積を図る**重商主義**を推進します。重商主義には，大まかに言って２種類の手法があります。

①**重金主義**…海外植民地での鉱山開発などで，貴金属（金・銀などの貴金属）そのものを国内に蓄積（スペインが典型）
②**貿易差額主義**…輸出を振興して（&輸入を抑え），国富を増大させる
・諸外国へ輸出できる商品を生産するため，**国内産業を保護・育成**（産業保護主義ともいう）
・**植民地の獲得**…自国商品の市場，また需要の高い商品作物の生産地
・大商人は国王から商業上の独占権を与えられる見返りに，資金援助

②は要するに**「輸出＞輸入」**の状況を実現するための策で，英仏が推進したことで知られています。政府が「外国に売れる魅力的な製品・商品作物を作れ！　貿易を独占させてやるからアジアの商品をどんどん転売せよ！」と工場経営者や大商人（この典型が東インド会社）の尻を叩いているわけですね。

それでは，当時の各国の状況を具体的に見ていきましょう。p.89の図にあるように，神聖ローマ皇帝**カール５世**はスペイン王**カルロス１世**でもありました。まとめパートの系図を使ってこの事情をお話ししますね。彼は母フアナがスペイン王女だったことからスペイン王位を，父方の祖父が神聖ローマ皇帝だったことから皇帝位を継ぎ，フランソワ１世以降の**フランスを挟みうちにします**。またこの系図で，イギリスのヘンリ８世の離婚をめぐる宗教改革の状況が分かると思います。

（父フィリップは，祖父の在位中に事故死してしまった▲）

しかし，挟んでいるフランスをつぶすという彼の夢は叶わず，ルター派との戦いにも疲れ果てて引退。モザイクのように分布するハプスブルク家領の統治は困難をきわめたため，弟に神聖ローマ皇帝位を，息子フェリペにスペイン王位を譲りました。

（▲→テーマ13）

カルロス１世の治世中に発見された**ポトシ銀山**で採掘された**銀**はスペインを潤し，**フェリペ２世**の黄金期を支え，彼は当時としてはケタ外れの軍を作り上げます。父カルロス１世は**プレヴェザの海戦**でスレイマン１世時代のオスマン帝国に敗北を喫しましたが，**カトリック世界の守護者**を自任するフェリペ２世は1571年の**レパントの海戦**でヨーロッパ連合艦隊が勝利し，父の雪辱を果たしました。この海軍が**無敵艦隊**（アルマダ）と呼ばれるようになっていきます。さらに母がポルトガル王女だったことから，1580年からは**ポルトガル王も兼ねて**ポルトガル植民地を手中に収め，従来のスペイン植民地と合わせて**「太陽の沈まぬ国」**となります。地図13−①でそのすごさを確認してみてください。

（▲→テーマ13）（レコンキスタの伝統もあり，スペインはカトリック理念で固まっている▲）

このフェリペ２世を悩ませたのは，新教国オランダとイギリスでした。オランダを含む**ネーデルラント**は，カルロス１世の祖父の代に神聖ローマ帝国領となっていました（フェリペ2世から200年ほど後の地図ですが，地図14−①でオランダを参照ください）。ライン川河口域の北部は，**バルト海の穀物を西欧に運ぶ貿易で成長**。南部は**毛織物**産業で有名な**フランドル**地方ですね。自治を認められたネーデルラントは，ハプスブルク家の「ドル箱」的存在になります。カルロス１世は息子フェリペ２世にネーデルラントを相続させましたが，結果的にこれが大失敗…。スペインで生まれ育ったフェリペ２世は敬虔（けいけん）なカトリックであり，商業が盛んで**カルヴァン派**が浸透したネーデルラント北部に激怒し，自治権を取り上げて重税を課しました。これに反発したネーデルラントは独立戦争に打って出る。カトリックが多かった南部はスペインに懐柔されて戦争から離脱しますが，北部７州は戦いを継続して独立を宣言。ネーデルラントとは「低地」という意味で，水はけが悪く各地に堤防があります。オランダ人は自ら堤防を決壊させるなどして，スペインを消耗させました。ちなみに，オランダの風景といえばチューリップと風車を思い浮かべる人が多いと思います

（マクシミリアン１世の婚姻政策▲）（▲このうちのホラント州が「オランダ」という通称の語源）（▲泥沼も多く，スペインの大軍は移動・輸送に支障が生じた）

が，この風車の動力を使って水を汲み出していました。また首都アムステルダムやロッテルダムなど，「ダム」がつく都市名が目につくのは，いたる所にダム（堤防）が作られていたことに由来します。

ここでp.97の系図に目を向けると，フェリペ2世はメアリ１世がカトリックであることに目をつけ，メアリとの政略結婚を通じてイギリスを自陣営に取り込もうとしていました。妹のエリザベスが即位するとフェリペ2世は彼女にもプロポーズ（節操ないですね…）。でも国教徒のエリザベスは求婚をはねつけ，両国の関係は冷え込みます。イギリスは，以前から**毛織物の原料である羊毛をフランドル地方に輸出**（羊毛の需要に対応するため，牧羊地を確保しようと囲い込みが行われた▲）しており，伝統的にネーデルラントとは友好的な関係にありました。そこでエリザベスは，**独立戦争中のオランダを支援し，海賊**（私拿捕船（私掠船）▲）**と手を組んでスペインの銀輸送船を襲わせました。**

怒りが頂点に達したフェリペ２世はついに**無敵艦隊**（アルマダ）を投入しますが，戦場となったドーヴァー海峡は船の難所。小回りが利く船で，大砲を使ってヒットアンドアウェイ戦術をとるイギリス艦隊に翻弄（ほんろう）され，スペインは敗退…。この後も銀輸送船団は脅（おびや）かされ，（▲この主力も海賊船）スペインの覇権はしだいに崩れていきました。

ハプスブルク家に挟まれてるフランスの影が薄いですね…？

宗教内乱（**ユグノー戦争**，1562～98）（▲フェリペ２世の治世（1556～98）とほぼ一致する）に忙殺されていたんです。フランス国民の大半はカトリックですが，**商工業者にはカルヴァン派（ユグノー）が浸透**していました。貴族同士の争いにも宗派が絡み，カトリックの大貴族ギーズ公に対抗する貴族（▲ブルボン家など）がカルヴァン派を受容するなど，大混乱となりました。**サンバルテルミの虐殺**では，数千人のユグノーが犠牲になったといわれています。

そして戦争のさなか，**ヴァロワ朝**が断絶する（▲アンリ３世が暗殺された）と，なんとユグノーの首領ナヴァル王アンリに王位継承権が転がり込んできました。彼は**アンリ４世**として即位して**ブルボン朝**が開かれますが，当然，カトリックの国民はユグノーの国王など認めるはずがない。アンリ４世は，「この国難を乗り切るためには，宗派の共存を容認すべきだ」と，自身は**カトリック**への改宗を決断。他方，彼は同胞だったユグノーを安心させるために**ナントの王令**を発して**個人の信仰の自由を保障**し，ようやく内乱に終止符が打たれました。

ナントの王令から20年，今度はドイツが宗教戦争（**三十年戦争**）の渦中に。ドイツはルター派を受容した反皇帝派の諸侯と，カトリックの皇帝派諸侯に二分されました。ここに多くの国が参戦して，国際戦争へと戦線は拡大していきました。p.98の図にあるように皇帝率いるカトリック側には，ハプスブルク家のスペインが加勢。新教側には，**ルター派を受容**していた北欧の**スウェーデ**

ンと**デンマーク**が参戦。皇帝側の傭兵隊長**ヴァレンシュタイン**とスウェーデン王**グスタフ=アドルフ**は，三十年戦争を代表する好敵手です。

きわめつけは，**宰相リシュリューの策で，カトリック国でありながら，反ハプスブルク家の立場から新教側で参戦したフランスです**。最後は両陣営とも疲れ果て，新教側が優勢な状況で終戦し，**ウェストファリア条約**が結ばれました。
▲史上初の国際会議で結ばれた，国際条約

この条約，世界史の中でも屈指の重要度です。まず，商業者にウケがよかった**カルヴァン派**の信仰が新たに認められました。続いてドイツの**領邦（諸侯）**
▲アウクスブルクの和議では除外されていた
に主権が認められました。主権を有する状況を，一般に「**独立**」と表現しますが，個々の領邦が独立国になってしまったわけです（内政はもちろん，戦争も条約も領邦君主の思いのまま）。日本で例えるならば東京都が「東京国」，大阪府が「大阪国」，というように各都道府県ごとに別々の国になってしまった，ということ。日本という国家が消滅してしまったことで，これをドイツにあてはめると**「神聖ローマ帝国が事実上解体・滅亡した」**という表現になりますよね。ドイツという国家が消滅したわけで，これからはドイツの諸領邦を「国家」として扱っていかなければなりません。代表格の２つを紹介しておきます。まず，皇帝ハプスブルク家の本拠地**オーストリア**（日本なら東京都に相当します）。もう一つが，オーストリアの宿敵**プロイセン**（イメージとしては大阪府あたり？）です。

続いてドイツ以外についての取り決めです。勢力拡大を狙って介入したフランスとスウェーデンはしてやったり，それぞれ**アルザス**地方などと**西ポンメルン**をゲット。
北ドイツで，バルト海に面する地域▲
ブルボン家はハプスブルク家に対し（まだ挟撃されているものの）
▲帝国議会への参加権も得た
優位を確立し，**スウェーデンもバルト海に覇権を確立**します。また，事実上独立を達成していた**オランダ**と**スイス**の独立も国際的に承認されました。
▲スペインから　▲オーストリアから

ここまで三十年戦争に介入する側面からフランスを見てきましたが，ここからはフランス目線でいきましょう。ブルボン朝の２代目**ルイ13世**は絶対王政の足固めをします。身分制議会であった**三部会の召集を停止**し，宰相**リシュリュー**は抵抗する貴族を抑え，外交面では**三十年戦争に介入**しましたね。

「太陽王」**ルイ14世**も即位した時は５歳で，宰相**マザラン**の補佐をうけました。リシュリュー路線を継承したマザランの政策において，1648年は大きな節目でした。まずは**ウェストファリア条約**。そして国内の**フロンドの乱**で，これはリシュリューやマザランが狙い撃ちにしていた**高等法院**を中心に起こった
▲日本の最高裁判所に相当
反乱です（**高等法院は王令の審査権を持っていたため，王権に対抗する貴族の牙城**（がじょう）となっていました）。反乱がマザランの手腕で鎮圧されると，もはや**王権に抵抗する勢力は消滅**。フランスに絶対王政の全盛期が到来しました。また，ルイ14世が祖父アンリ４世が発していた**ナントの王令を廃止**したことにも注

目です。

どうして，国民から信仰の自由を奪ってしまったんですか？

宗教改革の政治的な背景には**「世俗の君主が，（ローマ教会の制約をうけず）領内の教会を支配したい」**という事情がありました。フランス王家は新教を採用しませんでしたが，この理念は共通しています。この場合，国民は君主の宗派に従わねばならないので，個人の信仰の自由は認められません。整理すると，

君主が領内の教会を支配	≒ **個人の信仰の自由なし**
君主は領内の教会を支配できない	≒ 個人の信仰の自由あり（ナントの王令）

このようになります。ナントの王令で信仰の自由を認めたことで，**フランス国王がカトリックを柱として国内を掌握・支配することができない体制になっていて**，実はルイ13世もルイ14世も不満を抱いていたんですね。

ルイ14世は対外的には反ハプスブルク家政策を継承してさかんに近隣に殴り込みをかけますが，いまいちパっとしない。そんなところに大チャンスが！スペイン＝ハプスブルク家の血統が途絶え，自らの孫をスペイン王位に据えたのです。これが通れば**スペインとオーストリアがフランスを挟む体制は崩れ，それどころかスペインとフランスが隣国どうしで親戚になれます**。「これではブルボン家が強くなりすぎてしまう！」と多くの国を敵に回す**スペイン継承戦争**に発展しますが，**ユトレヒト条約**でブルボン家のスペイン王位継承を認めさせました。ただ，その代償としてフランスとスペインは多くの海外領土を失う羽目になり，フランスが得をしたのか損をしたのかは，微妙なところです。

（孫は，ルイ14世と結婚したスペイン王女の血を継承▲）

（北米植民地に関しては→テーマ15▲）

ウェストファリア条約でドイツの領邦は主権を認められ，独立国となりました。その中から台頭したのが**プロイセン**と**オーストリア**（日本で例えるなら大阪と東京でした）。プロイセンは，かつて**エルベ川以東に植民したドイツ人**を起源に持ちます。幸いにも，三十年戦争であまり被害をうけませんでした。

（▲→テーマ5）

なるほど，それでスムーズに強大化を進められたんですね。

いやいや，大きな障害が立ちはだかります。**テーマ13**で，大航海時代がもたらした「国際分業体制」を扱いましたよね。**西欧の商工業に専念して発展するのと引き換えに，エルベ川以東の東欧は農業に専念することになりました。**

西欧	東欧
植民地経営・交易で**商工業発達**	商工業は発達せず（植民地なし，西欧に依存）
重商主義を推進し**王権強化**	国富を蓄積できず王権強化が進まず
領主は王権に**抑え込まれる**	農場領主制を行う領主の力は強大

西欧では，国王は商工業者と結びついて重商主義を進め，官僚制と常備軍に必要なお金を彼らに稼いでもらって領主（諸侯）を抑え込みます。しかし東欧では商工業者の力が乏しい。王室財政はじり貧で，領主を抑えられない。それだけでなく，領主は農民にタダ働きをさせて輸出用作物を生産させ，西欧に売却して大きな利益を手にしていました（これを**農場領主制**（グーツヘルシャフト）といいます）。誰もが「東欧では国王が国をまとめるなんてムリ」と考えます。

ここでフリードリヒ２世を元祖とする**啓蒙専制君主**は，**絶対王政実現のために啓蒙思想（理性に信頼を置き，合理主義の立場から迷信や偏見を切り捨てて旧式なモノを批判）を拠り所にしました**。例えば「身分制はおかしい！」と旧来の農奴制にメスを入れて農民を保護。すると**領主**（▲プロイセンの地主貴族をユンカーという）**は農民から搾取できなくなり，王権に抵抗する力は低下**（▲農場領主制で農民に賦役（≒タダ働き）を課せなくなる）しますよね。さらに**旧態依然とした商工業界には，国王自らが新風を吹き込んで積極的に近代化**。いわば「人為的に西欧のような絶対王政を生み出した君主」といえます。

フリードリヒ２世が即位した1740年，奇遇にも同年にハプスブルク家の家督を継いだのが**マリア＝テレジア**でした。彼女の相続をめぐって**オーストリア継承戦争**が起こります。ハプスブルク家は女性の継承を認めておらず（▲ゲルマン起源の「サリカ法」を根拠とする），マリア＝テレジアの父は娘の継承を宣言して死去。皇帝位を狙う親戚筋（▲バイエルンやザクセン）がこれに異議を唱えて戦争に打って出ます。

①オーストリア	vs	プロイセン	（プロイセンが領土拡大を狙う）
②オーストリア	vs	フランス	（ハプスブルク家 vs ブルボン家の因縁）
③イギリス	vs	フランス	（北米・インドの植民地をめぐる対立）

上図のような当時の対立が絡んだため，オーストリア継承戦争はまとめパートのような陣営になりました。８年間戦った末，マリア＝テレジアの相続は認められた一方で，プロイセンのフリードリヒ２世はちゃっかり**シュレジエン**（▲地下資源が豊富）地方を手中に収めて国力増強に成功（地図14−①）。マリア＝テレジアはこの「火事場泥棒」がどうしても許せなかった。リベンジを誓ったマリア＝テレジアですが，懸念材料となったのが図の②です。オーストリアがプロイセンと戦争をすれば（図の①），宿敵のフランス＝ブルボン家は必ず敵に回りオーストリアは東西から挟まれる…。ここで彼女は200年以上反目しあってきた**宿敵フランスとの和解を決断（「外交革命」）**！　さらにはロシアとも同盟を組んで，プロ

フランスと対立するイギリスはプロイセンを支援▲

イセン包囲網を完成させたのです。このような状況で始まった**七年戦争**，フリードリヒ２世は冗談抜きで死にかけますが，突如ロシアが撤兵してくれたおかげで九死に一生を得て，シュレジエンを守り抜きました。

マリア＝テレジアのフリードリヒ２世嫌いは相当なものでしたが，長男**ヨーゼフ２世**は「プロイセンの啓蒙専制主義は敵ながらあっぱれ。いい所は学ぶべきだよ，母上」と諸改革を推進しました（ただ貴族の反対が激しく，これといった成果はあがらず…）。

最後にロシアです。**モスクワ大公国**が東ローマ皇帝権を継承し**イヴァン４世**は「**ツァーリ**」を公式に名乗りました。しばらく後に**ミハイル＝ロマノフ**が1613年の全国会議で即位し，**ロマノフ朝**が開かれました。

▲→テーマ５

当時は辺境の田舎にすぎなかったロシアの存在を西欧に知らしめたのが，**ピョートル１世**です。彼はイギリスとオランダに自ら足を運んで先進技術を実見し，技術者を連れて帰って近代化を進めました。

でもロシアは経済発展の面で致命的なハンデを抱えていました。海外と貿易できる大きな港を持っていなかったんです。南の黒海はオスマン帝国が，西のバルト海はスウェーデンが押さえ，毛皮を求めて東方へ進出すれば清朝と衝突…。北方は海に面していますが，一年の大半は氷が張る北極海です。こういった事情から，「不凍港」の獲得は長らくロシア対外政策の悲願になるんですね。ピョートル１世は南・西・東それぞれへ進出を図りました。

まず南では，黒海北東部のアゾフ海を獲得しロシア最初の海軍を創設。西方では**北方戦争**でバルト海の覇者**スウェーデン**に挑戦しました。戦争中にネヴァ川河口域に新都**ペテルブルク**を建設して，ついに西欧との「窓口」を確保し，戦争にも勝利します。東方では**ネルチンスク条約**で清朝と国境を画定させ，さらにはデンマーク出身の**ベーリング**が日本の北方にあるカムチャツカを探検し，アメリカ大陸に渡って**アラスカ**をロシア領に組み込みました。

▲冬期は結氷するので不凍港ではない

▲テーマ10

ピョートル１世と並び近世ロシアの勢力を拡大させたのが，**エカチェリーナ２世**です。当初，彼女は啓蒙専制主義の立場から開明的な政策を行いましたが，**プガチョフの農民反乱**やフランス革命を見て改革はストップ。対外的には黒海へ進出し，また日本との通商を求めて**ラクスマン**を派遣したことは有名です。

啓蒙思想がロシアでの革命に結びつくことを恐れた▲

そして彼女が３次にわたり参加したのが**ポーランド分割**（地図14−①）。ポーランドでは**ヤゲウォ朝**の断絶後に**選挙王制**が敷かれましたが，貴族が互いに争って国内は混乱。プロイセン・ロシア・オーストリアがこれにつけ込んで領土を分割。３度の分割で，ポーランドという国家は消滅の憂き目にあいました。

▲最初に誘ったのはフリードリヒ２世

イギリス革命・植民地戦争・アメリカ独立革命

1 ピューリタン革命でイギリス国王が処刑された

(1) 国王と国民の対立
①政治対立…議会を軽視する国王　VS　国民
②宗教対立…国教を重視する国王　VS　商工業者（ピューリタン）

(2) **ピューリタン革命**（1640or42～60）
①議会派が王党派と軍事衝突し，国王を捕らえる　➡議会派が分裂＆対立
②**クロムウェル**が**チャールズ1世**を処刑し，共和政に移行
▲イギリス史上，唯一の共和政時代
③クロムウェルによる独裁　➡クロムウェルの病死　➡政権崩壊
子のリチャードは能力に乏しかった▲

2 名誉革命　～王政復古後，ふたたび革命が起こる～

(1) 王政復古（1660）…王党派と長老派が妥協し，**チャールズ2世**が即位

(2) 国王と国民の対立
①政治対立…議会を相変わらず軽視する国王　VS　国民
②宗教対立…**カトリック**に傾く国王　VS　国民の多数を占める国教徒

(3) **名誉革命**（1688）
①**ジェームズ2世**を廃位し，**メアリ2世**と**ウィリアム3世**が即位（1688）
②**権利の章典**（1689）…権利の宣言（王権に対する議会の優越）を法文化
▲国民の自由，財産権の保障なども規定

(4) 対外関係の変化…英仏対立が表面化　➡植民地戦争

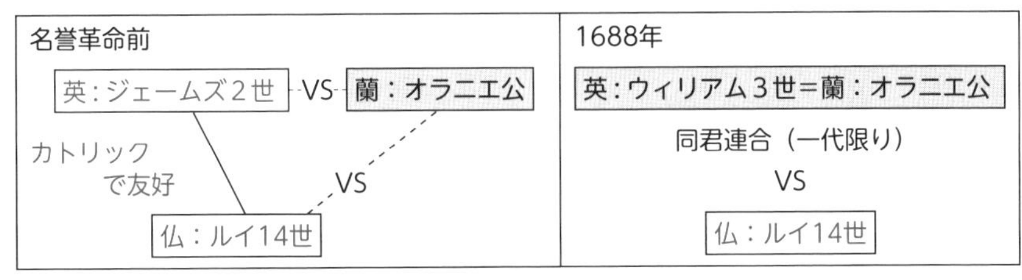

(5) **イングランド銀行**の設立（1694）…国債を発行し，対仏戦費を調達

3 ハノーヴァー朝のもとで，責任内閣制が確立していく

(1) **ジョージ1世**（位1714～27）…ドイツ出身で，**ハノーヴァー朝**の始祖

(2) **ウォルポール**…事実上の首相として，王に代わって行政を執行

★イギリスの**責任内閣制**…「王は君臨すれども統治せず」
▲議会で多数の議席を占めた政党が内閣を組織

4 オランダの商業覇権に，イギリスが挑戦

(1) オランダの中継貿易
…バルト海の穀物，東南アジアの香辛料など

(2) **アンボイナ事件**（1623）でオランダがモルッカ諸島からイギリスを駆逐
➡イギリスはインドへ転進

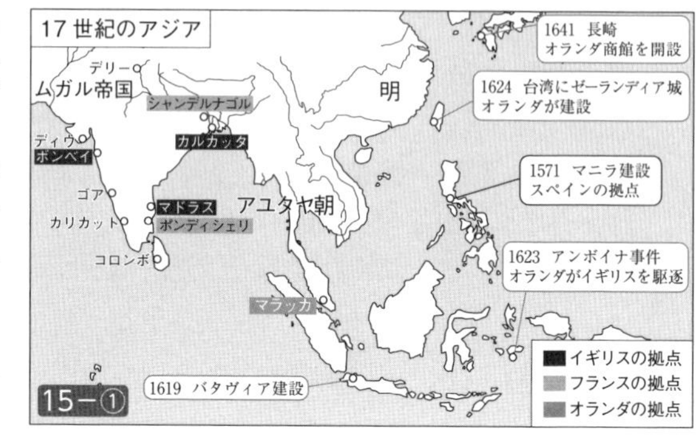

(3) **航海法**（1651）
…イギリスがオランダの中継貿易を排除

(4) **イギリス＝オランダ（英蘭）戦争**（1652～）
➡オランダは航海法を承認し覇権は動揺

5 イギリスとフランスが，北米とインドで植民地戦争を繰り広げる

(1) 北米…**アン女王戦争**，**フレンチ＝インディアン戦争**など

(2) インド…**プラッシーの戦い**

(3) **パリ条約**（1763）…イギリスが北米・インドにおいて優位を確立

①フランスは全ての北米植民地を失う

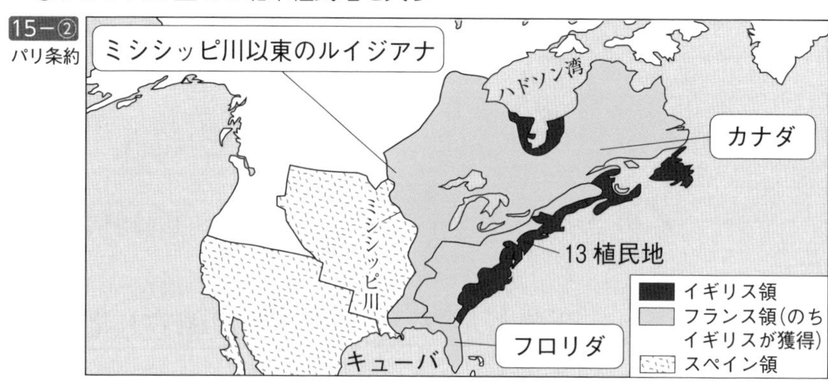

6 イギリスは，植民地戦争の戦費負担を北米の13植民地にも求めた

(1) 13植民地…ヴァージニア，マサチューセッツ，ニューヨークなど

(2) **フレンチ＝インディアン戦争**（1754or55〜63）でイギリスが勝利

➡イギリス本国**戦費回収のために植民地に課税強化**

(3) **印紙法**（1765）

・公文書・新聞・雑誌などの印刷物に印紙を貼付することを規定
≒出版物に課税▲
▲植民地の反発で翌年廃止

・**「代表無くして課税なし」**

(4) **茶法**（1773）…東インド会社に北米における茶の独占販売権を与えた
▲当時財政難であった

➡**ボストン茶会事件**（1773）

(5) 第１回**大陸会議**（1774）
▲ジョージア植民地は不参加

・**フィラデルフィア**で本国による弾圧の撤回を要求

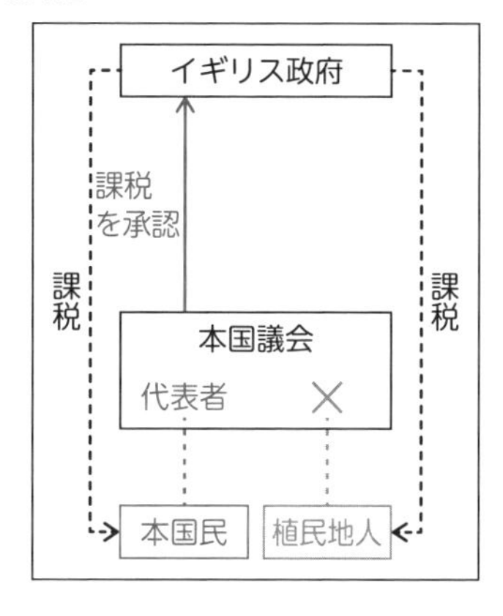

7 アメリカ独立戦争が勃発し，独立を勝ち取る

(1) **レキシントン・コンコード**の戦い（1775.4）…アメリカ独立戦争の開始

➡植民地軍の総司令官に**ワシントン**を任命

(2) **独立宣言**（1776年７月４日）

(3) サラトガの戦い（1777）…アメリカ独立軍がイギリス軍に勝利

(4) 列国によるアメリカ支持

①米仏同盟の結成➡**フランス**（1778）参戦，続いてスペイン（1779）も

②イギリスが北米の港を封鎖

➡ヨーロッパ諸国が反発し武装中立同盟を結成
▲ロシア，スウェーデン，デンマーク，プロイセン，ポルトガルなどが参加

(5) **ヨークタウンの戦い**（1781）…米・仏連合軍がイギリスに勝利

(6) **パリ条約**（1783）…イギリスはアメリカ合衆国の完全独立を承認

(7) **アメリカ合衆国憲法**

・連邦政府が強くなりすぎないように，**三権分立**を採用
▼フランスのモンテスキューが理論化

立法…アメリカ連邦議会（上院と下院の二院制）
▼人口に比例して州ごとに議員数を割り当てる
▲各州代表２名ずつからなる

行政…アメリカ大統領（任期４年）が連邦政府の長

司法…最高裁判所（立法・行政が憲法に適合しているかを判断）

(8) 初代大統領**ワシントン**（任1789〜97）

(9) ワシントン D.C. が首都となる（1800）

イギリス（イングランド）では，エリザベス１世が生涯独身のまま亡くなり，テューダー朝が断絶。親戚筋をたどり，スコットランド王が**ステュアート朝**の
▲ジェームズ６世
ジェームズ１世として即位します。おとなりのスコットランド王がイングランド王を兼ねることになり，100年後に両国は合体するに至ります（イングランドとスコットランドの位置関係は地図**6－①**に載せておきました）。本書で今
▲現在は「グレートブリテンおよび北アイルランド連合王国」
まで「イギリス」といってきた国は，厳密には「イングランド」のことです。
スコットランドなどを含まない▲
本講は必要に応じて「イングランド」表記でいきますね。

イングランドでは，ジョン王が**大憲章（マグナ＝カルタ）**に署名して以来，
▲テーマ６
「国王による課税には議会の承認を必要とする」という伝統が続いていましたね。しかし，これはスコットランドからやって来た「異邦人」であるジェームズ１世にとってはたいそう窮屈な流儀で，議会を軽視します。一方，彼はエリザベス１世の時代に確立された**イギリス国教会**には興味を示しました。イングランド国王は国教会の長であり，国教徒の増加は国王にとっては子分が増えることを意味したからです。国教会体制を国民の多くは受け入れたものの，**カルヴァン派（ピューリタン）だった商工業者は激しく反発**しました。

子の**チャールズ１世**も父と同様のワガママっぷり。さすがに議会派も黙ってられず「マグナ＝カルタの伝統を守って頂きたい！」と糾弾しました。これに逆ギレした国王は議会を解散し，両者の関係は修復不可能になっていきます。そしてチャールズ１世が実家**スコットランド**にも国教を強制すると，こちらでもカルヴァン派の反乱が起こり，国王は鎮圧費用などを課税でまかなおうと，議会を召集しました。しかし議会派が国王への恨みつらみをぶちまけるわ，国王が軍を動員するわ，収拾がつかなくなり，ついに内戦に突入するのです。

当初は王党派が優勢でしたが，鉄騎隊率いる**クロムウェル**（「超」**厳格なピューリタン**）の活躍で議会派が王党派を破り，チャールズ１世を捕らえました。ただ，議会派にも亀裂が入り始めます。今までは「打倒国王！」で一枚岩だったのに，国王を捕らえた途端に「着地点・落としどころ」をめぐって利害対立が表面化したんですね。穏健派で王政を容認したのが長老派。共和政の普通選挙制を敷き貧民の政治参加を実現しようとしたのは水平派。その中間が，ピューリタンのクロムウェル率いる**独立派**で，商工業者層の支持を得ました。

クロムウェルの強みは軍を掌握していたことでした。軍を動員して，王政を擁護する長老派を追放し，チャールズ１世の処刑を断行！　返す刀でクロムウェルは水平派を弾圧しました。
▲ここから約12年間がイギリス史上唯一の共和政時代

1653年，クロムウェルは軍事力を背景に**護国卿**（ごこくきょう）に就任，独裁体制を敷いてピューリタンの理想の実現に邁進（まいしん）します。**ピューリタンの徳目は「禁欲・勤勉」**
▲→テーマ13
ですから，彼は居酒屋・劇場を閉鎖するなど国民から一切の娯楽を取り上げま

した。これにはみんなドン引きです。クロムウェルが求める国家像が一般国民（≒国教徒）の考えとは大きくズレていることが明確になり，不満が増大していきました。そしてクロムウェルが死去すると政権は崩壊（＝ピューリタン革命は終結）し，長老派が息を吹き返して王政復古に至ります。

チャールズ2世はチャールズ1世の子で，亡命先から帰国して即位しました。議会から「イングランドの伝統を守ってくださいよ！」とクギを刺されていたものの，（予想通り？）議会を軽視します。それだけならまだ想定内だったんですが，チャールズ2世はなんと**カトリック**の復興を目論みます。これは，亡命先のフランスに滞在中，面倒を見てくれた**ルイ14世**の影響といわれていますね。実際，1672年には英仏が連携し，オランダを標的に戦争にうって出ます。チャールズ2世のカトリックびいきを確信した議会派は，側近の政治介入を防ぐために**審査法**を制定し，**公職就任者を国教徒に限定しました**。（国王の側近もカトリックであった）

チャールズ2世を継いだのは弟**ジェームズ2世**で，即位前からカトリックであることを公言し，議会も軽視する有様。（兄チャールズ2世とともに，フランスに亡命していた）議会の我慢はついに限界となり，娘しかいなかったジェームズ2世に男児が生まれたことを引き金に，国王の廃位を決議します。（カトリックとして育てられる可能性が高かった）そして，王位継承権を持ち**国教徒として育てられていた娘メアリ**を嫁ぎ先のオランダから夫とセットで招き，夫婦で即位しました。これが**名誉革命**です。そして**権利の章典**で**王権に対する議会の優越**が法文化され，1世紀近くにわたった国王と議会の対立に終止符が打たれます。

ここでp.107の図を見ながら夫であるオラニエ公の視点で考えてみます。当時経済大国だったオランダですが，上述したようにチャールズ2世治世下の1672年には「英仏連合」に攻撃されるなど苦しい状況に。（この年にオラニエ公はオランダ総督に就任）名誉革命でオラニエ公がイングランド王に即位したことは「英仏連合」が崩れて**「英蘭同盟」を成立**することを意味し，（ただし，オランダ総督がイングランド国王になったのは彼の代のみ）オランダにとって外交関係をひっくり返す転機になりました（「オラニエ公の方がイギリスに押しかけてきた」という側面があるんですね）。これに怒ったルイ14世とイギリスの対立が表面化し，北米で植民地戦争が勃発！

この植民地戦争でイギリスが勝てたのは，**国債を発行して莫大な戦費を調達できるようになった（財政革命）**ことが一因です。（国債＝政府の借金）専制体制では国王と国民が衝突する恐れがあり，（また，息子が父王の借金を踏み倒すのも日常茶飯事だった）国民が納税拒否するなど**税収は不安定**になりがち。国王の借金返済には税金が充（あ）てられるわけで，投資家からしてみれば国民とケンカするような国王への融資はリスクが高い。一方で議会主権の国であれば，必ず議会（＝国民の代表）の承認を得た上で課税が行われるので，国民はキッチリ納税。投資家は安心して政府に金を貸せるようになったんです。（イギリス国債を主に購入したのはオランダ人投資家）その国債を扱ったのが**イングランド銀行**ですね。

メアリの妹**アン女王**の時代，ここで**イングランドとスコットランドが合体**して**大ブリテン王国**が成立しました。ちなみに彼女は大のお茶（紅茶）好きで，彼女の趣味がまず上流階級に広まり，18世紀後半から本格化する産業革命を通じ，**喫茶の習慣がイギリス国民に浸透した**といわれていますよ。

アンの死をもってステュアート朝が断絶すると，ドイツの諸侯である**ハノーヴァー**選帝侯に白羽の矢が立ちました（これが現代のイギリス王室の直系の祖先となります）。彼が**ジョージ１世**として即位しますが，**英語は喋(しゃべ)れず政治への関心も薄く，結構里帰りもする**。実務は**ウォルポール**に任せ，国王に代わって首相が行政を担当する議会制民主主義が整備されていきました。

名誉革命で英仏蘭の三角関係について触れましたが，それまでの３国のパワーの源はアジア・アメリカとの貿易にありました。ポルトガルとスペインの繁栄にかげりが見えると，17世紀にまずはオランダが勢力を伸ばしました。ハプスブルク家領だった時代から**造船業**はピカイチで，バルト海貿易ではハンザ同盟を圧倒し，**東インド会社**を設立してアジアへ進出（ポルトガルの拠点を丸ごと乗っ取ったイメージです）。ジャワ島の**バタヴィア**を拠点にして，三方へ勢力を広げていきます。東方はイギリスと**モルッカ（香料）諸島**争奪戦を繰り広げ，**アンボイナ事件**でイギリス商館員を皆殺しにしてイギリス勢力を駆逐！西方では，**セイロン島・マラッカ**という香辛料の産地・貿易拠点を押さえました。北方は台湾・日本へ。**「鎖国」下の日本が貿易を唯一認めたヨーロッパの国家**となりました。江戸幕府がヨーロッパ勢力を追放したのは，キリスト教の布教を警戒したことが一因ですが，オランダ人は「布教には興味ない。我々は金儲(もう)けがしたいだけだ！」と商人ぶりを発揮したんです。またアフリカでは大陸南端に**ケープ植民地**を，北米ではハドソン川河口域に**ニューネーデルラント植民地**を建設しています。

▲→テーマ6

▲1600年に設立されていたイギリス東インド会社に対抗

香辛料の中でもレアなクローヴとナツメグの産地▲

世界各地に拠点を築いたオランダのビジネスモデルは「中継貿易」です。**ある地域の特産品を仕入れて，それを高値で売れる場所へ運んで売りさばく**（今風の言い方をするならば，いわゆる「転売」に近い）。例えば，イギリスとプロイセンは右の図のような貿易を行っていましたね。オランダ人はプロイセンなど東欧で生産された穀物を仕入れ，イギリスに運んで売却していました（商工業に重心が置かれたイギリスでは，穀物が不足しているので高値で売りさばけます）。オランダ人がすごか

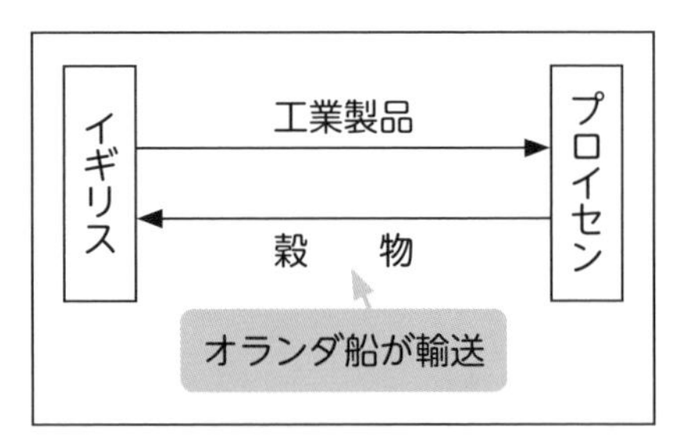

ったのは，アジアの香辛料をヨーロッパへ，イギリスの毛織物をアメリカ大陸へ，西インド諸島の砂糖をヨーロッパへ…，と世界中を飛び回ったことです。

一方，アンボイナ事件で敗れたイギリスは**インドに転進**して**マドラス・ボンベイ・カルカッタ**という3大拠点を建設しました。**重商主義政策で国内では毛織物産業が成長**し，少しずつ力を蓄え，オランダの中継貿易に不満をぶちまけます。「オランダ自身は商品を生産してないくせに，右から左へ運ぶだけで利益を得やがって。しかも，我がイギリス国内で外国商品を売却して利益を得るとは…」。船の数や性能，情報網などの面でオランダに敵わないイギリスは，（▲17世紀半ば，ヨーロッパ船舶の6割はオランダ船だったとされる）**航海法**を発してオランダの中継貿易を排除するルールを作りました。

イギリス&イギリス植民地が輸入する商品の輸送を，イギリス船か商品産出国の船に限定

イギリスとプロイセンの例であれば，「**プロイセン産の穀物をイギリス国内に持ち込んで売れるのはイギリスの船 or プロイセンの船だけ**」ということ。

名指しはしてないけど，完全にオランダを狙い撃ちしていますね。

オランダは怒り**イギリス=オランダ（英蘭）戦争**が勃発しますが，国力を高めたイギリスはオランダと互角にわたりあいました。航海法を認めさせ，北米では**ニューネーデルラント植民地**を奪い取り，ニューヨークと改称しました（現在のニューヨークには世界金融の中心ウォール街がありますが，この呼称は，オランダがこの区画に築いた防壁（WALL）に由来します）。

17世紀後半以降，オランダは受難の時期を迎えます。ヨーロッパで流通量が増えたこともあって**香辛料の需要が落ち込み**，「転売」で儲（もう）けられなくなりました。東アジアの一大拠点**台湾**は**鄭成功**（▲→テーマ10）に攻略され，**日本銀の産出も減少**して日本人の金払いもシブくなってしまった…。これらの事情が**英蘭戦争**と重なって，オランダの覇権は崩れていったのです。

英蘭戦争が戦われていた17世紀後半，フランスはルイ14世の治世で，財務総監**コルベール**が**重商主義政策**を進めていました。東インド会社を再建し，インドに植民地を建設。北米方面では**カナダ**支配を固め，ミシシッピ川の周辺をルイ14世の名にちなんで**ルイジアナ**と命名しました。

オランダの覇権に対しては連携することもあった英仏ですが，名誉革命で**新たに「英蘭 VS 仏」の構図が浮かび上がってきましたね**。両国の対立は北米・インドにも飛び火し，英仏植民地戦争が始まります。**「ヨーロッパで英仏が戦争を起こすと，その知らせがアメリカにも伝わって，アメリカにいるイギリス人とフランス人も戦争を起こす」**というメカニズムです。

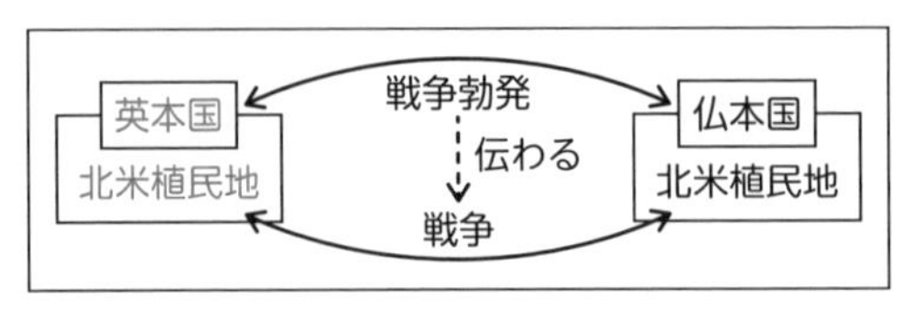

植民地戦争は最終的にイギリスの勝利に終わりました。イギリスの勝因の1つ目は植民スタイルの違いです。p.108の北米植民地，イギリス領とフランス領のどちらが広いですか？

そりゃあ断然，フランス領ですね。でも，負けてしまった…。

フランス人は，ビーバーやラッコの毛皮を目当てにやって来ました。獲物が手に入れば，さっさと本国に帰国するハンターも多かったようです。一方イギリス人は畑を切り開いて定住し，骨をうずめる覚悟。この精神の違いは結構大きい。2つ目の**名誉革命後のイギリスで国債制度が整備され**，戦費を借金で賄（まかな）えるようになったことも重要です。

スペイン継承戦争（▲→テーマ14）に連動するアン女王戦争は，一括してユトレヒト条約で講和しました。**スペインのブルボン家継承が認められた**一方，フランスとスペインは多くの領土を失いました。そして七年戦争（▲→テーマ14）に連動する**フレンチ＝インディアン戦争**の結果，**フランスは北米の植民地を全て失いました。**

インドでもイギリスの戦いっぷりは盤石でした。東インド会社のやり手職員だったクライヴの活躍で**プラッシーの戦い**に勝利し，アメリカだけでなくインドでも優位を確立してイギリス植民地帝国の素地ができあがりました。

イギリスが北米に建設した**13植民地には自治が認められていました。**もともと本国での束縛を逃れて渡米した人も多く，「他人の指図はうけない。自分たちのルールは植民地で決める！」（この傾向は，北部において特に顕著▼）という気風はアメリカ人の精神的支柱になります。あとは，

南部：温暖で，ヨーロッパに輸出できる商品作物をプランテーションで栽培
北部：寒冷で，商工業がさかん。中小自作農民が農業を行う

という風土・経済にも注目で，のちの南北戦争（▲→テーマ19）の背景となります。

イギリスが植民地の建設を推進・容認したのは，本国の「金づる」になると考えていたからでした。イギリス製品の購入を義務づけたり，植民地が輸入する商品に課税したりと（▲他国から輸入する製品に関税を課してイギリス本国製品を保護）。植民地戦争でイギリスが勝利すると，本国は「**本国は植民地を守るために相当の犠牲を払ったのだから，君たちも相応の戦費を負担をしてくれ**」と，今まで以上に課税ラッシュをかけてきました。**印紙法**（新聞・本はもちろん，役所が発行する証明書，はてはトランプまで▲）は，植

民地のあらゆる印刷物に印紙を貼りつけする法律です。

印紙って何ですか？　聞いたことがありません。

切手のような形で，記されている金額分だけ印刷物の価格に税金が上乗せされます。輸入品に関税を課すのとは違って，植民地内で売買されている商品に直接課税したインパクトは大きく値上げによる販売部数の減少を危惧した新聞社が怒ったこともあり，一大反対運動が起こりました。当時のイギリスにおける課税の原則は「**自分たちの代表が承認・同意した税のみを負担する**」というもので，大憲章〔マグナ＝カルタ〕（▼「政府が課税する際には議会の承認を得る」）の理念を継承していました。

イギリスは本国民の代表は国会議員となり，議会で政府の課税を承認する（課税の法案を可決する▲） ➡　それをうけて政府は国民に課税する

という流れです（まとめパートの図参照）。しかし，植民地人の代表はというとイギリス本国の国会議員にはなれなかった。**本国政府は，植民地の同意を得ずに課税してくる**わけです。「課税は無効！　植民地に課税したいなら，俺たちの代表をロンドンの国会に議員として呼んでちゃんと話を通せ！」これが**「代表なくして課税なし」**の論理です。

イギリス本国は印紙法を撤回したものの，あの手この手で課税を続けました。ついに植民地の怒りは限界に達し，北米植民地に売りつけるための茶を満載した東インド会社の船に暴走した市民が乗り込み，積み荷の茶箱を海に投げ捨てる**ボストン茶会事件**（▲英語では「Boston Tea Party」）が起こりました。

イギリスがボストン港を閉鎖するなど強硬手段に出ると，植民地の代表が**フィラデルフィア**に集まって**大陸会議**が開かれ，反イギリスで結束。そして1775年，**レキシントン**で起こったイギリス軍と植民地民兵の突発的な武力衝突から独立戦争が始まります。実は，大陸会議にとっては「寝耳に水」で，あわてて**ワシントン**を司令官に任命するドタバタぶりです。住民の意見もバラバラで愛国派（パトリオット），国王派（ロイヤリスト），中立派がほぼ拮抗。トマス＝ペインが書いたパンフレット『常識（コモン＝センス）』（▲10万部以上売り上げてベストセラーとなった）は中立派を独立になびかせ，重要な役割を果たしました。

1776年7月4日に発せられた**独立宣言**で示された**自由・平等の理念は，近代市民社会の原理**として不朽の意味を持ちますね（アメリカのプロバスケットボールリーグであるＮＢＡにはフィラデルフィア・76ers（セブンティーシクサーズ）というチームがありまして，このチーム名は1776年にフィラデルフィアで独立宣言が採択されたことにちなんでいます）。**革命権**も重要で，かみ砕いて言えば「政府の役割は，人民の生命や財産を守ることだ。本国政府はその役割を果たしていないから失格，レッドカードで退場！　新しい政府は自分たちで創るから」という理念。これを示すことで「この戦争は，卑劣な反乱ではなく正当な行為。正義は我らにあり！」と**独立戦争を正当化できる**わけです。

戦線の方に目を向けてみると，植民地軍は当初イギリス軍に全く歯が立ちません（農民兵が多く，戦争というより「一揆」みたいな感じ…）。しかし，ワシントンらに訓練された植民地軍がサラトガの戦いに勝利したことで，風向きに変化が。「ん？　植民地が反乱を起こしただけだと思ってたが，意外とやるじゃないか」と考えたフランスが，イギリスから植民地を奪回してやろうと参戦してきたわけですね。

あのイギリスがここまで追いこまれるなんて，珍しいですね…。

アメリカ＆フランス連合軍が1781年の**ヨークタウンの戦い**に勝利し，大勢は決しました。1783年の**パリ条約**でイギリスはアメリカの独立を認めましたが，この条約，フランスにとってはショックな内容。イギリスから植民地を奪回できなかったのです…。アメリカまで大軍を送ったのに何ら得るものがなく，莫大な軍事費を費やしただけ。これが**フランス革命の遠因**になります。
ミシシッピ川以東のルイジアナはアメリカ領に▲

独立後のアメリカで懸案となったのは，州政府と中央政府の関係でした。

独立前

植民地ごとに自治。
宗教・産業が多様

独立後

連合会議

州

後からできた新参者。外交権などはあるが，徴税権がなく常備軍も持てなかった

昔からある。自治の伝統を受け継いでおり，「独立国」に近い

自治権を持つ13植民地は**「自分たちのルールは植民地で決める」**気風に満ちあふれ，**宗教・産業もバラバラ**でした。植民地は独立後に「州」となりますが，**独立国に近い**感じです。従って，独立戦争中に設置された中央政府である「連合会議」に大きな権限が与えられるはずもなく，弱体でした。しかし，独立後に経済問題が山積し，農民反乱が起こるなど社会も不安定になったため，**強力な中央政府を待望する声が高まり**，結局アメリカ合衆国憲法では中央政府である**連邦政府の権限は従来よりも強化され，徴税権と常備軍の保持が認められました**。一方で**各州には大幅な自治権が認められ**，また行政府である連邦政府の強大化を防ぐため，立法・行政・司法が相互にけん制し合う，現代の日本でも採用されている**三権分立**の理念を採用します。この憲法に基づき，**ワシントン**が初代大統領に就任しました。
▲独立戦争での債務の返済，各州の利害がぶつかる関税政策など
ただし，連邦政府の権限をめぐる論争はこの後も続いていく▲
▲州を意味する「STATE」には「国家」という意味もある

コラム1 column
ナショナリズム

人間には様々な属性（アイデンティティ）が備わっていて，これを共有する集団も同時に存在します。下のような高校生X君がいたとしましょう。

高校：A高校の生徒です。	**クラス**：A高校の3年B組に属しています。
宗教：C教を信仰しています。	**国籍**：Dという国の国民です。
家族：名門E家の一員です。	**ひいきチーム**：サッカークラブFのファン。

ケースによって，X君が重視する属性は変わります。部活での他校との試合ではAが，学校の体育祭ではBが重視されるでしょう。親戚の結婚式やお葬式ならばEが前面に出てきます。サッカー観戦ならばFですね。**ナショナリズムとは，上記の中で，「X君はD国民」という属性を最上位に置く思想です。**

従来のヨーロッパでは，聖職者や貴族といった身分はもちろん，ギルドや農村共同体など，強固な諸団体（**社団**）が国王から一定の特権・権益を勝ち取っており，国内はバラバラ。この社団が属性の上位に置かれ，フランス国民とは「国境で囲まれた領域内の一員」くらいの意味でしかなく，

「あなたは何者？」と尋ねれば，「私はフランス国民である前に貴族だ！」

という答えが返ってきました。

しかし，フランス革命が起こると「国民の自由・平等」が掲げられました。これは**「特定の国民への特別扱い，区別差別を一切やめる」**，つまり**社団が解体された**ことを意味するのが分かるでしょうか。そしてルイ16世が処刑された後，フランスは内外で反革命の危機にさらされました。政府が「祖国の危機」を叫んで「国民」属性を前面に打ち出すと，**国民は愛国心をかきたてられ，士気に満ちた義勇兵も現れて革命戦争に結集し，今までにないような力を発揮しました**（徴兵制はその典型）。こうなると

「あなたは何者？」と尋ねれば，「私はフランス国民である！」

という答えが返ってきますよね。国民意識（ナショナリズム）を高揚させることは，戦時など国民の求心力が必要な事態には不可欠なことが，次第に認識されていきます。

ここでX君に話を戻します。部活の試合で選手と応援団が同じ「校歌」を歌う。体育祭でクラス全員がお揃いのTシャツを着る。これらは，「属性の共有」を意識させる定番の手段です。革命政府は国家レベルでこの手の「国民統合」（歌や服といった「象徴」を用いる）を行っており，現在のフランス国旗・国歌が革命期にルーツを持つことは，広く知られるところです。このような，均質な国民（nation）を主権者とする国家を**「国民国家」**（nation-state）と呼び，今からその具体的な形成過程を見ていくことにしましょう。

テーマ 16
フランス革命とナポレオン

1 革命前夜のフランスは，身分制の矛盾と財政難で大混乱

(1) **アンシャン＝レジーム**（旧制度）

★ルイ16世（位1774～92）…人間的には温厚で国民からの人気は高かった

①第１身分（人口の0.5%）…聖職者
②第２身分（人口の1.5%）…貴族
（①②）特権身分。重要官職を独占，国土の４割を所有。免税・年金等の特権を保持
③第３身分（人口の98%）…平民。参政権を持たず重税に苦しむ
▲また，総人口の約85%が農民

(2) 革命気運の起こり…啓蒙思想の普及，アメリカ独立革命の成功

(3) フランス財政の窮乏 ➡国王や財務長官は，特権身分への課税を企図
▲18世紀に入ってから，政府は二度にわたって債務放棄

(4) **三部会**の開会（1789.5）…議決方法をめぐって紛糾
▲ルイ13世の治世に閉鎖されていた

2 フランス革命中は，政体が目まぐるしく移り変わった

(1) **国民議会**（1789～91）…自由主義貴族など富裕層が主導

①**バスティーユ牢獄**の襲撃（1789.7.14）…フランス革命の勃発

②**人権宣言**…自然権，国民主権，私有財産の神聖不可侵などを規定
▲自由と平等

★1791年憲法の制定…立憲君主政で制限選挙

(2) **立法議会**（1791～92，立憲君主政）

①ジロンド派がオーストリアなどに宣戦布告
▲共和政の制限選挙をめざす
➡フランス軍は連戦連敗。サンキュロット（パリの民衆）の不満が高まる

②８月10日事件…サンキュロットが宮殿を襲い，王権停止

(3) **国民公会**（1792～94，共和政・普通選挙）

①**ルイ16世**を処刑 ➡近隣国が**第１回対仏大同盟**を結成し，対外戦争激化

②ジャコバン派による独裁，恐怖政治…**ロベスピエール**が指導
▲共和政の普通選挙をめざす

★1793年憲法の制定…共和政で普通選挙
▲施行されず

③封建的特権の廃止，最高価格法，キリスト教排斥などの急進的改革

④**テルミドール９日のクーデタ**（1794）…ロベスピエールを処刑

政府は革命期を通じて国民統合を進め，ナショナリズムが形成されていく

⑷　**総裁政府**（1795〜99，共和政・制限選挙）

★1795年憲法の制定…共和政で制限選挙

①権力を分散させて恐怖政治の再来を防ぐ　➡対外戦争に対処できず
②ナポレオンの活躍によって，第１回対仏大同盟崩壊
③**ブリュメール18日のクーデタ**（1799）…ナポレオンが総裁政府を打倒

3 ナポレオンがフランスの「国民軍」を率いてヨーロッパを席巻

⑴　**統領政府**（1799〜1804）
①**宗教協約**（コンコルダート，1801）…フランスでカトリックが復活
②**ナポレオン法典**（1804）…現代の民法典に多大な影響

⑵　フランス第一帝政（1804〜15）…国民投票でナポレオンが皇帝に即位
①**アウステルリッツ**の三帝会戦（1805.12）…フランスが勝利
②**神聖ローマ帝国**の消滅（1806）⬅ライン同盟が成立
③**大陸封鎖令**（1806.11）…大陸諸国とイギリスの通商を禁止
④ティルジット条約（1807.7）…ナポレオンの絶頂期
　★この頃から，反ナポレオン感情が高まっていく
⑤ナポレオンの没落…**スペイン**反乱（1808〜）に苦戦，**ロシア**遠征（1812）に失敗，**ライプツィヒ**の戦い（**諸国民**戦争，1813.10）に敗北　➡退位
⑥**ワーテルロー**の戦い（1815.6）…皇帝に復位するが，敗北

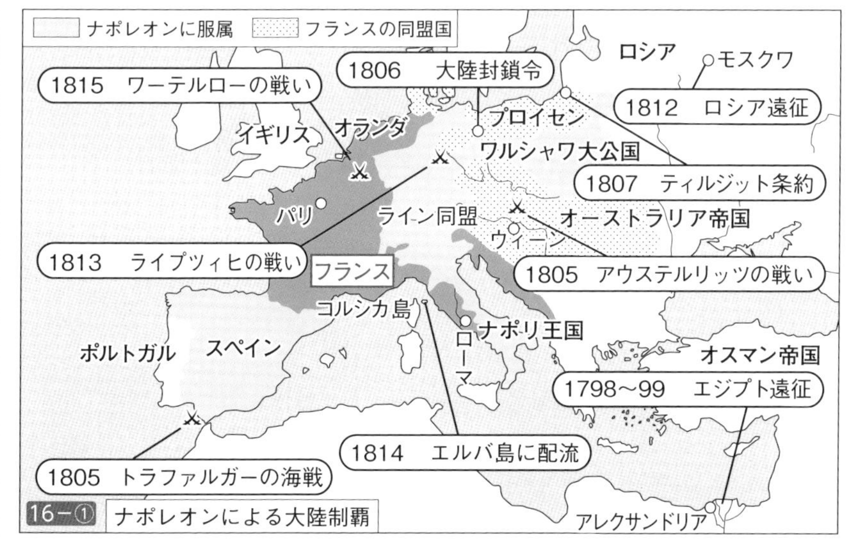

16−①　ナポレオンによる大陸制覇

フランス革命前夜の**旧制度（アンシャン＝レジーム）**下の人口構成を従業員
▲英語の ancient（＝旧式の，古代の）に相当
1000人の企業で例えてみると，聖職者５人，貴族15人，平民980人という感じになります。1000人中の20人が**免除特権**など種々の特権を持ち，フランスの土地の約40％を所有していました。平民は政治的に無権利で，重税などの負
農民は地代，十分の一税なども負担▲
担にも苦しんでいましたが，この状態を当たり前のものとして受け容れていました。しかし自由・平等の思想や**啓蒙思想**が知識人の間に定着すると，現体制を改めるべきだという「世論」が生まれてきたんですね。そして，アメリカ独立戦争から戻った**ラ＝ファイエット**が自由・平等の精神を伝えました。「アメリカ国民には身分などない。我が国の身分制度はおかしいではないか！」と。

その企業の社長に相当する国王**ルイ16世**にとって頭痛の種は**財政問題**でした。宮廷の奢侈（しゃし）（王妃**マリ＝アントワネット**の贅沢（ぜいたく）は有名です）に加えてヨーロッパと植民地での相次ぐ戦争で財政は火の車で，アメリカ独立戦争で大軍を
▲フランスは植民地を奪回できなかった
送ったのがトドメになりました。そこで財政改革を託されたネッケルが，**特権身分にメスを入れて彼らから徴税しようと提案**。特権身分が承諾するはずもなく，1615年以来の**三部会**でこの問題を討議することになりました。当然ながら「聖職者＆貴族は課税案に反対で，平民は賛成」という立場であり，当然ながら三部会は大荒れです。

ゴタゴタの中で議会から締め出された第三身分代表ですが，進歩的な考えを持つ自由主義貴族に手引きされて結集し「自分たちで憲法を創るまでは解散しないぞ！」と叫びました。**国民議会**の成立です。ここで注目したいのは，議会を主導したのは**ミラボー**や**ラ＝ファイエット**ら自由主義貴族で，彼らは**急進的な改革は行わず王政を維持し，立憲君主政（王がワガママ放題の絶対王政に対し，立憲君主政は憲法によって王の権力を制限）をめざした点です**。彼ら自身はリッチに暮らしていて「道楽」として改革を進めているにすぎません。あくまでもセレブ目線で，貧民の意見は反映されないのが国民議会期です。

これにルイ16世はどう対応したか。彼は温厚な人柄で，実は国民には人気があった一方で性格は優柔不断でした。保守的な大貴族に押し切られて，結局パリに軍隊を集結させるよう命じたのです。これに対してパリ市民は立ち上が
▲ネッケルも罷免
り，７月14日に武器弾薬を求めて**バスティーユ牢獄**へ殺到。国王派の守備隊と軍事衝突し，革命の火ぶたが切って落とされました。

８月，国民議会は**封建的特権の廃止**を宣言し，特権身分の**免税特権**・年金，
▲背景に「大恐怖」と呼ばれる各地の農民暴動
農民に対する領主裁判権・賦役・十分の一税が廃止されました。ただ，農民が貴族（領主）に貢納していた作物や貨幣（地代）だけは「**有償**」廃止でした。
▲テーマ５　20～25年分の地代を一括払いすることが必要▲
自由主義貴族が領主の利益を優先させてしまったわけですね。月末に発せられた**人権宣言**は，アメリカ帰りの**ラ＝ファイエット**が起草しただけあって，**人間**

の**自由・平等**を明示するなどアメリカ独立宣言と多くの共通点が見られます。

憲法制定作業が進む1791年，「新憲法が共和政を定めたら，余は王をやめなければいけないではないか」と不安に襲われた国王は，なんと王妃**マリ＝アントワネット**の実家オーストリアへの夜逃げを企てます。しかし，国境近くのヴァレンヌで見つかってしまった…。この騒ぎで，人気が高かったルイ16世の評判は一転。「国王は外国とつるんで革命をつぶそうとしてる」「国を捨てるような無責任な奴に統治を任せられるか」と共和派が勢いづいてしまいました。

共和政の機運が高まってくると，近隣国の君主も「ルイ16世が玉座を追われれば，私にも同じ災いがふりかかるかもしれぬ。フランスの王政を救おう」と考えフランスをけん制しました。こんな風に共和政の声が高まったものの，結局のところ，制定された**1791年憲法**は当初の予定通り**立憲君主政**でした。

▲オーストリア皇帝はマリ＝アントワネットの兄

改革された点	民衆・農民に不満が残った点
封建的諸特権廃止，人権宣言， 1791年憲法（専制に歯止め）	地代は有償廃止 1791年憲法（王政は維持，制限選挙）

この表を見ると，政策が民衆目線ではないことが一目瞭然ですね。

国民議会が解散した後に召集された**立法議会**では，商工業者を支持基盤として共和政の制限選挙（制限選挙とは，一定以上の財産を持つ者にだけ選挙権を付与するシステム）を目指す**ジロンド派**が政権を握りました。王妃のふるさとであるオーストリアがフランスの亡命貴族と組んで革命をつぶしに来るのでは？という危機感が議会内で高まっており，1792年の春にジロンド派は革命を守るために対外戦争に打って出たのです。

フランスの方から仕掛けたということは，勝算あったんですね。

いえいえ。「議会で主導権を握る決め手がほしい」「経済混乱に苦しむ農民や都市民衆の不満を戦勝で吸収したい」といった下心が先走っていて，ジロンド派はまともな戦略を描いてませんでした。しかもフランス軍の将校は保守派の貴族であり，思いっきり手を抜きます。作戦に関してはマリ＝アントワネットを通じてオーストリアに筒抜け…。連戦連敗です。プロイセン軍侵入の危機が迫る中，パリの都市民衆**サンキュロット**と義勇兵は反革命派の打倒を叫んで暴走し，ルイ16世がいたテュイルリー宮殿を占拠し国王一家を逮捕！（**8月10日事件**）。国王権力が停止されて，**フランスは共和政へ移行しました。**

ところで，フランス革命中の議会では，議長席から見て右側に保守・穏健派が，左側に急進派が議席を占めて座っていました。これが現在の政治用語「右派＝保守派」「左派＝急進派（リベラル）」の起源です。

1792年９月に成立した**国民公会**の方針は急進的で，**フランス初の男性普通選挙**によって議員が選ばれました。翌年に断行された**ルイ16世の処刑**は，「もう王政には戻らない」という政府の決意表明であったといえます。これに対し「同じことを我が国で起こされたらシャレにならん！」と近隣の国王たちは戦慄し，目の色を変えてフランス包囲網を構築しました（**第１回対仏大同盟**）。ここにフランス革命は最大のピンチを迎えたのです。一瞬も気が抜けない，息が詰まるような緊急事態にどう対処すればいい…？　ジャコバン派は議会からジロンド派を追放して**独裁**に踏み切りました。そして「この非常事態に，反対者・抵抗者のせいで戦争への対応が遅れれば，それだけで命とり。彼らは革命の敵だ！」と**ロベスピエール**らジャコバン派指導者は叫び，反対派を容赦なくギロチンに送りました（**恐怖政治**）。政府が，p.117のコラム１で扱った国民統合を特に強化したのがこの時期ですね。**諸国に包囲された状況を打ち破るため，人心を国家に結集させる必要があった**わけです。

ジャコバン派は，独裁期に急進的な改革を矢継ぎ早に打ち出しました。国民議会期には条件付き廃止だった**封建地代を無償廃止**し，農民は念願の自作農となりました。物価の上昇を抑えようという最高価格令が，民衆目線の改革であることは明白ですね。さらに，「キリスト教など迷信だ！」と切り捨て，王権神授説に立脚した絶対王政を全否定し，イエス生誕を紀元とする**グレゴリウス暦**を廃止しました。これに代わって合理的な十進法の**革命暦**を採用し，また革命期を通じて，度量衡でも十進法の**メートル法**が導入されました。

（１カ月は全て30日。１カ月は10日ごとに３つの「旬」に分ける）

しかし，急激な改革には反発がつきもの（地代収入を失った領主，最高価格令に反発する商工業者，キリスト教を奪われた敬虔な農民など）。**対外戦争の戦況が好転したことで独裁を行う大義名分も揺らぎ，恐怖政治への反発が噴出**してきたのです。反ロベスピエール派は1794年**テルミドール９日**（革命暦の「熱月」）にロベスピエールを逮捕。権力者の座にあった時期ですら下宿暮らしで，私生活は至って質素だった無私の男ロベスピエールは，翌日ギロチンにかけられてその生涯を終えました。

新たに制定された**1795年憲法**（共和国第３年憲法）をうけて新たに**総裁政府**が成立しました。この憲法のコンセプトは「あの恐ろしかった恐怖政治の再来を防げ」でした。行政の長である**総裁が５人いる＆議会が二院制**（法案を提出する議会と可決する議会が別）であることを見れば，権力を分散させていることが明白ですね。でも弱点が…。

分かります。非常時に「何も決められない」政府ですよね。

そう，政府は即断即決でビシッと手を打てない。国内の反乱や策謀に振り回され，国民からはすぐに見放される始末です。そんなさなか，「パリの街中で効果的に大砲を使って王党派の反乱を鎮めたスゴイ奴がいるぞ」と噂になった若手の軍人がいました。その名は**ナポレオン゠ボナパルト**。

この頃のフランスはナショナリズムが「熟成」されてきた時期。フランス軍には国民意識・士気が高い成人男性が**徴兵制**によって供給され，質・量ともに絶対王政の軍を圧倒し始めます。この「国民軍」にナポレオンの才能が加わることで，ここから10年間は「無双」に近い状態。ナポレオンは対仏大同盟を蹴ちらし，続いて**エジプト**へ向かいます。ところがナポレオン軍が現地に上陸した後，フランスの輸送艦隊がイギリスのネルソン提督によって全滅し，フランス軍はエジプトから身動きがとれなくなってしまいました。この機に成立した**第２回対仏大同盟**に対して，ナポレオンはわずかな部下を連れてエジプトから帰国し，総裁政府を倒しました（**ブリュメール18日のクーデタ**）。「総裁政府では頼りない。我が国を守ってくれるのはナポレオンだ」というのが，多くの国民とナポレオン本人の共通認識になっていた，ということですね。

（士気が高いフランス兵の歩く速度は，他国兵の1.5倍だったという▲）
（イギリスとインド貿易の中継地▲）

統領政府では，事実上ナポレオンの独裁体制が敷かれました。対外的には**アミアンの和約**を結んでイギリスと和解し，10年ぶりにフランスに平和が戻ります。また，国民には不評だったキリスト教排斥運動を撤回してカトリックを復活。関係が悪化していたローマ教皇と和解しました（**宗教協約**（コンコルダート））。1804年には**ナポレオン法典**を制定し，10年間の革命で実現した**自由主義の原理・原則を改めて確認**。日本を含む多くの国家の民法は，このナポレオン法典から多大な影響をうけています。このように国民のハートを鷲掴（わしづか）みにしたナポレオンは，国民投票の結果，皇帝**ナポレオン１世**として即位しました。

（▲フランス民法典）

皇帝となったナポレオンは，**「革命の輸出」**を名目に大陸制覇に乗り出しました。「わが軍が他国の民衆に代わって絶対君主を倒す。フランス革命精神を全ヨーロッパに教えてあげよう。これは解放戦争である」という理屈です。近隣の君主には迷惑この上ない話で，イギリス中心に**第３回対仏大同盟**が成立。ナポレオンは宿敵イギリス上陸を目指し海軍を派遣しますが，その前に**ネルソン**が立ちはだかり，**トラファルガー**でフランス海軍を打ち破りました。イギリス上陸を断念したナポレオンは大陸制覇に専念します（地図16−①）。

アウステルリッツの戦いは，「三帝会戦」とも呼ばれますね。

はい。ナポレオンが皇帝号を用いたのは，ヨーロッパを統一したローマ帝国の後継者たらんと考えていたからでした。しかしヨーロッパで「皇帝」を称す

（▲「王」という称号だと絶対王政を想起させる恐れもあった）

るのは，西ローマ帝国・神聖ローマ帝国の後継オーストリアと，東ローマ帝国の後継ロシアの君主に認められたステータスです。「３人の皇帝」が相まみえた**アウステルリッツ**でフランスは圧勝し，またしても対仏大同盟は崩壊です。
▲→テーマ５

ナポレオンが1806年にドイツ諸領邦を従属させてライン同盟を結成し，神聖ローマ帝国から離脱させると，ついにオーストリア皇帝は帝位を放棄し，**神聖ローマ帝国は名実ともに滅亡**。この後，ドイツ領邦の雄として残っていたプロイセンもティルジット条約で領土を奪われて屈辱にまみれました。ここがナポレオンの絶頂期です。
▲フランツ２世
▲ウェストファリア条約で，帝国は事実上解体していた

ナポレオンは占領したベルリンで，**大陸封鎖令**を発しました。イギリスとの貿易を禁じた封鎖令の目的は，イギリスを苦しめるだけでなく，**イギリス製品をヨーロッパから締め出して，フランス製品の市場を拡大させる**ことにありました。ただ，広大な海外市場を持つイギリスは大したダメージをうけることはなく，また当時のフランス製品のクオリティではイギリス製品の代わりにはなり得ず，**イギリスを購入できない不満が諸国に広がっていった**のです。
▲プロイセンの首都

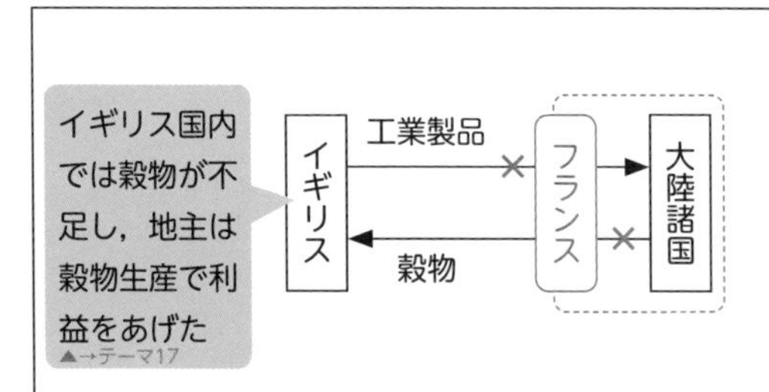

・イギリスからの工業製品の輸入，イギリスへの穀物輸出を禁じて経済的打撃を与える
・イギリス製品をヨーロッパから締め出し，フランス製品の市場拡大も狙った

このように大陸を制覇したナポレオンは自慢の民法典を各地で公布して自由・平等の精神を広め，その点では「解放者」であったといえます。しかし，ナポレオン一族や腹心が君主となり，各地を統治し続けました。重税が課せられた国もあったりして，最初は大歓声でフランス軍をうけ入れて来た他国の人々も，実際はフランスに従属している違和感に気づき始めます。これに大陸封鎖への不満も重なり，**一連の戦争は単にフランスによるヨーロッパ征服にすぎない**，という実態が明るみに…。「征服者・圧政者ナポレオン」というとらえ方です。さらにこの時，図らずも他国に伝わってしまった理念がありました。

それって，ナショナリズムですよね？

その通り。憎たらしいフランス兵士が「祖国フランス，万歳～！」と熱狂的に叫ぶ姿を見た他国の人たちは，「フランスに負けてたまるか，オレ達は○○人だ！」と**ナショナリズムに目覚めてしまった**んです。

ナポレオンが大陸諸国を制覇（一族・側近を王に据えた）

ナポレオンが諸国の絶対君主を屈服させ，現地で民法典を施行して，**自由主義を伝える** 諸国の民衆から「解放者ナポレオン」と見なされた側面もある	諸国の民衆はフランスのナショナリズムを見せつけられる ↓ 「侵略者ナポレオン」への反感から，**諸国でもナショナリズムが発生**

フランスのナショナリズムのからくりに気づいたのはプロイセンでした。**農民解放**（社団の解体），**徴兵制の導入，教育改革**などフランスをモデルに改革を進めます。哲学者**フィヒテ**による講演は，**「ドイツ民族」としての意識を喚起しました**。スペインの民衆反乱はフランスを苦しめ（小さな部隊が分散して，大軍に対し奇襲や待ち伏せといったかく乱戦法を行う「ゲリラ戦」の名は，この時に生まれました），さらにロシアは大陸封鎖を無視してイギリスと貿易を再開。ナポレオンは60万人ともいわれる大軍を率いて遠征を行いますが，ロシアは巧みに焦土戦術（村々を焼き払い，食糧の現地調達を阻止）を用いて退却し，時間を稼ぎました。モスクワまで侵攻した頃には秋も深まり，ロシアの厳しい冬が迫ってきます。冬用装備を持たず，大軍の補給もままならないフランス軍はあわてて退却するものの，反転攻勢をかけてきたロシア軍に追撃されて総崩れとなり，主力が壊滅しました。

大敗を見た諸国はフランスの従属下から離脱し，戦いを挑みましたが，この軍隊もフランス軍と同様の国民意識を持った「国民軍」になりつつありました。もはやフランス軍にはかつてのアドバンテージはなく**ライプツィヒの戦い**で敗れ，ナポレオンは退位に追い込まれました。流刑先のエルバ島から脱出して皇帝に復位した時期がいわゆる「百日天下」で，**ワーテルロー**での決戦にも敗れたナポレオンは西アフリカの孤島**セントヘレナ**（彼の遺体はフランスに運ばれ，パリの廃兵院に安置されている）に流され，そこで生涯を終えました。

ヨーロッパ中を巻き込んだナポレオン戦争の意義，それは**フランス革命の自由・平等精神（自由主義）と，ナショナリズム（国民主義）を全ヨーロッパに広めた**こと，といえるでしょう。イギリスは，トラファルガーでの勝利を記念してロンドンにトラファルガー広場を造り，今日もネルソン提督の像は広場を見下ろしています。一方のナポレオンは，アウステルリッツでの勝利を記念してパリに凱旋門の建設を命じました。こういった記念建造物（モニュメント）もナショナリズムを反映して建てられたんですね。

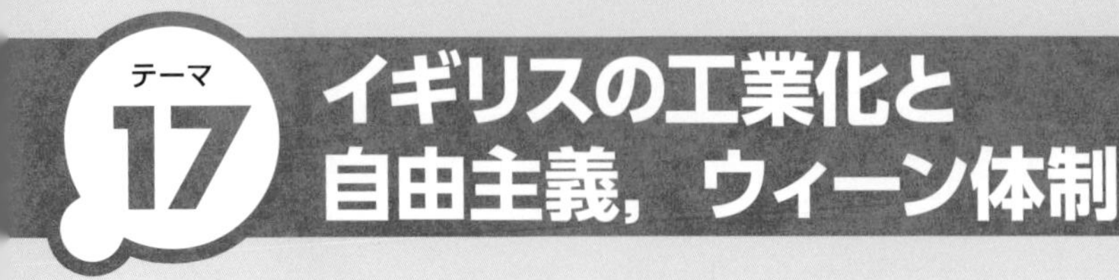

1 産業革命　～まずはイギリスから工業化・機械化が始まった～

⑴　イギリス産業革命の背景

①**経済活動の自由**…17世紀の市民革命によって保障されていった（▲名誉革命）

②その他の要素…豊富な労働力，資本，工場，市場，資源など

⑵　綿布貿易の活性化と，綿布産業の発展

①インド産の**綿布**を輸入　➡イギリスで大ブームとなる（▲西欧の気候は，綿花の栽培に適さない）

②大西洋三角貿易…イギリスからアフリカへ**綿布**を輸出　➡**資本を蓄積**

③紡績・織布の過程が機械化されていく

⑶　蒸気機関の実用化と「交通革命」

①**ワット**が蒸気機関を改良し，**往復運動を回転運動に転換**

②「交通革命」…19世紀前半に，**蒸気船**と**蒸気機関車**が実用化される

⑷　工業化社会の到来

①工業都市の繁栄…**リヴァプール**（▲奴隷貿易で繁栄）・**マンチェスター**（▲綿工業で繁栄），**バーミンガム**など

②資本主義体制の確立

産業資本家		労働者
生産手段（工場・道具・機械）を所有	賃金を支払う → ← 労働力を提供	生産手段を持たず，資本家に労働力を提供する対価として，賃金を得る

2 劣悪な条件で働く労働者の間に，社会主義思想が勃興

⑴　空想的社会主義…人道的見地から資本家の良心に期待して社会主義の実現を目指す。エンゲルスが，「空想的」（▲実現の見込みがない）と批判的に呼んだことが由来

①**ロバート＝オーウェン**（英）…工場主として労働時間の短縮などに尽力

②**サン＝シモン**（仏）（▲アメリカ独立戦争にも参加）…有能な「産業者」が政治を主導する社会を構想

③**フーリエ**（仏）…生活協同組合（▲生産や消費を共同で行う）に基づく理想社会を構想

⑵　**科学的社会主義**…**マルクス**（1818～83　ユダヤ系ドイツ人）

①労働者の階級闘争の理論である**史的唯物論（弁証法的唯物論）**を確立

②『**共産党宣言**』（1848）…**共産主義の到来が必然**であることを主張

③『**資本論**』…資本主義社会を分析

3 ナポレオン没落後のウィーン体制は，フランス革命前へ回帰をめざす

(1) ウィーン会議（1814〜15）

①**メッテルニヒ**…オーストリア外相でウィーン会議の議長をつとめた
▲のちに首相

②ウィーン会議の原則

・**正統主義**…革命前の各国の主権・領土を「正統」とし，その状態へ回帰

・**勢力均衡**…特定の国家・勢力が国際秩序を支配しないよう国力を分散
▲主権国家体制の再構築をめざした

③**ウィーン議定書**（1815）…各国がヨーロッパ領を分割

④ウィーン体制を維持するための君主間の協調…**神聖同盟**，**四国同盟**

(2) ウィーン体制に対抗する自由主義・国民主義運動（1810〜20年代）

①ヨーロッパで弾圧された運動…**ブルシェンシャフト**（▲ドイツ），**スペイン立憲革命**，**カルボナリ**（▲イタリアの諸地域）の活動，**デカブリストの乱**（▲ロシア）

②ラテンアメリカ諸国の独立

・フランスから…**ハイチ**（黒人奴隷が主導）
▲世界初の黒人共和国

・スペインから…**コロンビア**（**ボリバル**が指導），**アルゼンチン**（**サン＝マルティン**が指導）など

・ポルトガルから…**ブラジル**

③独立運動に対する欧米諸国の対応

・イギリス…中南米を**商品販売市場として注目**し，独立を支持

・アメリカ合衆国…**モンロー教書**を発し，中南米の独立を間接的に支援

④**ギリシア**独立戦争（1821〜29）…英仏露の支援でオスマン帝国から独立

4 1830年と1848年にフランスで革命が起こり，ウィーン体制は崩壊

(1) **七月革命**（1830）

①パリの共和派が**シャルル10世**を倒す

➡革命の急進化を恐れた銀行家層の支持で新王**ルイ＝フィリップ**が即位

②七月革命の影響…**ベルギー**がオランダから独立

(2) **七月王政**

①銀行家を政権基盤とした，**極端な制限選挙制**を施行
▲有権者は国民のわずか0.6％に過ぎなかった

②**産業革命**の進行…七月革命以降，フランスでも本格化

➡**産業資本家層**，**労働者層**が形成され，同時に**社会主義者**も勢力を拡大

(3) **二月革命**（1848）

①ルイ＝フィリップは打倒され，資本家と社会主義者が臨時政府を形成

➡**第二共和政**が成立

②**国立作業場**のあり方をめぐり，資本家や地方の農民が反発

③**六月蜂起**…国立作業場廃止の決定に対し，パリの労働者が蜂起

➡軍を動員した資本家が労働者を鎮圧。両者の協力は破綻

(4) ルイ＝ナポレオン大統領（ナポレオン１世の甥，任1848～1852）
▲ナポレオンの弟ルイの息子

①国民投票で皇帝**ナポレオン３世**となり**第二帝政**が成立（1852）

5 ウィーン体制期のイギリスは，議会主導で「自由」を追求

(1) 選挙法改正…名誉革命後も，厳しい制限選挙が敷かれていた
▲有権者は国民の３％

<table>
<tr><th>回</th><th>年代</th><th>選挙権の拡大</th><th>首相（政党）</th><th>人口比</th></tr>
<tr><td rowspan="2">1</td><td>1832</td><td>産業資本家層</td><td>グレイ（ホイッグ党）</td><td>4.5%</td></tr>
<tr><td colspan="4">・腐敗選挙区（産業革命の影響で人口が激減した，有権者が少ない選挙区）を廃止</td></tr>
<tr><td colspan="5">★チャーティスト運動（1837～50年代）
・第１回選挙法改正で選挙権を得られなかった労働者が，普通選挙を求めた</td></tr>
<tr><td>2</td><td>1867</td><td>都市の労働者</td><td>ダービー（保守党）</td><td>9％</td></tr>
<tr><td>3</td><td>1884</td><td>農業・鉱山労働者</td><td>グラッドストン（自由党）</td><td>19%</td></tr>
<tr><td>4</td><td>1918</td><td>21歳以上の男性・30歳以上の女性</td><td>ロイド＝ジョージ（挙国一致内閣）</td><td>46%</td></tr>
</table>

(2) 自由主義的改革（経済改革）

①奴隷制度の廃止…人道的観点から奴隷貿易（1807），奴隷制を廃止（1833）

②**東インド会社**の貿易独占権の廃止

③**穀物法**の廃止（1846）…大陸から輸入する穀物に関税を課す

④**航海法**の廃止（1849）……1651年に制定された重商主義の象徴を廃止

(3) 19世紀後半の二大政党時代

<table>
<tr><th>自由党（旧ホイッグ党）</th><th>保守党（旧トーリ党）</th></tr>
<tr><td>グラッドストン
▲首相に４回就任。自由主義政策を推進</td><td>ディズレーリ
▲首相に２回就任</td></tr>
<tr><td>①教育法（1870）…公立学校増設を決定
②労働組合法（1871）
…労働組合に法的地位を認めた</td><td>スエズ運河会社株買収やインド帝国成立など帝国主義的政策を推進</td></tr>
</table>

産業革命についての一番シンプルなイメージは，機械で商品をガンガン大量生産することだと思います。では，なぜ大量生産するんでしょうか。

たくさん売りまくって，お金を儲（もう）けて億万長者になりたいから。

まあそうですよね。しかし今までのヨーロッパは「好きなだけ店を出し，商品を作って売る」ことができない社会でした。都市の職人は，ギルドに加盟して親方にならないと店を開けません（▲過当競争で共倒れになるのを防ぐため）。また，仮に工場が建ったとしても労働者は不足しがち。農奴制（▲イギリスに関しては，早期から農奴解放が進んでいた）によって領主に支配された農民には移動の自由がなく，都会へ引っ越せないからです。この状況に風穴を開けたのは1688年に起こったイギリスの**名誉革命**（▲→テーマ15）です。これを通じて**規制や特権が廃止され，私有財産が保障されました**。「好きなだけ商品を売れるぞ➡大量生産しよう➡技術革新だ！」という感じで，産業革命の前提となるマインドが育ったわけです。

さらに，イギリスが他国に先駆けて産業革命を進められた背景として，「5M」という有名な合い言葉があります。① Money（▲資本），② Manufacture（▲マニュファクチュア≒工場），③ Market（▲市場），④ Material（▲資源），⑤ Man（▲労働者）の5つです。

まずは①②から。毛織物産業は，17世紀には政府の保護（▲重商主義）によってイギリスの基幹産業に成長していて，ひと財産を築いた商人は，工場を建てて労働者を集めるようになりました。これが**工場制手工業**（マニュファクチュア）でして，そのポイントは**分業に基づく協業**。まず完成までの工程を**役割分担**（分業▲）することで，特定の作業に専念できて労働者のスキルが向上しますよね。そして，**これらの工程**（▲この細分化された工程が，機械化されていく）**を労働者を集めた一カ所で行うこと**（▲協業）**で，材料や部品を運搬するコスト**と時間を節約できます。イギリスの産業革命前夜，毛織物などの部門ではマニュファクチュアは珍しいものではなく，それなりの生産力を持っていてお金を稼ぎだしてくれていました。このように工場が登場したことで，大きな機械を運用するのに必要な「資源」と「器」ができたわけです。そして，この時期に新しい農法が普及したことでイギリスの人口が増えていて，それが⑤工場労働者の供給源となりました。さらには，イギリスの本国にはこういった機械の原料や燃料となる④資源が豊富にあり，イギリスが持つ広大な植民地は大量生産した商品を売りつける③市場となりました。

では，工業化の具体的な流れを見ていきましょう。インド（マドラス・ボンベイ・カルカッタ →テーマ15▲）に植民地を持っていたイギリスが特産品である**綿布**（キャラコ）を輸入したところ，これがバカ売れ。

肌ざわり，吸湿性，洗濯しやすさ，どれも毛織物より上です。

ウールのセーターは真冬には最高なんですけどね。危機感を持った毛織物業者は，完成品である綿布輸入を阻止しようと画策。すると綿布を扱う業者は「ならば，原料の綿花を仕入れてイギリスで加工してやろう」と考え，**綿工業**
▲寒冷なイギリスでは綿花は栽培できない
の国産化を目指したんです。この工程が機械化されていきました。

ここで大西洋で行われていた**三角貿易**にも目を向けてみましょう。熱帯の西
代表的なイギリス領はジャマイカ▲
インド諸島では**砂糖**が生産され，ヨーロッパの食生活を大きく変えました。ヨ
▲寒冷なヨーロッパでは栽培できず
ーロッパで砂糖消費が伸びると，西インド諸島ではサトウキビ＝プランテーションが拡大し，人手不足が深刻に。そこで，プランターは労働力を補うために，
▲プランテーションのオーナー
アフリカから運ばれて来た**黒人奴隷**を購入しました。その黒人奴隷貿易ですが，当時アフリカの西海岸には「黒人を捕まえて白人に売り飛ばす黒人商人」がいたんです。イギリス商人は黒人奴隷の対価を渡さなきゃいけないわけですが，奴隷商人が欲したのが，**火器**と**綿布**でした。この**アフリカ向け綿布の需要**
▲奴隷狩りに用いる鉄砲
が，綿布の国産化を後押ししました。このように，イギリスは各地域に需要の高い商品を転売して莫大な利益を上げ，これも① Money になるんです。

これらの事情をうけて，綿布生産の部門では下記[1][2][3]の過程で革新的な発明が起こり，大量生産への道が開かれました。

[1]綿の実から種を取り除く ➡ [2]紡績 ➡ [3]織布
▲これは畑で行う　▲綿を紡いで糸にする　▲糸を織って布にする

次に他部門の発明です。採掘された鉄鉱石は製鉄する必要があり，機械の原
▲溶かしてゴミを取り除く
料として鉄需要が伸びると，従来の木炭だけでは燃料が足りなくなったので，
▲森林が伐採され，自然環境が破壊された
ダービー父子が**コークス**で製鉄する技術を編み出します。蒸気機関のおおもと
▲石炭を蒸し焼きにしたもの
は，ヤカンに水を入れて沸騰させた時などに飛び出す蒸気。蒸気の力を**回転運動に変換**させたことで，蒸気機関は機関車や船の動力となり，ヒトの移動やモノの輸送に革命を起こしました。回転運動に変えたのが**ワット**，蒸気船を発明したのが**フルトン**，蒸気機関車を実用化させたのが**スティーヴンソン**です。

工業化が進む過程で，**「社会全体，生活様式，人間の精神のあり方」までもが変化**しました。まず，新興工業都市が生まれます。綿工業の**マンチェスター**，鉄鋼業の**バーミンガム**が有名で，マンチェスターで作られた綿布の積出港が**リヴァプール**。イギリスは圧倒的な生産力を誇り「**世界の工場**」と呼ばれました。

また，２種類の新階層が登場します。まずは工場のオーナー**（産業）資本家**。そして資本家に労働力を提供して給料を受け取る**労働者**。複雑な作業は機械がやってくれるので，健康な肉体があればスキルがなくても労働者として勤務できました。多くの人が応募できるので，資本家は「お前の代わりなどいくらでもいる！」と強気の態度に出て，**労働者は低賃金＆長時間という劣悪な条件で**
女性や子どもはさらに安い賃金で働かされた▲
働くことを強いられました。

工業化は人間の生き方も変えました。労働者は製品の現物支給ではなく，時間給で働きます。（生産に多くの人間が関わるので，商品そのものをうけとれない▲）資本家は「払った給料分はしっかり働いてもらうぞ」と考え，「遅刻や早退をするな」「勤務時間中はサボるな」と，画一的な時計の**時間に従う規律**を求めました。時計の刻む時間に従って生活するという，現代に通じる価値観が社会全体を覆っていったんですよ。これが「近代」の一側面です。また，今までは家で働いていた男性が工場へ「通勤」するようになり「男性は仕事，女性は家庭」という**性別役割分業**が定着したのも大きな変化ですね。（▼女性の家庭外労働は家事と同等とみなされたので，低賃金となった）

劣悪な待遇に苦しむ労働者は，「生産手段（▲工場）を所有する資本家が労働条件を決めているから，労働者は苦しんでいるんだ。ならば，我らが生産手段を奪って，労働者の手で共同で運営しよう。自分で労働条件を決めるのだから，待遇は良くなる！」と考えました。生産手段は資本家の私有財産ですから，このアイディアを突き詰めると「**私有財産を皆で共有しよう**」という考えになる。これが**社会主義**ですね。

初期の社会主義者（**オーウェン**など）は，細部に違いこそあれ，**工場を経営する資本家と労働者が協調して理想的な社会を築く**ことを想定しました。本来ならば労働者を搾取する立ち場の資本家も労働者と手を取り合っていける，ということです。これに対して**マルクス**と盟友**エンゲルス**は，社会主義思想を「科学」といえる水準にまで高め，理論化しました。エンゲルスは従来の社会主義者たちを，批判的な意味を込めて「**空想的社会主義者**」と呼びました。「実現する見込みのない理想郷（ユートピア）みたいな夢物語を語るなよ」と，切り捨てたのです。

確かに，労働者を人道的に労（いたわ）る資本家なんて，レアな存在ですよね。

マルクスは人間の歴史にも科学的な法則があると考えました。ごく簡単に言えば，「経済・生産力が発展しても，既存の社会システムはそれに対応できず，商品の大量生産ができない。そこで社会変革（反乱・革命）が起こって，システムがより高度に変革されていく」というモノ。例えば中世封建制下でAさんが大量生産ができる新しい機械を発明したとしても，ギルド（▲テーマ6）が生産量・販売量までを牛耳っているため，Aさんは大量生産ができません。市民革命によってギルド的規制が排除されると，Aさんは大量生産が可能になるわけですね。マルクスがすごいのは，**彼が生きていた19世紀半ばの資本主義社会に対してもこの法則をあてはめ，未来の社会を提示（≒予言）したことです。**

労働者による共産主義革命は，全ての国家でいつか必ず実現する（世界革命）

第4章 近世のヨーロッパ（〜市民革命）

革命の成功が約束されているわけですから，この理念は労働者にとって心強い拠り所になりました。逆に資本家はたまったもんじゃない。資本主義国が共産主義を徹底弾圧したのは，こういった事情によるのですね。なお19世紀後半以降は，「社会主義≒共産主義」とざっくり考えていただいて結構です。

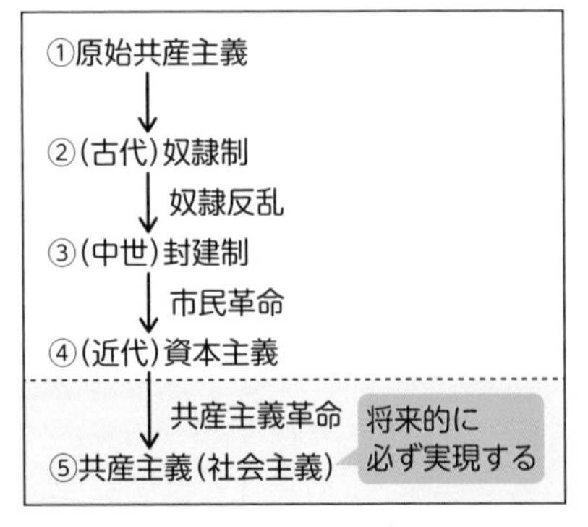

今までお話ししたような工業化のうねりが押し寄せつつあった頃，ヨーロッパ全体はどのような状態だったのか，を見ていきましょう。ナポレオン戦争をうけて自由主義・国民主義(ナショナリズム)が席巻したヨーロッパは，国王にとってはずいぶん居心地の悪い空間になってしまいました。ナポレオンが没落すると国王ら保守派は「この機を逃すな！」と力を合わせてヨーロッパ全体をフランス革命前の状況に戻そうとしました。これが**ウィーン会議**です。主役はオーストリアの**メッテルニヒ**。オーストリアは領内に多くの民族を抱える**多民族国家**で，ナショナリズムが広がればハプスブルク帝国は空中分解の危機にさらされますから，彼は30年余りの間，自由主義・ナショナリズムの火消しに奔走しました。

ウィーン会議の第一の原則は，フランス外相**タレーラン**が唱えた**正統主義**です。フランス革命前の主権・領土こそが，あるべき正統な状態である（**＝フランス革命によって高揚した自由主義とナショナリズムも認めない**）と主張しました。第二がイギリスが主張した**勢力均衡**。戦後，ナポレオンが征服した領土を適切に配分して大国の均衡を保とうとしました。しかし，各国代表は領土の

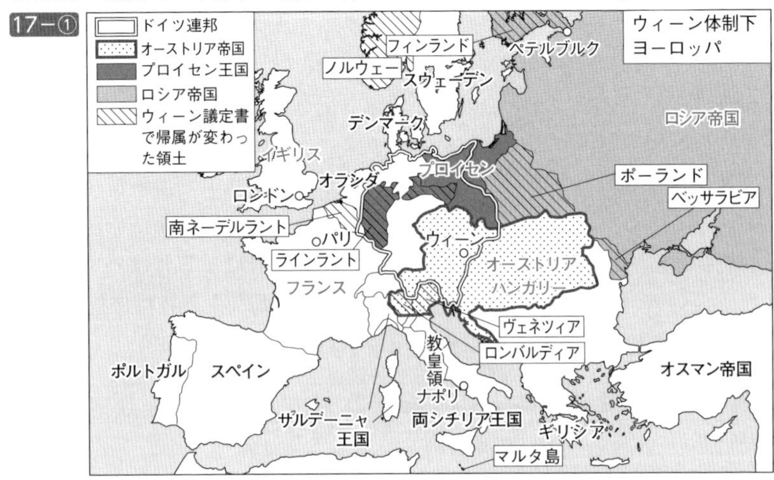

分け前をめぐってエゴをむき出しにし，会議は紛糾。「会議は踊る，されど進まず」は，これを風刺した言葉です。
舞踏会で友好を深めるが，審議の方は進まない▲

ナポレオンが流刑先のエルバ島を脱出した知らせを聞き，慌てた各国は妥協して領土問題を整理し，ようやく**ウィーン議定書**に調印しました（地図17－①）。こうして構築された，保守反動の秩序が**ウィーン体制**です。ウィーン体制下では，**神聖同盟**や**四国同盟**に見られるように国王たちは互いの友情を大切にしました。体制を揺るがす革命・暴動がどこかで起こったら，国王同士で協力して対処しなければいけませんからね。しかし，ヨーロッパ中がナポレオン戦争で味わってしまった自由主義とナショナリズムの記憶は，早々には消えませんでした。人々は，保守派によって取り上げられてしまったこれらの理念を渇望(かつぼう)し，ドイツの**ブルシェンシャフト**など各地で運動が起こりました。とはいえ，**メッテルニヒ**を中心とする保守派の牙城(がじょう)は固く，全て鎮圧されてしまいます。

しかし，国王たちの手をかいくぐって体制から離脱する勢力が現れ始めます。ナポレオンが広めた自由主義，なんと海を越えて中南米にも伝わったんです。当時，中南米植民地の人々は本国に搾取されてましたから，「俺たちが一方的に搾取されるのは自由・平等の精神に反する！」と立ち上がりました。

中南米の大半はスペインの植民地でしたが，カリブ海の**サン＝ドマング**（▲イスパニョーラ島の西半）はフランス領。ここにはフランス革命精神がダイレクトに注入された関係で，まっさきに独立運動が起こります。しかもユニークなのは**黒人奴隷**だった**トゥサン＝ルヴェルチュール**が独立運動を主導した点です。彼はフランスに捕らえられて獄死してしまいますが，1804年に**中南米初の独立国ハイチ**が成立しました。

スペイン領で独立の主体となったのは**クリオーリョ**と呼ばれる植民地生まれの白人でした。ナポレオンのスペイン征服によってスペイン本国が動揺したことも，独立運動の追い風になりました。**ボリバル**や**サン＝マルティン**らが独立を指導しましたね。またポルトガル領だった**ブラジル**では，ナポレオン戦争を逃れて来た王子がそのまま皇帝になって，**帝政**が敷かれました。サッカー好きの方はご存知と思いますが，南米諸国の公用語としては圧倒的にスペイン語が多いなかで，ブラジルではポルトガル語が公用語に定められていますね。

これらの独立運動に対し，ウィーン体制を代弁する**メッテルニヒ**は当然ながら猛反対。しかしアメリカ大統領**モンロー**が，**ヨーロッパ大陸とアメリカ大陸の相互不干渉**（両大陸は，お互いに手出しをせずに放置すること）を主張し，間接的に中南米の独立を支援しました（合衆国もヨーロッパ側からの度重なる干渉にウンザリしていたのと同時に，「西半球（▲アメリカ大陸）を自分の勢力圏にしたい」という下心があったようです）。これがアメリカの外交方針である**孤立主義**ですね。さらに，産業革命を進めていたイギリスは，**中南米をスペインから切り離して**

自国製品の市場にしようと考えており，独立を支持しました。これにはさすがのメッテルニヒも干渉を断念せざるをえませんでした。

これら中南米諸国の独立はまだ海を隔てた「対岸の火事」でした。でもついに，ヨーロッパ大陸で独立を果たした国が登場。それが**ギリシア**（地図17－①）なんですが，ラッキーだったのは英・仏・露が支援してくれたことでした。

あれ。独立を支援って，ウィーン体制の理念に反してませんか？

そう，色々事情があったんです。まずは保守反動の代表格であるはずの**ロシアがギリシアを支援**。ギリシアを支配下に置いていたオスマン帝国の領土に並々ならぬ関心を抱いていたロシアは，オスマン帝国を叩（たた）いて何か果実を得ようと考えたのです。ロシアだけに美味しい思いをさせるか！と英仏もギリシア&ロシア側で参戦します。さらに，**ギリシアはヨーロッパ人にとっては「文明の故郷・源泉」**であり，文化人を筆頭として独立に同情的な意見が多数を占め，ギリシアを支援しないと…，という空気になっていたんですね。

つまり，ウィーン体制よりも領土拡大を優先させた▲

続いて革命の「震源地」フランスです。ウィーン会議の結果，20年前に処刑されたルイ16世の弟**ルイ18世**が即位しました。ブルボン復古王政は絶対王政に戻ったわけではなく，形だけの議会は存在していました。ただ民衆は政治からは蚊帳（かや）の外で，その不満は続く**シャルル10世**の時代に爆発します。激しい3日間のバリケード戦の末，シャルル10世は亡命！「さあ新しい政府をつくるぞ。**もちろん共和政で**」と民衆が準備を始めるのですが，これを快く思わなかったのが銀行家などの大富豪たちでした。**民衆に主導権を渡したくなかった彼らは，王族ルイ＝フィリップを王に担ぎ上げ，新たな王政をスタートさせてしまいます**。つまり，革命後も王政が続くことになったんですね（**七月王政**）。民衆は納得いきません。自分たちが命を張って王を倒したのに，富豪にオイシイところだけ持っていかれてしまったのですから。七月王政は，民衆の不満が渦巻く中での船出となりました。このように「消化不良」な七月革命ですが，シャルル10世が打倒された情報は各地に伝わり，**ベルギー**（地図17－①の南ネーデルラント）はオランダから独立を達成しました。少しずつですが，保守派が抑えきれない国が確実に増えてきています。

ルイ18世は，自由主義にある程度の理解は示した▲

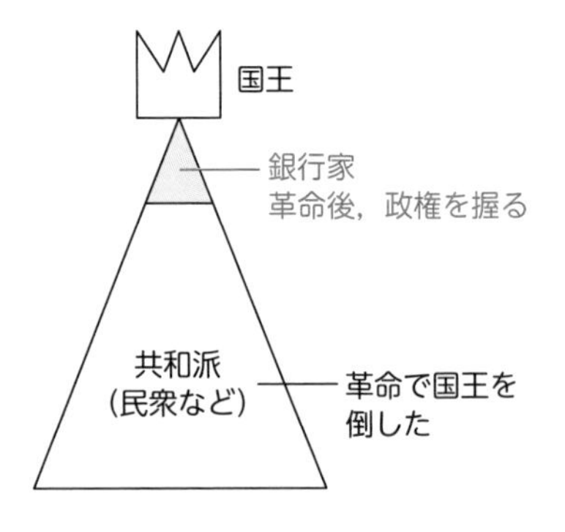

案の定，銀行家が主導する七月王政では厳しい**制限選挙**が敷かれました。で

▲有権者は国民の1％以下

も従来との大きな違いは，政権の中枢にいたのが銀行家という「ビジネス界」の人間だったこと。彼らの意向で，鉄道網が整備されるなど**産業革命が加速**したんです。パリでも**資本家と労働者という階層の存在が明確になってきました。**

存在感を増した中小資本家と労働者は選挙権を激しく求めて，政府による取り締まりに対し，パリの人々が立ち上がりました。戦いの末，18年前と同じく国王を追い出し，18年前とは違って共和政に移行しました（**二月革命**）。革命後の臨時政府には労働者の利益を代弁して**社会主義者ルイ＝ブラン**が参画しました。彼の提案で，失業者に職を与える名目で**国立作業場**が設立され，職（&食）を求める失業者がパリに押し寄せました。そんな大人数の全てに与える仕事などはなく，人手が余ってしまったんですが，**仕事がない労働者にも日当が支給されたん**です。「働かなくてもカネがもらえる！」と，国立作業場の登録者数は当初の１万２千人から５月にはなんと10倍の12万人に膨れ上がりました。資本家は「これ，ヤバくね？」と戦慄(せんりつ)します。作業場は「国営」ですから，給料の原資は税金ですよね。税金という形で富裕層（資産家など）から金を集め，それを仕事をしていない労働者に無条件にバラ撒(ま)く…。

ん？　お金持ちの財産を取り上げてみんなで山分け…。これってまさに社会主義じゃないですか。

資本家の警戒が高まった緊張感の中，４月に**普通選挙**が行われました。共和派（資本家），社会主義者とも多くの候補者を立てたのですが，結果は**資本家の圧勝**。社会主義陣営はルイ＝ブランすら落選する惨敗でした。資本家側が勝利したカギ，それはフランス人口の８割を占める農民が握っていました。フランス革命で領主から解放されて自作農となった彼らはすっかり現状に満足してしまっていて**「何より俺の土地が第一なので，土地所有権を揺るがすような騒ぎは勘弁してください」**と考えるようになっていたのです。社会主義になれば私有財産は否定されて土地は没収されてしまう。これ，農民が最も恐れることなわけで，怒れる農民はこぞって資本家に投票したのでした。

革命・内乱▲

選挙に勝った共和派（資本家）は，国立作業場の閉鎖を決定しました。「俺たちのオアシスを返せ！」と逆ギレした労働者が暴動（**六月蜂起**）を起こすと，ついに資本家の我慢は限界に。軍を動員して暴動を鎮圧し，**ここに資本家と労働者の協力は終わりを告げました**。この点において，**1848年**という年は大きな節目になりました。ただし蜂起が鎮圧されたとはいえ，労働者の力が衰えたわけではありません。資本家は「利益を求めて工場を拡大すればするほど労働者も増える」というジレンマを抱えることになり，労働者との上手なつき合い方を模索していきます。また，革命が起こった1848年は**マルクス**が**『共産党宣言』**を発表した年でもあり，興味深い偶然ですよね。
▲共産主義の実現を「予言」

そして，フランス二月革命の知らせはヨーロッパ中に伝わり，各地で自由主義とナショナリズム運動が高揚しました。これが**「諸国民の春」**です。オーストリアで起こった三月革命によって**メッテルニヒ**が亡命し，ここに**ウィーン体制は崩壊**しました。このポイントはp.138のコラム２でお話しします。

フランスに話を戻すと，1848年末の大統領選挙ではどんな階層の人が当選したと思いますか？　唐突に登場するんですが，ナポレオンの甥(おい)っ子**ルイ＝ナポレオン**でした。二月革命を機に亡命先から帰国して，抜群の知名度と，他候補の決め手のなさもあって選挙に勝利しました。1852年の**国民投票**によって皇帝**ナポレオン３世**となり，フランス**第二帝政**が成立しました。ちなみにナポレオン２世は？という疑問について。ナポレオンには息子がいて，1815年に２週間だけ名目上の皇帝となりましたがその後，21歳で死去しました。
▲ナポレオンの直系は途絶えた

一方のイギリスでは，フランス革命のおよそ100年前，イギリスでは**名誉革命**が起こっていたものの，実情はフランスとは大きく異なっていました。王政は維持され，国民の自由・平等が明言されたわけでもなく，厳しい制限選挙が敷かれました。**ただ，議会立法によって平和的に改革が行われるようになったのは大きな一歩でした。**イギリスでは，社会の要請に応じて柔軟に改革が進んでいきます。ナショナリズムの高揚もフランスほどの激しさはなく，ジワリジワリと国民国家を成熟させていきました。
▲1688年
▲あくまでも議会＞国王

名誉革命当時はまだ産業革命は本格化しておらず，**地主**(ジェントリ)層主導の社会で選挙権も彼らの手中にありました。18世紀半ばくらいから工業化が進んでいくと，**産業資本家層と労働者階層が出現し，選挙政権を要求するようになりました。**この要請をうけて，1832年の**第１回選挙法改正**によって**産業資本家**に選挙権が認められました。ちょっと話が脱線しますが，**工業化の進行は農村から都市への人口移動を促し**，農村人口が激減。しかし選挙区の区割りは従来のままだったので，有権者がほとんどいない**腐敗選挙区**が生じてしまいました。第１回選挙法改正では選挙区の区割りが見直され，腐敗選挙区も廃止されました（現代の日本でいう「一票の格差」がとてつもなく大きかった，とも言えます）。一方，都市では人口集中によってスラムや労働者街が形成され，**生活・衛生環境の悪化が深刻な問題に**（特に厄介だったのがコレラの流行）。これに対処するために上下水道などインフラ整備も進みます。
▲簡単に票を買収できるため，こう呼ばれる
▲当時，予防医学が発達したことも大きい

話を選挙法改正に戻すと，第１回選挙法改正で選挙権を得られなかった労働者は選挙権を求めて大騒ぎ。彼らが要求を人民憲章(ピープルズ＝チャーター)にまとめたことから，**チャーティスト運動**と呼ばれます。その後，**第２回・第３回選挙法改正で労働者に**
▲21歳以上の男性普通選挙，議員の財産資格の廃止，議員の歳費支出，無記名投票など

も選挙権が認められました。なおアン女王（▲→テーマ15）のところでお話したように，手ごろなカロリー源として**砂糖入りの紅茶を飲む習慣が，産業革命期を通じて労働者に定着しました。**茶葉に柑橘（かんきつ）系の香りをつけた「アールグレイ」は，第1回選挙法改正で登場したグレイにちなむとされていますよ。

イギリスが他国に先駆けて産業革命を進め，リードすることができたのは，**名誉革命によって自由な経済活動の道が開けた**からでしたね。19世紀に入ると，最後の総仕上げとして，残っていた規制を一掃します。世紀の初頭には人道的観点から**奴隷貿易**が，のちにイギリス領ジャマイカなどで奴隷制そのものが廃止されました。そして**東インド会社の貿易独占権**も廃止。アジアとのオイシイ貿易を，政府とつるんだ国策会社が独占するな！ということです。

ここで話をナポレオン戦争に戻しますと，ナポレオンの大陸封鎖（▲→テーマ16）によって穀物の輸入がストップ。「ナポレオンめ，許せん！」となるところですが，**穀物が不足して価格が高騰したため，地主層（ジェントリ）は穀物生産で巨利を得た**んです。

地主は内心「ナポレオン最高！」ってウハウハなんですね（笑）。

しかしナポレオンが没落すると封鎖が解かれ，再び穀物が流入。大陸封鎖中の甘い思い出を忘れられない地主層（ジェントリ）は，**穀物法を制定**して**輸入穀物に関税を課**すことで輸入を抑制したんですね。これに資本家が猛反発。理由としては，**安価な穀物が輸入されれば労働者の食費が安くなり，資本家は労働者の給料を抑制できる，**といったリアルな事情がありました。反穀物法同盟の運動もあって，1846年に穀物法は廃止されました。そしてクロムウェル政府が制定していた重商主義的な**航海法**（▲→テーマ15）も廃止され，国内での自由貿易体制が成立しました。

また，**工業化の先頭を走るイギリスが誇る安価で良質な製品は，公平な条件（すなわち自由貿易）なら絶対に負けず，自由貿易というルールが好都合**だったため，イギリスは世界各地に自由貿易を押しつけました。

このように19世紀中葉のイギリスは，経済的繁栄と社会的安定を享受しつつ，国際的覇権を握りました。この時代が「**パクス＝ブリタニカ**」（▲ローマ帝国の全盛期を示す「パクス＝ロマーナ」にちなむ）です。その時代の象徴が**ヴィクトリア女王**（▲即位してからの半世紀間を覇権の時代とする見方が有力）。彼女の治世の後半は，**保守党**と**自由党**による二大政党時代を迎えました。代表する首相が**ディズレーリ**と**グラッドストン**です。ディズレーリの代名詞である帝国主義政策は，**テーマ20と21**で扱いましょう。グラッドストンは国内改革に尽力。初等教育を充実させる**教育法**によって，国民国家に適応できる国民育成（▲ナショナリズムを持ち，工業化社会の規律を守る）を目指します。また**労働組合法**と**第3回選挙法改正**で労働者の権利も大きく伸びました。

コラム2 column 1848年以降の，君主たちの変化

フランスの二月革命に刺激された，諸民族の革命や独立運動（「諸国民の春」）は悉（ことごと）く鎮圧されてしまいました。「あれ？」と思った人もいるでしょう。革命や独立運動が成功してハッピーエンド！　ではないんです（**国王が打倒されたのはフランスだけ**）。保守派が革命を潰したのに，なぜウィーン体制が崩壊したと表現するのでしょうか？　国王目線で考えてみます。

①保守派は，もはや国民の意向を無視した統治はできないことを悟った ②圧倒的な工業力を誇るイギリスに対抗するために，国民国家を容認

①1848年，保守派の勝利は紙一重。例えばオーストリアではメッテルニヒは亡命し，皇帝も一時ウィーンから脱出する事態となりました。「次の革命では，今度こそ負ける…。**国民に譲歩してある程度は自由・平等を認め，王政を維持した方が利口だ**」と考える国王が，この時期に次々と現れるようになったんです。

続いて②ですが，自由主義が抑圧されたウィーン体制の間，**イギリスは自由主義を謳歌（おうか）して，圧倒的な工業力を手に入れました**（これをフランスが追走）。安価・良質なイギリス製品は各国の市場を席捲（せっけん）し，国王に「イギリス製品によって我が国の産業は壊滅してしまう。完全に周回遅れだ…」という危機感を抱かせました。そして，「**英仏とこれから渡りあっていくには，両国のように自由主義やナショナリズムを認めて、国民国家へ向かうしかないか…**」という結論に至りました。国民国家という枠組みは，覇権国家イギリスに続いて，「上から」すなわち政府主導で経済を保護・育成して工業化を実現するという喫緊（きっきん）の課題に対しても有用だったのです。また**戦時など国民の求心力が必要な事態において，ナショナリズムがもたらす愛国心が国力増強に有効だった**ことは言うまでもありません。図で表すと，下のような感じです。

イギリスが工業化を進め，経済覇権を握る		
ナポレオン戦争 自由＆国民主義が拡大	ウィーン体制下で国王は 自由＆国民主義を抑圧	国王が 自由＆国民主義を容認
	1814	1848

整理すると，ウィーン体制の崩壊とは，「国王が革命で打倒されて」ではなく「国王が国民国家を容認して」旧体制が否定された，ということなんですね。こういった，君主主導で「上から」国民国家建設を模索する国家としてはイタリア・ドイツが代表格（考え方によってはロシアも）。これらの国のポイントは，**国王は自ら改革を進めつつも権力を極力キープしようと考え，決して国民に「主役の座」を譲り渡そうとしなかった**点ですね。

テーマ 18
19世紀のフランス・イタリア・ドイツ・ロシア

1 フランスではナポレオン3世が皇帝となるが，彼の退位後に民主政が定着

(1) フランス第二帝政（1852～70）…**ナポレオン3世**の支配

①資本家と労働者の均衡のもと，利害の異なる各勢力の支持を基盤とした
▲軍部・資本家・労働者・農民

②**積極的な対外政策によって国民の不満をそらし，皇帝の威信高揚を図った**

・クリミア戦争，アロー戦争，インドシナ出兵，イタリア統一戦争など

・**メキシコ出兵**（1861～67）に失敗　➡支持が急落

・**プロイセン＝フランス（普仏）**戦争（1870～71）で捕らえられ，退位

(2) フランス第三共和政

①**パリ＝コミューン**（1871）…**世界初の労働者による自治政府**
▲≒社会主義的

➡資本家を基盤とする臨時政府によって崩壊

②第三共和政の成立…**対ドイツ報復の風潮**が強く，右翼・軍部が台頭

③**ブーランジェ**事件（1887）…ブーランジェ将軍によるクーデタ未遂

④**ドレフュス**事件（1894）…ユダヤ系軍人を逮捕した冤罪（えんざい）事件

2 バラバラだったイタリア半島を，サルデーニャ王国が統一した

(1) **サルデーニャ王国**の情勢　首都：トリノ
▲イタリア産業革命の中心ピエモンテ地方を領有

①国王**ヴィットーリオ＝マヌエーレ2世**(位1849～61。1861～78はイタリア国王)

②首相**カヴール**…産業振興を推進
▲任1852～61

(2) **イタリア統一**戦争（1859）…フランスの支援を受け，オーストリアからロンバルディアを獲得

(3) **中部イタリア**併合（1860）
▲パルマ・モデナ・トスカナの3君主国

(4) **両シチリア王国**（1860）…**ガリバルディ**がサルデーニャ王に献上

(5) **イタリア王国**の成立（1861）
▲統一直後にカヴールは急死

(6) **ヴェネツィア**(1866)…普墺戦争で獲得

(7) **ローマ教皇領**（1870）…**普仏**戦争に乗じ併合

18－①

(8) **「未回収のイタリア」**…**南チロル・トリエステ**など
▲住民はイタリア系だが，オーストリアが領有

3 バラバラだったドイツを，プロイセン王国が統一した

(1) ドイツ連邦の成立（1815）…ウィーン議定書によって

(2) **（ドイツ）関税同盟**（1834年発足）…ドイツが経済的に統一される

(3) ドイツ三月革命…フランス二月革命の影響

①オーストリアの**ウィーン三月**革命（1848.3）…**メッテルニヒ**は亡命

➡**ウィーン体制は崩壊**。しかし，皇帝が弾圧に転じて完全に鎮圧

②プロイセンの**ベルリン三月**革命（1848.3）…皇帝が憲法制定を約束

③**フランクフルト国民議会**（1848～49）…ドイツ統一はならず

(4) プロイセン国王**ヴィルヘルム１世**と宰相**ビスマルク**主導のドイツ統一

①**プロイセン＝オーストリア（普墺）**戦争（1866）…プロイセンが勝利

・北ドイツ連邦（1867）…プロイセンを盟主として成立
▲ドイツ連邦は解体　一方で南ドイツはプロイセン主導の統一に反発▲

・**オーストリア・ハンガリー**帝国の成立（1867）

②**プロイセン＝フランス（普仏）**戦争（1870～71）…プロイセン軍が勝利
▲バイエルンなどの領邦も協力

・**ドイツ帝国**が成立…**ヴェルサイユ宮殿**で統一式典が行われた
▲バイエルンなど南部4邦が加わった

・講和…ドイツは**アルザス・ロレーヌ**，賠償金50億フランを獲得
▲鉄・石炭などの資源が豊富

(5) ドイツ帝国の状況

①プロイセン王を皇帝，プロイセン首相を帝国宰相と規定
▲ヴィルヘルム１世（位1871～88）　▲ビスマルク（任1871～90）

②皇帝と宰相への権力集中…**宰相は皇帝に対してのみ責任を負う**
▲責任内閣制ではない

③ビスマルクの内政

・**文化闘争**…西南ドイツのカトリック勢力とビスマルクの対立

・社会主義への対策…「**飴と鞭**」で**労働者を社会主義から切り離す**
▲ドイツ社会主義労働者党

・**社会主義者鎮圧法**

・**社会政策**の実施
▲災害保険・疾病保険・養老保険

・産業の育成

…**保護関税法**(1879)

➡重工業が発展し，20世紀初頭にはアメリカに次ぐ**世界２位の工業国**に成長

4 ロシアは「上からの改革」を行う一方で革命運動にも直面

(1) **アレクサンドル２世**（位1855～81）による**農奴解放令**（1861）

①ロシアの工業化の出発点となった

②一方で農地の分与は有償であったため，改革は不徹底
▲貴族に補償金も支払われた

(2) **ナロードニキ**（人民主義者）による運動
▲「ヴ＝ナロード（人民の中へ）」に由来

➡農民の無関心や，政府による弾圧で挫折

5 ロシアは不凍港を求め，各地で南下政策を推進

(1) 東アジア…アイグン条約（1858），北京条約（1860）

(2) 中央アジア・イラン…ウズベク３ハン国やアルメニアに進出

(3) 地中海東部…「東方問題」

①**ギリシア独立戦争**（1821～29）に介入
▲→テーマ17

②**エジプト＝トルコ**戦争（1831～，1839～）に介入

・**ムハンマド＝アリー**率いるエジプトが，オスマン帝国から事実上独立

③**クリミア戦争**（1853～56）で敗北

・パリ条約（1856）で黒海が中立化され，ロシアの南下は後退

④**ロシア＝トルコ（露土）戦争**（1877～78）に勝利

・**サン＝ステファノ条約**…ブルガリアを経由し地中海への南下を実現

➡イギリス・オーストリアが猛反発したため，ビスマルクが調停
▲「誠実な仲介人」

・**ベルリン**会議・条約（1878）

・イギリスとオーストリアは領土・権益を拡大
・ロシアの南下はまたしても挫折

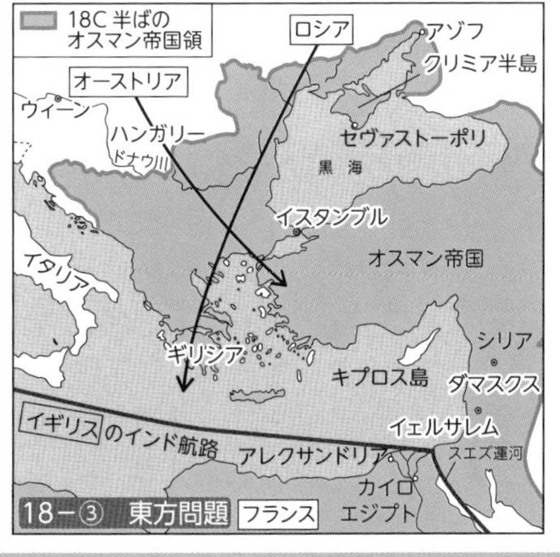

18－③ 東方問題

18－④ サン＝ステファノ条約

第5章 近代の世界（19世紀～第一次世界大戦）

本講はまず，時系列に沿ってイタリア・ドイツ・フランスの状況を同時進行で見ていこうと思います。イタリアは**カロリング朝**断絶以降，ドイツは中世から**ウェストファリア条約**にかけてバラバラになりました。そして**ナポレオン戦争でナショナリズムを刺激されて統一の機運が高まった**，という共通点があります。**テーマ14**でもお話ししたように，ドイツの状況を日本に例えるならば「都道府県がそれぞれ別々の国になってしまった」ようなモノです。

▲875年 →テーマ5

▲1648年

その中で強大だった都道府県（ドイツでは領邦と言います）が，東京に相当するオーストリアと，大阪に相当するプロイセンでしたね。右図のようなイメージです。

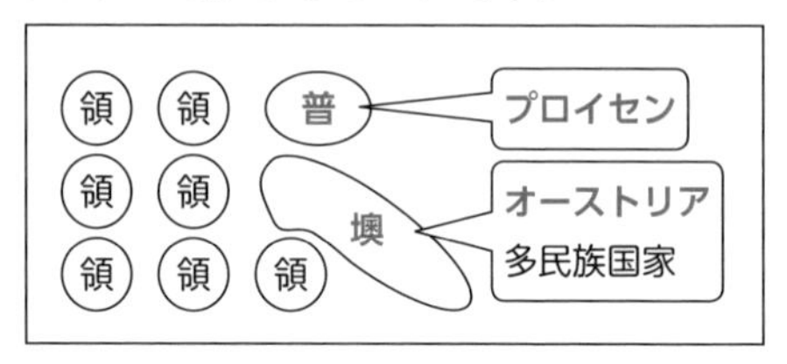

ウィーン体制で成立したドイツ連邦は「領邦の仲良しクラブ」とでも言うべき存在で，35の領邦が独立していることを前提としていました。ウィーン体制下では各地で自由と平等を求める革命運動が起こりましたが，国王は当然これらを圧殺…。こんなドイツにおいて統一の節目となったのが**ドイツ関税同盟**。領邦間の関税を撤廃し，また外国からの輸入品に共通関税を課せる体制が整えられました。日本で例えるなら，今までは商品を他の都道府県に運ぶたびに関税が上乗せされていたんですが，これを撤廃したということです。

そして1848年から49年にかけて。フランス二月革命に刺激され，イタリアでも民族運動が高揚！　ここでp.138のコラム２で紹介した「国王が主導して国民国家を目指す」タイプの**サルデーニャ王国**が登場しました。ウィーン会議で「異民族」オーストリア領となっていた**ロンバルディア**と**ヴェネツィア**を，イタリア人の手に取り戻すべく作戦を練ります（地図**18−①**）。

一方，オーストリアでは**ウィーン三月革命**で**メッテルニヒ**が失脚し，**ウィーン体制は崩壊**しました。ベルリンでも革命騒ぎが起こり，オーストリアもプロイセンも自由主義的な改革を一時的に容認して国民をなだめようとしました。そして各領邦の代表が一同に会してドイツ統一を話し合う**フランクフルト国民議会**が開かれます。ここで争点となったのは，領邦の双璧（そうへき）であるオーストリアとプロイセン，どちらをドイツの中心に据えるか？という問題でした。オーストリアを中心とするのが**大ドイツ主義**で，この場合は，多民族国家であるオーストリアは領内の異民族支配を放棄する必要があります（「ドイツ民族」の国家を創るのに，スラヴ人とかがいたら奇妙ですもんね）。オーストリア政府は領土の削減を嫌ってドイツ統一には及び腰に。結果，プロイセン主導で統一する**小ドイツ主義**が採用されました。そして，国民議会で練った憲法をプロイセン国王に提出するのですが，**プロイセン王は憲法受け入れを拒む**のです。

国王ではなく国民主導である点がポイント▼

▲ベーメンは除く

なぜですか？　国民の方は王政を認めてくれているのに。

またまたコラム２の内容です。国王が容認する体制は「ある程度の」自由主義であって，**決して国民に主導権は渡しません**。でも国民議会がつくった憲法では，**国王権力は骨抜きにされ国民が主導権を握る内容だった**んですね。

フランスに目を向けてみると，1852年に皇帝**ナポレオン３世**が即位。家柄だけでほとんど実績がない彼がどのように帝政を確立できたのか考えてみます。ここで，**二月革命の成功は資本家と労働者の協力あってのもの**だったことを思い出してください。今回も両者が協力すれば，皇帝を倒せたかも。でも，**六月蜂起で両者の関係は冷えきっています**から「手を取り合って革命だ！」とはいかないんですよ。この環境こそが，ナポレオン３世が帝政を敷けた一因です。そして，彼にとっての人気の源は，「ナポレオン１世時代の栄光」，つまり戦争であることは言うまでもありません。**華々しい勝利を重ねて，皇帝独裁に対する不満を封じ込めようとしました。**

▲→テーマ17

同じ頃サルデーニャでは，**カヴール**が国王**ヴィットーリオ＝エマヌエーレ２世**から首相に抜擢されました（地名がいろいろ出てきますので，地図18－①でご確認を）。彼は大国オーストリアに対抗できる同盟国を求めます。

助けてくれそうなのは…。戦争で人気取りをする，ナポレオン３世！

その通り。カヴールはフランスとの同盟に成功し，満を持して地図中の②**ロンバルディア**へ侵攻！　これが**イタリア統一戦争**です。フランス軍のサポートもあってサルデーニャ軍はオーストリア軍を撃破し，そのまま③**ヴェネツィア**まで快進撃ィ～と行きたかったんですが，ここでフランスが援助を打ち切って突如撤兵。小国サルデーニャは，ヴェネツィアを泣く泣く諦めることに。

▲サルデーニャが予想以上に強大化しそうだったため

ナポレオン３世の背信に激怒したのはサルデーニャだけではありません。④**中部イタリア**で民衆が暴発し，「サルデーニャのもとへ集え！」と合流を決議しました。時を同じくして，**ガリバルディ**が動きました。情熱溢れる**千人隊（赤シャツ隊）**を率いて⑥**両シチリア王国**を征服し，サルデーニャ王国の**カヴール**とは逆方向，すなわち**共和政という「下からの」アプローチ**でイタリア統一を目指しました。ここで「両者の仲が良くはない」ことをイメージできますか？「**上から**」統一するサルデーニャ方式は国王が主導権を握り，「**下から**」統一するガリバルディ方式は国民が主導権を握る…。水と油です。緊張が高まる両者

▲例えば，選挙は制限選挙

▲フランクフルト国民議会と同じ構図

ですが，最後はガリバルディが譲歩して，両シチリア王国をサルデーニャ国王に献上し，彼は統一運動の第一線から退きました。

ここに至って，1861年に**イタリア王国**の成立が宣言されました。ただ**③ヴェネツィア**と**⑤ローマ教皇領**はまだイタリア領ではないことに注意です。これと同年，フランスではナポレオン３世が**メキシコ出兵**を敢行しましたが，**メキシコ民衆の抵抗にあって思わぬ苦戦を強いられました**。
▲カヴールは王国成立の直後に病死
▲メキシコの債務の利子不払いを口実として

翌62年，プロイセンでは首相**ビスマルク**が誕生しました。貴族出身でバリバリの保守派ですから「下からの統一」など笑止千万。**戦争でプロイセンの軍事力を見せつけて他の領邦を従わせる**，それが彼のやり方「**鉄血政策**」です。そのターゲットとなったのは，ドイツの中核たるオーストリアでした。ビスマルクはデンマーク領のシュレスヴィヒ・ホルシュタイン（地図18－②）に目をつけ，両地の処遇をめぐってオーストリアを挑発し，戦争に引き込みました（**プロイセン＝オーストリア（普墺）戦争**）。事前に徹底的にリサーチされていたオーストリア軍は総崩れで，プロイセンが圧勝。またイタリアは，プロイセンと同盟を組んで参戦し，オーストリアから**③ヴェネツィア**を奪っていますよ。
▲ドイツ系住民が多い

ドイツ統一も一歩前進です。プロイセンは自らを盟主とする北ドイツ連邦を結成し，北方の領邦を束ねました。一方のオーストリアでは大敗をうけて，領内の異民族が「今が独立の好機！」と騒ぎ出します。帝国内のドイツ人地域はわずか25%。ヤバイ。ついにオーストリアは妥協しました。異民族の最大勢力で帝国人口の約20%を占める**マジャール人**にだけは自治を与え，オーストリアと対等な地位を認めました。これからオーストリアは，マジャール人と協力して諸民族の独立を抑え込めるようになったんです。これが**オーストリア＝ハンガリー帝国**の構造です。
ハンガリー▲
▲スラヴ系が中心

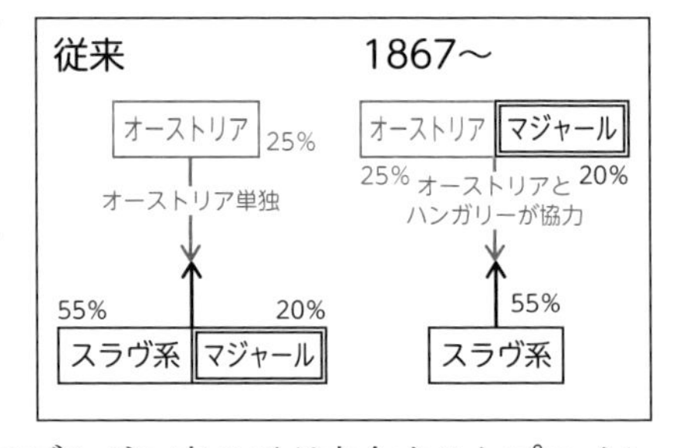

1868年，スペインで革命が起こってブルボン家の王が亡命するとプロイセンの王家である**ホーエンツォレルン家**のレオポルトを王に推戴するという案が浮上し，ビスマルクもこれをプッシュ。これにナポレオン３世が反対を表明します（スペイン王家がホーエンツォレルン家となれば，フランスはプロイセンとスペインに挟まれてしまうため）。そして，この問題をめぐって行われたヴィルヘルム１世とフランス大使の会談で両者が大ゲンカ！　これが新聞を通じてフランスとプロイセンに伝わると両国の世論も激高し，戦争への道筋が開かれたのです！　…なんですが，実はこれ，ビスマルクが会談の内容を大げさに書き立てた結果でして（エムス電報事件），今風に言うならば「話を盛った」
スペイン王位継承問題▲
▲かつてフランスがハプスブルク家に挟まれた状況の再来
▼実は荒れた内容ではなかった

わけです（笑）。なぜこんなことをしたかというと，ビスマルクはフランスとの戦争がドイツ統一の決め手になると考えていました。北ドイツ連邦で北部ドイツは束ねたものの，バイエルンなど**南ドイツ領邦はプロイセンに従うのを拒んでいました**。しかし，かつてドイツを蹂躙（じゅうりん）したナポレオン１世以来の宿敵フランスと戦うとなれば話は別です。ナショナリズムを刺激されてバイエルンも仲間になってくれるでしょう。対して**メキシコ出兵に失敗して支持率がガタ落ち**のナポレオン３世は，なんとしても次の戦争に勝ちたかった。「フランスはプロイセンに宣戦し，南ドイツはプロイセンと仲間になる」という，ビスマルクのシナリオ通りに二勢力とも動いてしまいます。恐るべし。

▲ルター派のプロイセンに対し，カトリック国であったことが一因

▲ドイツに強大な統一国家ができることにも抵抗があった

準備万端のプロイセン軍はフランス軍を包囲してナポレオン３世を捕らえ，退位に追い込みます。パリを占領すると，**ヴェルサイユ宮殿**で**ドイツ帝国**の統一式典を挙行しました。ドイツ国民には最高の，フランス人には最悪の瞬間です。降伏の方針に反発したパリ市民は**パリ＝コミューン**を成立させ徹底抗戦を主張しましたが，フランス臨時政府は**労働者主導のコミューンが社会主義につながることを恐れ**，徹底的に弾圧しました。降伏したフランス臨時政府から，ドイツは資源に富む**アルザス・ロレーヌ**と賠償金をせしめます。なお，教皇領を守っていたフランス軍も戦争に動員され，その隙（すき）にイタリアが⑤**ローマ教皇領**を併合していますよ。ただし⑥**南チロル**や⑦**トリエステ**は，住民の大半はイタリア系なのにオーストリア領にとどまりました。この領土問題は，両国間でくすぶり続けます（**「未回収のイタリア」**）。

▲鎮圧にはドイツ軍も協力

50億フラン▲

敗戦後のフランスでは第三共和政が成立しました。1848年の二月革命の後，ナポレオン３世の帝政など「回り道」を経て，ようやく共和政に落ち着いた…という感じです。この時期，国民は口をそろえて「ドイツに復讐を！」と訴えました。その風潮の中，ユダヤ系軍人がドイツのスパイとして罪を着せられた**ドレフュス事件**が起こり，当時のユダヤ人差別も絡み国論を二分する大騒ぎになりました。ユダヤ人差別についてはp.239のコラム３でお話しましょう。

一方のドイツ帝国ですが，イタリアと同じく**「上からの統一」**ですので，**皇帝と宰相がガッチリ権力を握っています**。帝国議会の議員は普通選挙で選ばれるため，一見民主的に見えますが，**宰相は皇帝に対してのみ責任を負いました**。

▲22の君主国と，３つの自由市からなる

「ビスマルクをクビにできるのは皇帝ヴィルヘルム１世だけ。議会にはそんな権限は認めないよ」ということですね。

ビスマルクが対立した国内勢力も紹介します。まずはルター派のプロイセンに立ち向かうカトリックの中央党（このバトルが**文化闘争**）。次に**社会主義者**。

ビスマルクは「ムチ」の**社会主義者鎮圧法**で徹底的に締め上げる一方，「アメ」の**社会政策**で労働者を懐柔します。この「アメ」は，「**政府が労働者の要求をある程度は受け入れて普通選挙・労働立法などを実現し，労働者を体制側に取り込む**」理念の表れです。保守層・資本家が主導する政府は絶対に社会主義を認めません。でも労働者の要求を無視し続ければ不満が爆発して革命が起こってしまうかもしれない。そこで，労働者が喜ぶ政策をそれなりに提供してあげて「今の政府はいたれりつくせり。社会主義にする必要なんてないや」と，飼いならす＆手なづけた方が得策，ということです。各国で実現する普通選挙や，イギリスの労働組合法も，このコンセプトにもとづいています。
▲→テーマ17

ここからはロシアにスポットを当てて話を進めましょう。ロシアはナポレオンの遠征軍を撃退したことで地位を高め，その陸軍はヨーロッパに名を轟(とどろ)かせます。**ウィーン体制ではロシアはオーストリアと並ぶ保守反動の牙城(がじょう)**となる一方，積極的に南下政策も推進。ロシアの南下政策の目的といえば第一に「**不凍港**の獲得」ですが，19世紀に自由主義思想が流入してツァーリズムへの批判が生じると，「**南下政策（対外戦争）によってツァーリズムに対する不満の矛先をそらす**」という意味も持つようになりました。南下政策が列強間が実際の戦争にまで発展したのは，弱体化が明らかになったオスマン帝国が支配する黒海～東地中海方面でした。この地域における一連の対立を「**東方問題**」と呼びます。各国の利害は以下のような感じで火花バチバチ（地図18－③）。
→テーマ14▲
ロシアはツァーリズムを維持するために戦争を求める，と考えることもできる▲
一般には，ギリシア独立戦争～露土戦争まで▲

- ロシア…**南下政策**の一環として，バルカン半島方面への進出を狙う
- イギリス…**インド航路防衛**のため，東地中海・エジプトを重視
- フランス…ナポレオンのエジプト遠征以来，**エジプト**に影響力を保持
- 〔オーストリア…**19世紀後半以降**，バルカン半島進出を画策〕

まずはウィーン体制で扱ったギリシア独立戦争です。この戦争で存在感を放ったのが，オスマン帝国のエジプト総督**ムハンマド＝アリー**。せっせとエジプトの近代化を進めて帝国内で力をつけると，彼はギリシア独立戦争でオスマン本国を支援した見返りに**シリア**の領有を要求。本国は激怒し**エジプト＝トルコ戦争**に発展しました。エジプトは事実上の独立を果たす一方，抗争に介入して地中海南下を狙ったロシアの野望は，イギリスに阻止されました。
「エジプトのナポレオン」と称される▲

オスマン帝国は，16世紀以来の同盟国フランスに，聖地**イェルサレム**の管理を認めてきました。フランス革命中のキリスト教排斥などの影響で管理権を一旦リリースしたんですが，**ナポレオン３世**が再び目をつけ，管理権を手にします（敬虔(けいけん)なカトリックが多いフランス国民には格好のアピール材料です）。
▲→テーマ12
▲→テーマ16

これにムカついたのが，フランスと入れ替わるような形で，19世紀初頭からオスマン帝国に聖地管理権を認めさせていたロシアです。オスマン帝国は気の毒にも，フランスとロシアに板挟みにされてしまい，ロシアから宣戦されるに至ります。聖地管理権で揉めたフランスは当然として，ロシアの南下を抑えたいイギリスもオスマン帝国側についてロシアに敵対。これが**ナポレオン３世のデビュー戦**となる**クリミア戦争**で，結果は英仏側の勝利。パリ条約で**黒海の中立化**が定められ，ロシアは南下どころか北に押し戻されてしまいました…。
軍艦の航行は禁じられ，海軍基地も廃棄された▲

この戦争中に即位したロシア皇帝**アレクサンドル２世**が痛感したもの，それは絶望的なまでの英仏とのレベル差（射程の長い大砲，蒸気力の軍艦，輸送のためにフル稼働する鉄道，士気の高い兵士）でした。p.117のコラム１でお話した**「国民国家は強い」の法則をまざまざと見せつけられた**新皇帝は，ついに旧体制にメスを入れ，1861年に**農奴解放令**を発しました。農奴に人格的な自由を認め貴族（領主）から解放してあげたんです。農民に移動の自由が認められ，都市に移住して工場労働者に転化した者もいたため，農奴解放令は**ロシア工業化の出発点**と位置づけられています。ただ，これも**「上からの」近代化**です。今回は「ツァーリの権力を維持しよう」というよりは「ツァーリのカワイイ子分である貴族のダメージを減らしてあげよう」というイメージ。具体的には，**土地はタダではなく農民が政府に代金を払う必要があり**，彼らの困窮は続きました。また，議会や憲法といった政治面の改革は手つかずで，この「中途半端さ」を憂いた**ナロードニキ**（人民主義者）が農村からの革命を目指して活動するのですが，徹底的に弾圧されます。
▲ロシアは帆船が中心
▲ロシアは馬車による輸送が中心
▲他にも税制・銀行・財政・通貨などを改革
▲2000万人以上が解放されたとされる
▲政府が土地代を肩代わりして貴族に支払っていたため

対外政策に目を戻すと，クリミア戦争の敗北で地中海への道を塞がれてしまったため，**ロシアは東方へ目を向けました**。中国方面で，**アロー戦争**に苦しむ清につけ込み**アムール川**以北を奪い，さらには頼んでもいないのに講和を仲介して，**沿海州**を獲得。極東の一大拠点**ウラジヴォストーク**を建設します。
▲→テーマ21
▲→P.155

イランから中央アジアにかけてはアルメニアやウズベク３ハン国を征服。イラン方面は**イギリスがインド防衛のために特に神経を尖らせている地域**で，**テーマ20**で再び登場しますよ。
▲黒海とカスピ海の間に位置する

クリミア戦争から20年，オスマン帝国で起こったスラヴ系民族の反乱は，黒海海軍を再建したロシアにとって介入の口実となり，**ロシア＝トルコ（露土）戦争**が起こりました。戦後に**ブルガリア**を**ロシアの保護下**に置くことに成功し，地中海が見えてきました（地図18−④）！　しかし，これに**イギリス**と**オーストリア**が猛反発して，**ビスマルク**が仲裁に入り**ベルリン会議**が開かれました。結果，ブルガリアの領土は縮小されて**オスマン帝国の保護下**に入ることに。ロシアの南下はことごとく阻止されてしまうんですね…。
▲ギリシア正教徒
今まではオスマン帝国領だった▲

アメリカ合衆国の発展

1 独立後，アメリカ合衆国では領土拡大が進んだ

(1) **アメリカ＝イギリス（米英）戦争**（1812～14）

①アメリカがイギリスによる通商妨害に反発して勃発
▲ナポレオン戦争では中立を保っていた

②戦争中にイギリス製品の流入が途絶え，**アメリカでは綿工業が発達**

(2) ５代**モンロー**（任1817～25）大統領…モンロー教書を発表
▲→テーマ17

(3) ７代**ジャクソン**（任1829～37）大統領…**独立13州以外出身の大統領**

①男性普通選挙などの普及に尽力（「ジャクソニアン＝デモクラシー」）

②**先住民強制移住法**を制定（1830）…先住民を保留地へ。「涙の旅路」
▲インディアン ▲チェロキー族の過酷な移動

(4) 領土拡大 ～**フロンティア**の西漸
▲北米大陸における，開拓地と未開拓地の境界

19ー①

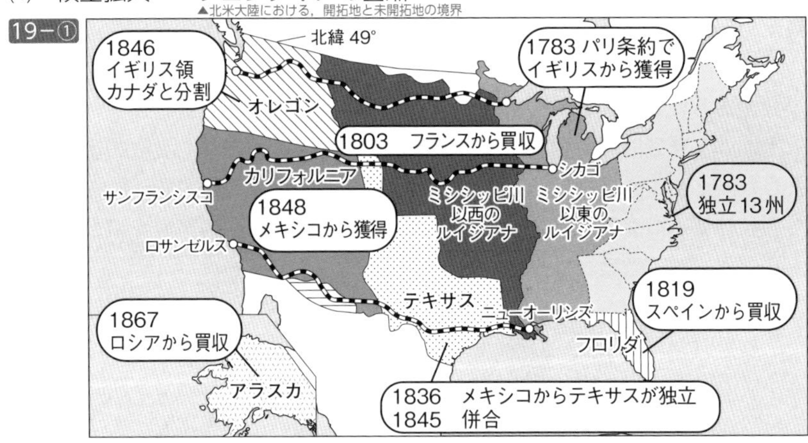

2 19世紀後半，アメリカを二分する内戦が勃発！

(1) 南北対立の構造

	北部　イギリス経済に対抗	南部　イギリス経済に依存
産業	工業が発展	綿花プランテーションが発達
貿易	**保護貿易**を主張	**自由貿易**を主張
政体	**連邦主義**（連邦政府の権限強化）	**州権主義**（連邦政府の権限を制限）
奴隷制	反対	支持
政党	**共和党**を支持	**民主党**を支持

(2) **南北戦争**（1861～65）

①**リンカン**大統領の当選（第16代　共和党，任1861～65）

②**アメリカ連合国**の結成…南部11州が合衆国から脱退　➡開戦

③リンカンの政策

・**ホームステッド法**（1862）…西部の開墾者に土地を無償で分与
▲160エーカー

・**奴隷解放宣言**（1863）…南部の奴隷の法的な自由を保証
▲当時，黒人奴隷は約400万人存在したとされる

④**ゲティスバーグ**の戦い…最大の激戦となったが北軍が勝利

・現地での追悼演説…「人民の，人民による，人民のための政治」

(3) 終戦…北軍が勝利するが，リンカンは南部支持者によって暗殺された

3 南北戦争後の光と影

(1)黒人問題

①奴隷解放後も，南部諸州は州法によって黒人の参政権を制限

②**シェアクロッパー**制…黒人は収穫の1/2～1/3を地主に納めた

③ **KKK（クー＝クラックス＝クラン）**…黒人を迫害する秘密結社

(2) **大陸横断鉄道**の完成…東部の工業製品と西部の農作物などが結びつく
広大な国内市場が形成された▲

(3) 北部の工業の急速な発展

①重化学工業が発達し，19世紀末には世界一の工業国に

②独占資本による，自由競争の阻害などの問題も発生。「金ぴか時代」
「トム＝ソーヤの冒険」で知られるマーク＝トウェインの造語▲

・代表的な独占資本…**ロックフェラー**，**カーネギー**など
▲スタンダード石油　▲「鉄鋼王」と称され，後のＵＳスティールを設立

4 国内開拓を仕上げ，アメリカ合衆国は海外へ進出

(1) フロンティアの消滅（1890年頃）　➡対外膨張政策へ方針転換
モンロー宣言は拡大解釈され，アメリカの中南米進出の口実になった▲

(2) **マッキンリー**大統領（共和党，任1897～1901）

①**アメリカ＝スペイン（米西）戦争**（1898）

…**フィリピン・グアム・プエルトリコ**を獲得

②**ハワイ**を併合（1898）

③門戸開放宣言（1899）
▲→テーマ21

(3)**セオドア＝ローズヴェルト**大統領（共和党，任1901～09）

①中南米に高圧的な**「棍棒外交」**を展開

②**パナマ運河**着工…1914年に完成し，20世紀まで従属下においた
▲アメリカは1999年までパナマを従属下に置いた

③日露戦争で**ポーツマス条約**（1905）を仲介

アメリカ合衆国の初代大統領**ワシントン**は，フランス革命戦争に対し中立の立場を表明し（のちの孤立主義のさきがけ▲），ヨーロッパ大陸諸国との貿易を継続しました。その後，皇帝となったナポレオンはイギリスを苦しめるため**大陸封鎖令**を発しましたが，ヨーロッパ大陸諸国でも日用品が不足してしまいましたよね（▲→テーマ16）。イギリスはこの状況を逆に利用して，アメリカとヨーロッパ大陸の通商を妨害して，一気に大陸諸国を締め上げにかかったんです。でも，こういった通商妨害は**ターゲットではない方のアメリカも苦しめる**ことになりますから「英仏が戦争をするのは勝手だが，中立である我が国を巻き込むな！」と怒ったアメリカが宣戦しました。**アメリカ＝イギリス（米英）戦争**の始まりです。イギリス軍がワシントンD.C. に攻め込んで圧倒するものの，ナポレオンが没落して大陸封鎖が解かれ，イギリスと大陸が貿易を再開しました。すると，米英両国が戦う理由そのものがなくなり，自然消滅的に終戦します。なお，**戦争中にイギリスから工業製品を輸入できなくなったことをうけて，アメリカ北部の工業化がスタート**しました。ところで，アメリカ大統領の官邸はこの戦争中に侵攻して来たイギリス軍の焼き討ちにあい，ひどく損傷してしまいます。黒っぽくなってしまった外装を真っ白に塗装して修復したことから，「ホワイトハウス」という呼称が定着したそうです。

このあと，アメリカは西方に領土を拡大していきます。西部開拓のスピリットを体現した大統領が**ジャクソン**で，彼は**独立13州以外の出身**。当時，独立13州は開発が進んでいき，法律家とか大地主といったエリート層が形成されていました。対してジャクソンは**「西部出身の叩き上げ」であり，庶民目線の政治を行います**（白人男性の普通選挙を普及させ，公立学校を充実させた▼）。他方で，「開拓者」としての側面は**先住民（インディアン）強制移住法**に表れ，先住民はミシシッピ川以西の居留地に追いやられてしまいました。

開拓者が西方へ進んでいくと，メキシコ領にぶつかります。アメリカ人がメキシコにガンガン入植して，メキシコ領のテキサスではアメリカ系住民がメキシコ人を圧倒…。アメリカ系住民はテキサスを独立させて，その後にシレッとアメリカへの合流を求め，アメリカが**テキサス共和国**を併合しました。これにはメキシコもキレた。**アメリカ＝メキシコ（米墨）戦争**が勃発しますが，アメリカに敗れて**カリフォルニア**までも奪われました。その**カリフォルニアで金鉱が発見されて，一獲千金を夢見る者どもが殺到**（**ゴールドラッシュ**）し，西海岸の人口が急増します。とくに1849年に多くの人がカリフォルニアに殺到したことから，「49er's（フォーティーナイナーズ）」という言葉も生まれました。この呼称は，NFL（▲アメリカンフットボールのリーグ）のチームである「サンフランシスコ49er's」というチーム名にも受け継がれています。またこの時期，西部開拓における過酷な作業でも破れない，馬車の幌（ほろ）などに用いる丈夫な生地のズボンがデザインされました。

これが現在のジーンズの起源でして，そのビジネスを立ち上げたのが現リーバイス社の祖であるリーバイ＝ストラウスです。ジーンズが藍色をしているのは「泥がついても目立ちにくい」という理由があるとのことですよ。

東海岸の方では，北部と南部で方向性の違いが明らかになってきました。まず**温暖な南部では，ヨーロッパでは栽培できない商品作物（タバコ・綿花など）を栽培できる**ので，イギリスなどヨーロッパへの輸出でカネを稼げます。一方，イギリス人としては世界一の工業製品をアメリカにも買ってもらいたい。「お互い自由に貿易をしようぜ！　win-win だ」と利害が一致します。

逆に，寒冷な北部は商品作物も栽培できず資源も乏しい…。でも米英戦争の頃から**工業化**がスタートしていて「いつかはイギリスのレベルに追いつきたい…」と高い志を持ちました。そこで**北部は合衆国全体を一つの経済圏としてとらえ，国全体で保護貿易を推進しようとしました**。そうすればイギリス製品を遮断して北部の製品を南部に売り込み，北部の資本家が力を伸ばせます。でも，南部の人間は反発しますよ。「なぜ世界一のイギリス製品の価格を関税でつり上げて，粗悪な国産品を買わなきゃいかんのだ！」と考えますからね。

続いて，**テーマ15**で扱った「**連邦主義**」がカギになってきます。アメリカの**連邦政府**に関税を課す権限を認めれば，合衆国全ての州に流入する外国製品に関税がかかります。北部はこれを求めました。しかしアメリカでは**「州政府の独立性を尊重し，連邦政府の権限は制限されるべき」**という考え方が根強かったですから，南部は「関税を課すかどうかは州レベルで決める。連邦政府がイギリス製品に関税を課した結果，我々南部の人間が品質にも劣る割高な国産品を買わされるのは不当だ！」と訴えました。「北部はアメリカ全体で**保護貿易**を行いたいから**連邦主義**」，「南部は**自由貿易**を行いたいから**反連邦主義（州権主義）**」という構造が分かればOKです。

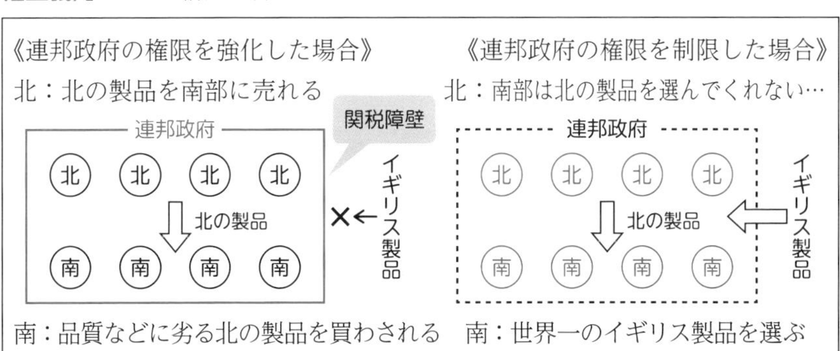

続いて奴隷制の問題。**奴隷制に対するニーズが高かったのは，単純な肉体作業が求められる南部のプランテーション**でした。一方，黒人奴隷を用いること

が定着していなかった北部は，人道的な観点から奴隷制に反対します。このいざこざからホイッグ党を前身とする**共和党**が成立し，1860年の大統領選挙では
民主党は，1820年代にジャクソン支持派が結成▲
その共和党の**リンカン**が当選しました。南部はついに合衆国から離脱して**アメリカ連合国**の成立を宣言しますが，リンカンはこれを認めませんでした。北部製品を南部に売り込むためには，南部を合衆国（の連邦政府内）にとどめておく必要があるからです。ついに，**合衆国史上で最大の犠牲者を出した南北戦争**が開戦。前半は南軍が優勢な中，リンカンは考えました。仮にイギリスが南北戦争に介入するとしたら，南北どちらの味方をするでしょうか？

自由貿易をしたいのだから，南部…。これ，北部がヤバいですよ。

お，リンカンと同じ発想ができました。リンカンは**奴隷解放宣言**を発して，奴隷問題をクローズアップさせ，**「北は奴隷制を否定する正義の味方であり，南はいまだに奴隷制を続ける悪の勢力である！」**というイメージを国際社会に植えつけた。こんな情勢で，イギリスは南部を支援できるはずもなく，戦局は北部有利に傾き，**ゲティスバーグ**の激戦も制してなんとか勝利につなげました。

南北戦争後の状況ですが，**解放された黒人への差別は続きます…**。憲法レベルでは黒人の市民権も認められるのですが，そこは州が自立している合衆国。州法によってあの手この手で参政権を制限します。黒人農民には土地を買うよ
▲投票税を払わせたり，読み書きテストを課したりした
うな経済力もなく，地主に対する高額の小作料に苦しみ，また**KKK（クー＝クラックス＝クラン）**のような黒人を迫害する組織も生まれました。

経済面では，**大陸横断鉄道**も開通して，国内市場が成熟していきますね。アメリカの工業力は飛躍的に成長し，**19世紀末にはイギリスを抜いて世界一となりました**。企業同士が合併したり，ライバルを買収したりして，**ロックフェラー**や**カーネギー**に代表される巨大企業（独占資本）が登場。しかし少数の企業が業界を牛耳ったことで，企業が水面下で協定を結んで価格を操作するな
▲カルテル
ど，消費者に不利益が生じました。まさに資本主義の「光と影」です。

1890年頃に**フロンティア（開拓地と未開拓地の境界線）が消滅し，国内開拓が飽和状態になると，アメリカはついに海外進出へ**。**マッキンリー**政権は，キューバでスペインからの独立運動が高まると，これを支援する名目でスペインと戦い，**フィリピン**などを獲得。また**ハワイ**を併合して中国への中継地を整
▲米西戦争に際して，アメリカは独立を約束していた
えるのですが，中国分割には間に合わず，門戸開放宣言で分割に抗議。続く**セ
▲→テーマ21
オドア＝ローズヴェルト**は高圧的な「棍棒外交」を掲げました。コロンビアからパナマを独立させて**パナマ運河**建設に着手したのは，その象徴ですね。

ヨーロッパ諸国のアジア・アフリカへの進出

1 重工業を軸とする第２次産業革命によって，巨大な企業が出現

(1) 第２次産業革命

第１次産業革命（18世紀半ば～）	第２次産業革命（19世紀後半～）
イギリスから開始	**アメリカ・ドイツ**が急速に発展
軽工業が中心，動力源は石炭 ▲繊維など	**重工業**が中心，動力源は石油・電気 ▲鉄鋼・電気・化学

※イギリスは工業面の優位を失い「**世界の工場**」から「**世界の銀行**」へ
海運・保険・金融などのサービス収入を柱とする▲

(2) **独占資本**…市場において大きなシェアを占める大企業

①独占の形態

- **カルテル**…企業連合。**同一業種**の企業が商品価格・生産量などを協定
- **トラスト**…企業合同。合併などで，**同一業種**の企業が１つにまとまる
- **コンツェルン**…同一の資本が，**複数業種**・分野の企業を株を保有

②**金融資本**…産業資本と銀行資本が結合した資本
▲重工業には多額の設備投資が必要なことが成立の背景

2 列強は，1870年代から世界中で植民地を拡大させた

(1) 植民地獲得の事情

①イギリスは，相対的な国力低下を植民地支配の強化で補った
▲市場の囲い込み

②**1873年に始まる不況**をうけ，各国は新たな市場を求めて植民地獲得へ
▲1890年代半ばまで続いた

・また，諸国は国内市場を守るため**保護貿易**へ転換（イギリスは除く）
「世界の銀行」として活動するためには，経済活動の自由が必要だった▲

③高揚する労働運動や社会主義運動に対し，**政府が対外進出を進めることで国民の不満をそらした**

④独占資本や金融資本は国家権力と結合し，原料供給地・販売市場としてのみならず，**資本の投下先**として植民地を求めた

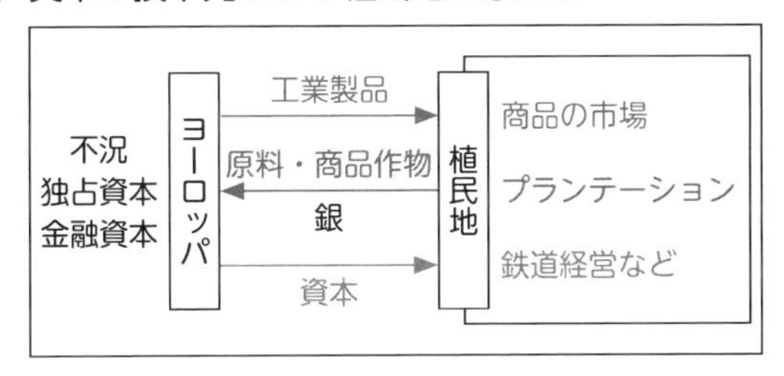

⑵　列強による世界分割

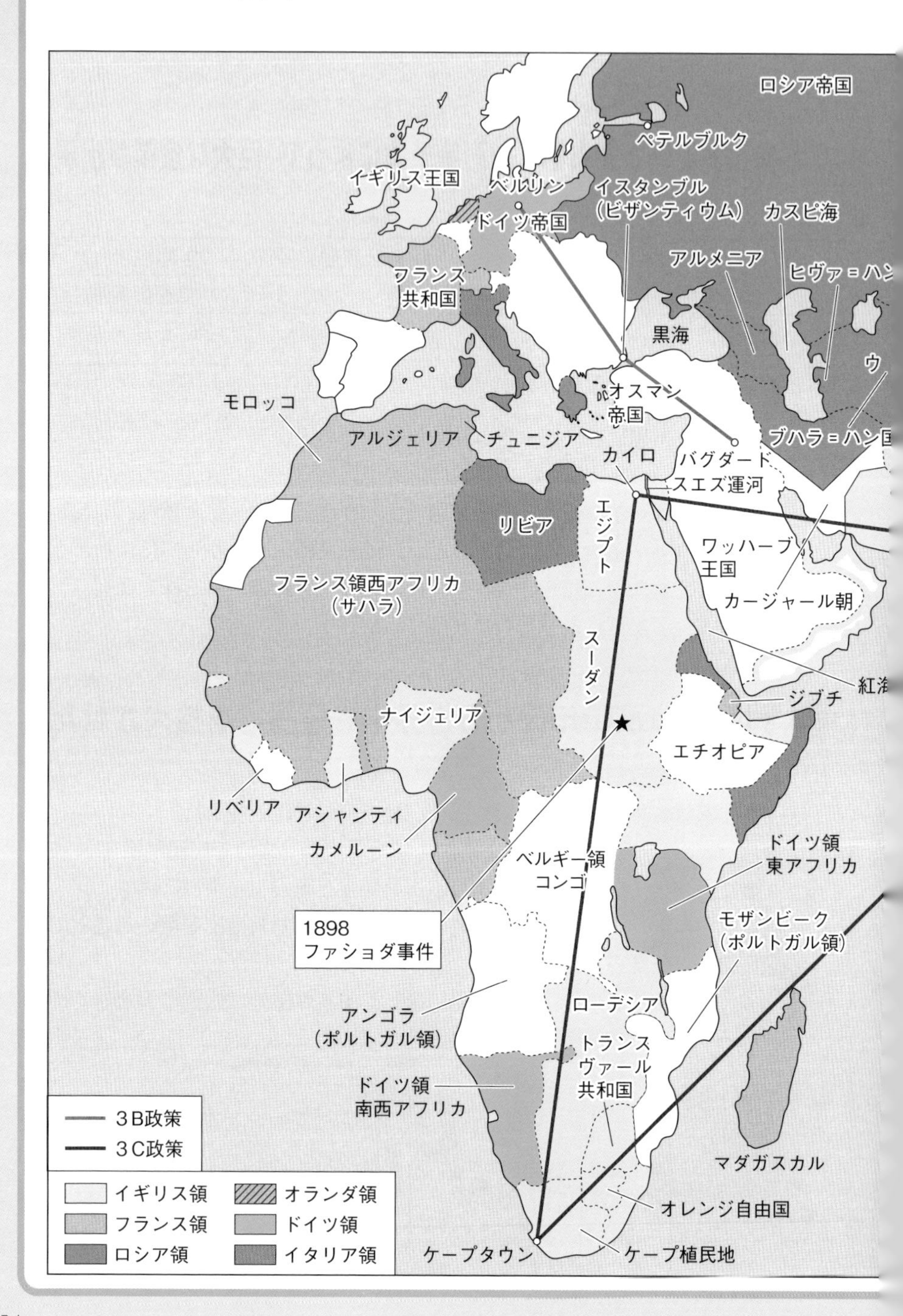
ロシア帝国
ペテルブルク
イギリス王国
ベルリン
ドイツ帝国
イスタンブル
（ビザンティウム）
カスピ海
アルメニア
フランス
共和国
ヒヴァ＝ハン
黒海
モロッコ
オスマン
帝国
アルジェリア
チュニジア
ブハラ＝ハン国
カイロ
バグダード
スエズ運河
リビア
エジプト
ワッハーブ
王国
フランス領西アフリカ
（サハラ）
カージャール朝
スーダン
紅海
ジブチ
ナイジェリア
エチオピア
リベリア
アシャンティ
カメルーン
ドイツ領
東アフリカ
ベルギー領
コンゴ
1898
ファショダ事件
モザンビーク
（ポルトガル領）
ローデシア
アンゴラ
（ポルトガル領）
トランス
ヴァール
共和国
ドイツ領
南西アフリカ
3B政策
3C政策
マダガスカル
イギリス領
オランダ領
フランス領
ドイツ領
ロシア領
イタリア領
オレンジ自由国
ケープタウン
ケープ植民地

20－①
ロシア帝国
樺太
沿海州
アムール川
コーカンド＝ハン国
ウラジヴォストーク
ベク
アフガニスタン
中国
日本
朝鮮
チベット
台湾
カルカッタ
ラオス
タイ
イギリス領インド
ビルマ（ミャンマー）
ベトナム
フィリピン
マラッカ海峡
カンボジア
セイロン島
ニューギニア
マレー連合州
マラッカ
シンガポール
スマトラ島
オランダ領東インド
ジャワ島
インド洋
オーストラリア

この講のまとめパートは，ユーラシア大陸の地図を見開きで示し，列強による世界分割が一目で分かるような構成としました。解説で触れている地域を地図で見ながら読み進めてください。西からアフリカ➡西アジア➡南アジア➡東南アジア，の順に説明していきますよ。1870年代は欧米諸国が対外膨張策をとる「帝国主義の時代」の始まりと位置づけられます。以下の文章の中で，p.153の図で示したような，各国が植民地を広げていく事情を挙げていきますね。まず，この時期を特徴づけるのが**第２次産業革命**。アメリカとドイツが重化学工業でメキメキと力をつけ，イギリスの工業力を抜き去りました。
▲アメリカが世界一，ドイツが２位

イギリスは軽工業が強すぎて，重工業への転換が遅れてしまったんですね。皮肉です。

放っておいても世界一のイギリス製品を消費者が選んでくれる時代はもはや過去の話。イギリスは植民地支配を強化することによって市場を囲い込み，ここに帝国主義的な対外膨張政策が本格化します。ただし，イギリスは世界一カネを稼ぐ国であり続けますよ。工業製品の貿易収支が悪化した分を，海運・保険・投資といったサービス収入で補ったのです（「**世界の銀行**」）。ところで，重化学工業は軽工業に比べて工場そのものがデカイですよね。企業規模も自ずと大きくなり，設備投資のためには銀行からカネを借りる必要がありました。
▲鉄鋼・電気・化学　▲繊維など
こういった経緯で産業資本と銀行資本が融合した**金融資本**が形成されます。

1873年に始まる不況も，この時代のポイントです。ヨーロッパではモノが売れない！ということで，各国は市場確保のために植民地拡大に乗り出し**保護貿易**を採用。不景気に不満を持った労働者が社会主義運動に熱を上げたため，そのガス抜きをするために政府が植民地獲得に向かってナショナリズムを刺激した側面もあります。また不況下では競争に敗れた企業はどんどん淘汰され，買収や合併が相次ぎました。第２次産業革命で出現した大企業がさらに巨大化して市場を独占する，**独占資本**の登場です。
▲ウィーン証券取引所の株価大暴落が発端

今までの植民地には製品市場，原料・商品作物・資源の供給地という役割が期待されていましたが，新たに成立した金融資本や独占資本は，政府とつるんで植民地に資本を投下（＝資本すなわち企業が，植民地で工場や鉄道などのビジネスを手掛ける）しました。このように「市場を囲い込み，プランテーションや鉱山を経営し，企業も活動する」ためには，対象となる国や地域をガッチリ囲い込み支配下に置く必要がありますよね。こんな感じで植民地化をイメージしてみてください。

かつてのアフリカは，「キリスト教文明が浸透していない」というヨーロッパからの一方的な価値観に基づき「暗黒大陸」と呼ばれていました。伝染病マラリアの特効薬の開発や，先ほど述べた列強の帝国主義的欲求もあって，**リヴィングストン**や**スタンリー**といった探検家が大陸の奥深くへと足を踏み入れました。

ベルギー国王**レオポルド２世**は，支援したスタンリーが踏査した**コンゴ**の領有を宣言。イギリスなどが「抜け駆けはずるい！」と反発したため，**ベルリン＝コンゴ会議**が開かれ，アフリカ分割の原則（**先占権**（▲いわば，早い者勝ち）と**実効支配**（▼現地に行政・治安機構をつくる））が確立しました。ここからヨーイ，ドン！でアフリカ分割競争が激化していきます。

そのアフリカ分割の軸となるのが「イギリスの縦断政策 VS フランスの横断政策」という構図です。まずはイギリスから見ていきます。**イギリスにとって一番大切な植民地はインド**で，インドへ向かうアフリカ大陸廻りのルートでは，アフリカ南端の**ケープ植民地**が重要な中継点でした。地中海からスエズ地峡を徒歩で渡り，紅海を抜けるというもう一つのルートは，距離ではケープ植民地ルートより短いものの，船を乗り換えなければいけないのがネック。これが，1869年に**スエズ運河**（インド航路が距離にして約8000キロ短縮▲）が開通したことで状況は一変！　スエズ運河建設を主導したのはフランス（▲ナポレオンのエジプト遠征以来，関心を持っていた）で，エジプトと共同で運河経営にあたりました。しかしエジプト政府は**近代化や運河建設で膨らんだ債務に苦しみ**，ついに運河会社の株式を売却して借金返済にあてることを検討。これを知った英首相**ディズレーリ**はロスチャイルド家（▲ユダヤ系の国際金融一族）の融資をうけ，議会を通さずに電光石火で株式を買収し，運河を支配下に置きました。スエズ運河があるエジプトとケープ植民地，この**新旧の拠点を縦に結ぶ**のがイギリスのコンセプトです。

エジプトから南下するルートでは，エジプトの軍人**ウラービー**（▲オラービー），スーダンの**マフディー**運動に直面。前者を鎮圧したイギリスはエジプトを**事実上保護国化**（エジプトは形式上はオスマン帝国領▲）しました。続いてケープ植民地から北上するルートですが，イギリスは**ウィーン議定書**でこのインド航路の拠点を抜かりなく獲得。もとはオランダ領でしたからオランダ系の白人**ブール人**が多く，彼らはイギリス支配を嫌い（▲→テーマ15）北方に**トランスヴァール共和国**と**オレンジ自由国**を建てました。スエズ運河の方が注目されるにつれ，ケープ地方の存在感も薄れるよな…と思いきや，なんとトランスヴァール共和国で**金**鉱，オレンジ自由国で**ダイヤモンド**鉱が発見され，アフリカ南部に再び熱い眼差しが向けられました。ブール人国家に対するイギリスの帝国主義的野心は**南アフリカ戦争**でむき出しになり，ついには両国を征服しました。ただ，**イギリスが大苦戦を強いられた**（▲50万人近い兵力を投入）ことは，極東政策に多大な影響を与えることに…（▲→テーマ22）。この苦戦もあり，戦後のイギリスは雇用や土地取得の際にブール人を（黒人よりも）優遇してなだめすかそうとしました。これが**南アフリカ連邦**における悪名高い**アパルトヘイト**の端緒です。

対するフランスはすでに1830年に**アルジェリア**に出兵していました。帝国主義時代を迎えると，ここを足場にアフリカ分割へ乗り出しました。アルジェリアの東，**チュニジア**を保護国化した際にはちょっとした軋轢（あつれき）が。**チュニジアを狙っていたイタリアが，フランスに出し抜かれて反発**したんです（ビスマルクがこれを利用してイタリアを同盟に引き込みます）。この後フランスは広大なサハラ砂漠を領有。東海岸では**ジブチ**と**マダガスカル**を押さえました。

▲七月革命前夜，復古王政への不満をそらすため →テーマ17
▲→テーマ22
▲西アフリカの仏領セネガルがアルジェリアとつながった ▲紅海に面している

「横断政策」がおぼろげながら見えてきましたね。

サハラ砂漠とジブチをつないでアフリカを横断するイメージで，フランス部隊がスーダン南部の**ファショダ**に駐留すると，なんとそこにイギリス軍が姿を現して鉢合わせ！　両軍が本国政府に指示を仰ぐと，当時**ドレフュス事件**で国論が二分していたフランス政府は，軍を動かしても国民の支持を得られないと判断して撤退を命じました。衝突は回避され，６年後に**英仏協商**が結ばれて**エジプト**に対するイギリスの優先権，**モロッコ**に対するフランスの優先権が相互に承認されました。これが気に食わなかったのがドイツ皇帝**ヴィルヘルム２世**で，モロッコを訪問してフランスのモロッコ進出に反対を表明しました。しかし，イギリスが英仏協商に基づいてフランス支持の姿勢を明確にしたため，皇帝（カイゼル）の野望は挫折。さらに皆の眼がモロッコにくぎ付けになってる間隙（かんげき）を突いたのがイタリアで，オスマン帝国と戦い**リビア**を獲得しました。

▲→テーマ18
▲フランスの兵力が圧倒的に劣勢だった 事情もある
▲→テーマ22
日露戦争で，世界中の関心が極東に向いていたことも背景▲

またイタリアといえば，エチオピア征服を企てるものの1896年のアドワの戦いで撃退された苦杯をなめました。この**エチオピア**と，アメリカの解放奴隷が入植して建国した**リベリア**が，第一次世界大戦の開戦時点で**植民地化を免れたアフリカの国**ですね。

続いて視線を西アジアに移します。本講は「東方問題」を扱った**テーマ18**の内容とシンクロしていますよ。今まで見下していたヨーロッパ諸国が，ナショナリズムと工業力を兼ね備えた国民国家に脱皮して圧倒しようとしている現実がオスマン帝国に迫りました。

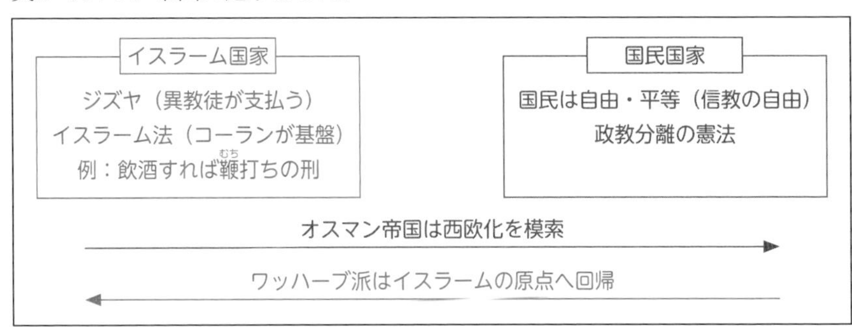

ヨーロッパではドイツ・イタリア・ロシアなどが試みた対抗近代化ですが，イスラーム国家の場合，国家基盤が異質です。例えばイスラーム教徒以外の異教徒が支払う人頭税である**ジズヤ**（▲→テーマ12）の存在。イスラーム教徒か異教徒かで税負担が異なるわけです。これって国民国家の理念からすれば明確な宗教差別です（国民国家では「信教の自由」（▲政教分離）が保障されていますから）。さらに**コーラン**を基盤とする**イスラーム法**（▲シャリーア）です。**飲酒すると鞭**（むち）**打ちの刑にされる**のは，コーランに「酒を飲むな」という神（アッラー）の言葉があるから。ムハンマドの時代から1200年積み重ねてきた伝統ですから，「特定の宗教をひいきする法を改めて**政教分離**にして，ニュートラルな憲法を作ろうよ」なんて，簡単にはいきません。

オスマン帝国は，この（難航するであろう）西欧化に取り組みました（**タンジマート**）。多方面で改革（▲行政・財政・司法・軍事など）を打ち出しますが，保守派の抵抗が激しく成果は芳（かんば）しくありませんでした。さらにクリミア戦争（▲→テーマ18）がオスマン帝国を窮地に追い込みます。この戦争の時期，帝国はロシアに立ち向かう戦費や近代化に必要な経費を英仏からの借金でまかなったんです。ロシアに勝利したとはいえ，これが重荷になって財政は破綻（はたん）してしまいました。危機感を持った改革派（オスマン帝国が自らの改革能力を示すことで，列強の政治介入を排除しようとする意図もあった▼）によって**ミドハト憲法**（民族・宗教を越えて帝国民の平等を掲げた▲）が制定されました。しかし，スルタン（▲オスマン帝国の君主の称号）であった**アブデュルハミト2世**は**ロシア＝トルコ戦争**の勃発を口実として**憲法を停止して専制を復活**させてしまいます。

「上からの改革」が不十分ならば力ずくの「下からの革命」しかない。これが1908年の**青年トルコ革命**（▲日露戦争における日本の勝利に刺激された）で，ほぼ無血で成功しミドハト憲法が復活しますが，バルカン問題（▲→テーマ22）をめぐる対外危機に対応するため，結局**独裁体制に変質**してしまいます。対応がことごとく後手に回った印象です…。

西欧化を目指す路線とは好対照に，「ムハンマド以来のイスラームの伝統を軽視し堕落したことが，現在のイスラーム劣勢の原因である」と考えたのが，アラビア半島の**ワッハーブ派**で，イスラームの初心に立ち返り，イスラーム法の厳格な適用を主張しました。前ページの図における，赤色の理念ですね。

イラン方面には**カージャール朝**（▲18世紀末に成立。君主はトルコ系）が存在していたのですが，運悪く**ロシアの南下政策**と**イギリスのインド防衛**が衝突する「ホットスポット」にあたり，度重なる両国の干渉をうけます。中央アジアでも1870年代にロシアがウズベク人の3国家（▲ブハラ，ヒヴァ，コーカンド）を制圧すると，イギリスは第2次**アフガン戦争**で**アフガニスタンを保護国化**し，まさにがっぷり四つ（▲中央アジアにおける英露対立を「グレートゲーム」と呼ぶ）。地図**20－①**を見ると，アフガニスタンが「インドを守る壁」の役割を担っていることが分かると思います。

カージャール朝は近代化策（▲工場設立，新型軍隊の創設など）の費用や軍事費をまかなうため，電信・金融・鉱山など各種利権を列強に切り売りしていました（目先のカネに目が眩（くら）んでしまったんですね）。そして，タバコを独占販売する利権をイギリス業者に売り渡すと，国民がこれに激怒（禁酒のイスラーム世界ではタバコが重要な嗜好品だったことも背景）。「イギリス印のタバコなんぞ買えるか！　利権を売り渡した政府も許さん！」という大規模な**タバコ＝ボイコット運動**が起こりました。国王はこれに屈して利権を廃棄し，国民の勝利に終わります。

20世紀初頭，イランでも**日露戦争の影響**で**立憲革命**が起こり，議会と憲法が整えられました。でも，1907年に**英露協商**が成立すると不穏な空気が…。
▲→テーマ22

両国ともイランの近代化は迷惑ですね。旧体制のままで搾取したい。

そう考えますよね。**英露は共同で革命に干渉し，結局議会は解散に追い込まれてしまいました**。なお，この英露協商によって利害調整がなされ，イランとアフガニスタンの勢力圏が画定。ドイツに対抗する準備が整っていきます。
国王自身も本心は立憲体制を嫌っていた▲

続いてはインドです。**プラッシーの戦い**でフランスに勝利したイギリス東インド会社は，1760年代にムガル皇帝から徴税権（ディーワーニー）をゲット。これ以降イギリスにとって，**インドは「取り引き相手」から「支配する対象」に変質していきます**。従来は貿易の窓口として港市を押さえていただけですが，積極的に内陸部へ乗り出して行きました。
▲→テーマ15
▲東インド会社はインド統治機構を整備
▲マドラス・ボンベイ・カルカッタ

イギリスの収入源は大まかに以下のような感じです。まず18世紀のイギリスはインド製の手織綿布を輸入し，銀を支払っていました。産業革命が進むと，イギリスの機械織**綿布**がインドに輸出されるようになり，立場が逆転。19世紀半ばには安価＆良質なイギリス製綿布がインド市場を席巻し，**インド綿工業は壊滅**し職人は路頭に迷うことに…。一方，原料である**綿花**の需要が高まりますから，イギリスはプランテーションを経営したり，インド人に強制栽培させたりしました。そしてイギリスにとってのドル箱商品は，中国**茶**の対価として中国向けに生産させた**アヘン**でした。このように，**インドはイギリスの製品市場＆原料供給地という従属的地位に転落**してしまいました。さらには，インドの農民から土地税をしぼり取ったんですね。
▲→テーマ17
当然，綿布の対価としてインドから銀が支払われた▲
▲→テーマ21

この間，東インド会社は着々とインド征服を進めましたが，その実戦部隊となっていたのは，東インド会社が雇った傭兵，**シパーヒー**でした。

インド人がイギリスによるインド征服に手を貸していたとは…。

インド征服が完成に近づくにつれ，用無しとなったシパーヒーは容赦なくクビ。そこに「弾薬の包み紙に牛と豚の脂が塗られている」という噂が追い討ちをかけました。シパーヒーは包み紙を噛み切って銃弾を取り出していたため，ヒンドゥー教徒の兵士の口には「ヒンドゥー教が神聖視する牛の脂」，イスラーム教徒の口には「イスラームが忌み嫌う豚の脂」，が触れることになり，怒った彼らが暴動を起こしたのです。シパーヒーの反乱が発火点となり，これを聞いたインドの人々の間で，蓄積された不満が爆発（**インド大反乱**）！　軍を急行させたイギリス政府は，リーダーに擁立されていたムガル皇帝を廃位しました（ここに名門**ムガル帝国**は滅亡）。そして「お前らが雇った奴らが反乱を起こした。監督責任をとれ！」と**東インド会社**も解散。以降は**イギリス政府がインドを直接統治下**に置き，1859年になんとか反乱をねじ伏せます。

その後1870年代になると…，そう，**イギリスが植民地支配を強化する帝国主義の時代**。1877年にイギリス領**インド帝国**が成立しました。イギリスはインドに英語教育を行う大学を設置し，高等教育をうけたエリート層を「手先」として統治に利用しようと考えました。しかし彼らの間に民族意識が芽生え始め，イギリスに不信の目を向けるように…。そこでイギリスは**インド国民会議**を開いてエリートたちの意見に耳を傾け，なんとか丸め込もうとします。このように国民会議は**当初は親英的**でしたが，徐々に反英に傾いていきました。

イギリスは次の一手をうちました。反英運動の中心都市カルカッタがあるベンガル州を，イスラーム教徒中心の東ベンガルとヒンドゥー教徒中心の西ベンガルという別々の行政区画に分割し，**両教徒の分断を画策**した**ベンガル分割令**です。これに対して大規模な反英運動が起こり，1906年に国民会議**カルカッタ**大会が開かれました。もう国民会議は完全に反英の組織です。自治獲得を掲げ，「イギリス製綿布を排斥し，国産の手織綿布を愛用しよう」と訴えるとともに，民族教育によってナショナリズム高揚も図りました。

しかしイギリスもしつこい。**全インド＝ムスリム連盟**を新設することによって，国民会議＝ヒンドゥー，ムスリム連盟＝イスラームと，宗教ごとに所属する団体を分断したんです。またイギリスはインドの身分制である**カーストを温存して**ヒンドゥー教徒内の差異を強調しました。身分制の撤廃は人々の連帯意識 ナショナリズムの基盤▲ を生み出しナショナリズムの基盤 ▲→コラム1 となりますが，今回は身分を残すことで「インド人」という連帯意識の形成を妨害しているわけですね。

最後に東南アジアです。産業革命に伴って**中国茶の取り引きが拡大** ▲→テーマ21 すると，イギリスは貿易中継地としてマラッカ海峡ルートに注目しました。19世紀初頭，ナポレオンがオランダを征服したことで，**東南アジアにあるオランダ植民地は形式上はフランス領になりました** ▲厳密には1795年にフランス革命軍がオランダへ侵攻。イギリスに亡命したオランダ総督は，オランダ植民地をイギリスに委ねることにしました（次ページ図参照。オランダ領だったケープ植民地やセイロン島がウィーン議定書 ▲→テーマ17 でイギリス領になる伏線はコレ）。ナポレオン戦争後もオランダ植民地の一部に居座ろうとしたイギ

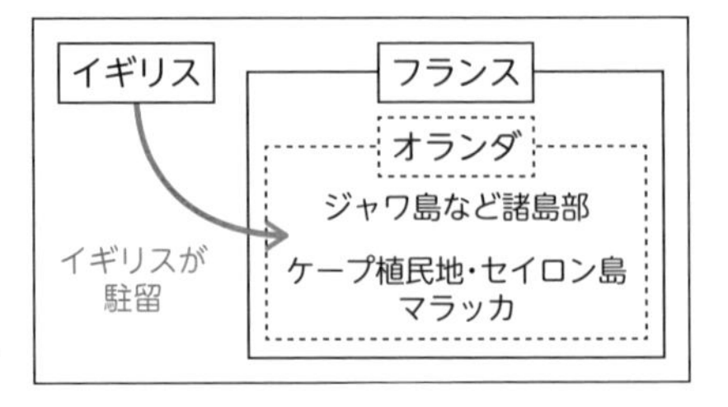

リスにオランダが抗議し，1824年のイギリス＝オランダ協定によってマレー半島はイギリスの，島嶼部はオランダの勢力圏と画定（イギリスは「ゴネ得ですね」）。協定に先立つ５年前，**ラッフルズ**がマレー半島の南端**シンガポール**の支配権を現地首長から獲得しています。この港は「**自由港**」（▲港に出入りする貨物に関税を課さない）とされたことで，東南アジアの一大流通センターとして発展していきますよ。マラッカ海峡ルートを押さえる形で**海峡植民地**が成立します。

帝国主義の時代になると「内陸支配」が注目され**マレー連合州**が成立。**錫**鉱山の開発と**ゴム**プランテーションの経営がポイントです。

錫の使い道って何ですか？

錫は錆びにくい性質を持っており，保存食である缶詰の原材料（▲ブリキ）として需要が高まったんです。ゴムは分かりますか？　20世紀に普及する自動車（ダイムラーがガソリン自動車を完成させたのは1886年▲）のタイヤですね。マレー半島には中国系移民とインド系移民が流入して，人手不足を補いました。これが現マレーシアの**複雑な人種構成**の背景になっています。

ナポレオン戦争で，結果的にマラッカなどを失ったオランダですが，17世紀後半からジャワ島の植民地経営を固めていましたね。そのジャワ島で起こった**ジャワ戦争**（▲→テーマ15）の鎮圧コストがオランダ政庁に打撃を与えたため，**強制栽培制度**で補てんを図りました。農民の畑の一部で商品作物を作らせて，政庁が安値で買いたたく（ヨーロッパなどへ運び，高値で売却▲）このシステムはオランダの「ドル箱」に。しかし農民にとっては，①安値でしか買い取ってくれないので儲からない，②自分たちの食糧を栽培する畑がつぶされる，のダブルパンチで餓死者が続出したため，段階的に廃止されました。オランダはジャワ島やモルッカ諸島以外にもスマトラ島やニューギニア方面の支配も固め，20世紀初頭に**オランダ領東インド**が成立しました。

インドシナ半島東部のベトナムでは，阮福暎が**阮朝**を建て，この時に国号が大越から**越南**に変わりました。フランス宣教師**ピニョー**が建国を支援したゆかりで，フランスがベトナムへ進出していくことになります。1880年代に入ると**ユエ（フエ）条約**でベトナムを保護国化しました。しかし，清がこれに待ったをかけた。清は伝統的な**冊封体制**（▲→テーマ7）に基づき阮朝を属国としていたので「我が国の子分であるベトナムに，勝手に手を出すな！」と反発したのです。ここから**清仏戦争**が始まり，勝利を収めたフランスは，**天津条約**で**ベトナムに対する清の宗主権を放棄**させました。しがらみがなくなったフランスによって，

1887年にベトナムとカンボジアをあわせた**フランス領インドシナ連邦**が成立しました。この時期の民族運動のキーマンは**ファン゠ボイ゠チャウ**で，日露戦争後には日本留学ブームが起こりましたよ（**東遊運動**（ドンズー））。

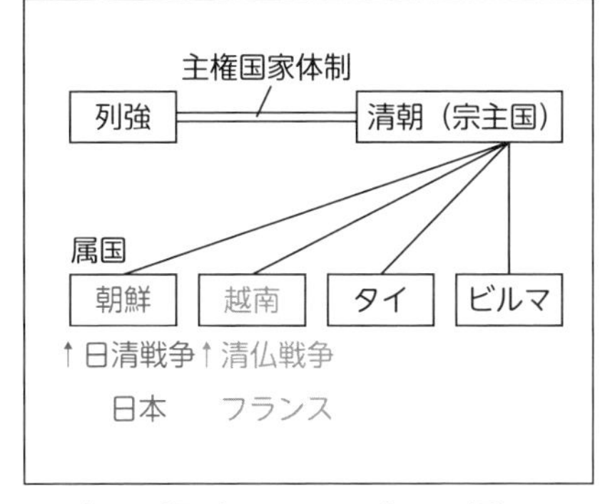

インドシナ半島西部に目を向けると，イギリスがインド防衛を見据えてビルマへ進出。アッサム（▲茶の産地として有名）への進出から勃発した**ビルマ戦争**は3次にわたり，**コンバウン朝（アラウンパヤー朝）**を征服するとインド帝国に組み込みました。

このようにインドシナ半島東部はフランス，西部はイギリスの支配下に置かれていきました。その間に位置したのがタイ（シャム）の**ラタナコーシン朝（チャクリ朝）**です。自ら英語を習得したラーマ4世は駆け引き上手でした。近代化を進める一方で，英仏に全面抗争を仕掛けるわけではなく，不平等条約（▲バウリング条約）は受け入れるなど柔軟な外交政策をとったのです。これが功を奏して，英仏は「タイはそれなりに近代化を進めているし，国王は外国語も堪能で手ごわい交渉相手。植民地とするには手を焼きそうだ。貿易で利益を得られる現状でよしとするか」と考えるようになりました。そして息子の**ラーマ5世**も父親譲りの胆力で粘り強く交渉し（種々の**近代化**も推進します），**英仏の緩衝地帯として独立を維持**（東南アジアで唯一▲）することに成功しました。なお，ラーマ5世の治世（1868～1910）は明治天皇の治世（1867～1912）とほぼ重なっており，同時代に列強と渡り合った君主という共通点を見出せます。

16世紀に**マゼラン**（▲→テーマ13）が到達したことをきっかけに，フィリピンはスペインの支配下に置かれていました。19世紀末に民族運動が高まり，**ホセ゠リサール**は自らが**執筆した小説の中でスペイン支配を批判**（リサールは東京の帝国ホテルに滞在したことがあるのですが，それを記念して作られた銅像が，ホテル近くの日比谷公園に置かれていますよ）。リサールが処刑された後，**アギナルド**が独立運動の中心になりますが，彼も亡命する羽目に…。そんな折に**アメリカ゠スペイン（米西）戦争**（▲→テーマ19）が起こると，アメリカが「キューバだけでなくフィリピンも独立させてあげるから，アギナルドよ，ともに戦おう！」と憎きスペインを倒してくれたんです。歓喜の中，帰国したアギナルドを大統領に**フィリピン共和国**が独立を宣言！　しかしアメリカは態度を一転させ，フィリピンの独立を認めずに侵攻してきました。フィリピン側の抵抗はねじ伏せられ，結局フィリピンはアメリカ領とされてしまいました…。

19世紀～20世紀初頭の東アジア

1 アヘン戦争とアロー戦争で，清は「開国」を強いられた

⑴ **アヘン戦争**（1840～42）

①背景1…イギリスが自由＆対等な通商を清に要求

②背景2…三角貿易によるアヘン流入と，銀の流出

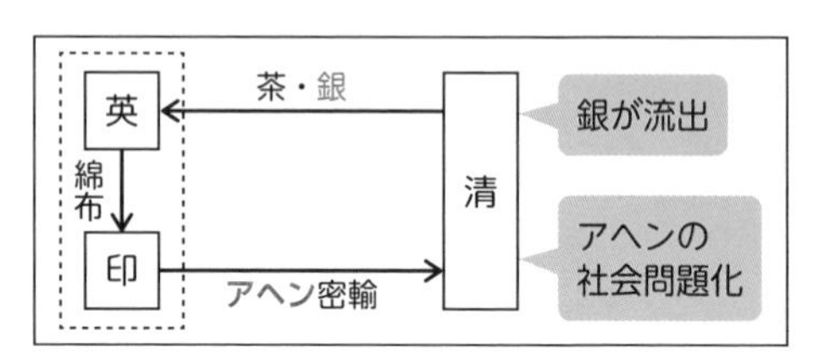

③原因…欽差大臣**林則徐**（りんそくじょ）は広州でイギリス商人からアヘンを没収
▲臨時特設の大官

④経過…イギリスが宣戦し，勝利

⑤**南京条約**などの諸条約で，清に貿易拡大と不平等条約を認めさせる

⑵ **アロー戦争**（第2次アヘン戦争，1856～60）

①原因…清の官憲がアロー号を臨検し，船員を逮捕
▲背景にはイギリスの綿布輸出の伸び悩みも　▲英国旗を侮辱したとされる

②経過…一旦休戦した後に戦闘が再開されるが，最終的に英仏連合軍が勝利

③**北京条約**（1860）…清に開港場の増加などを認めさせる

※清は外国公使の北京駐在を承認し，主権国家体制を受容

2 太平天国の乱を鎮圧すると，清は西洋文明の受容に乗り出す

⑴ **太平天国**の乱（1851～64）

①背景…アヘン戦争の賠償金を民衆への課税で捻出　➡民衆の生活苦

②**洪秀全**がキリスト教的結社**拝上帝会**を結成
▲科挙受験に失敗

③挙兵後，南京を占領し，「**滅満興漢**」を掲げる。男女平等も主張
▼洋式の中国人義勇軍

④**郷勇**，常勝軍の活躍によって鎮圧された
▲地主層が組織した私兵

⑵ **洋務運動**

①清朝の漢人官僚が主導し，ヨーロッパの産業・技術を導入
兵器工場・紡績工場の設立，鉱山開発や電信事業を振興▲

②「**中体西用**」…儒教的価値観を基盤に，西洋の技術を用いて国力増強

3 朝鮮進出をめぐり日清両国は激しく対立

⑴ **日朝修好条規**（江華条約　1876）

①閔氏は大院君時代の攘夷政策を改め，開国

②朝鮮に対する清の宗主権を否定し，朝鮮の自主独立を宣言

(2) **壬午軍乱**（1882）…大院君派によるクーデタを清が鎮圧，閔氏に接近

(3) **甲申政変**（1884）
…閔氏の要請をうけた清が開化派によるクーデタを鎮圧

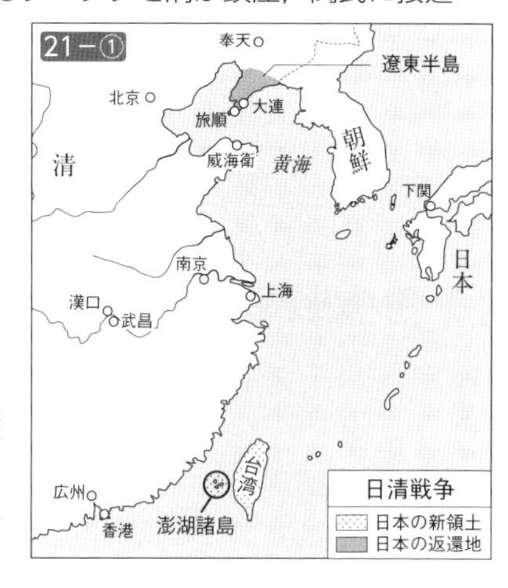

(4) **日清戦争**（1894～95）

①**甲午農民**戦争（東学の乱，1894）に対し，日清両国が出兵

②経過…日本軍が清軍を圧倒

③**下関**条約（1895）

・**朝鮮の独立**を決定…清は宗主権を放棄
・日本は**遼東半島**・**台湾**・澎湖諸島を獲得
・日本は賠償金（2億両）を獲得
▲3億1000万円

(5)**三国干渉**（1895）…露・仏・独の圧力をうけ，日本は**遼東半島**を清に返還

4 日清戦争後，清は国政改革を試みる一方，列強の中国進出は激化

(1) 中国分割

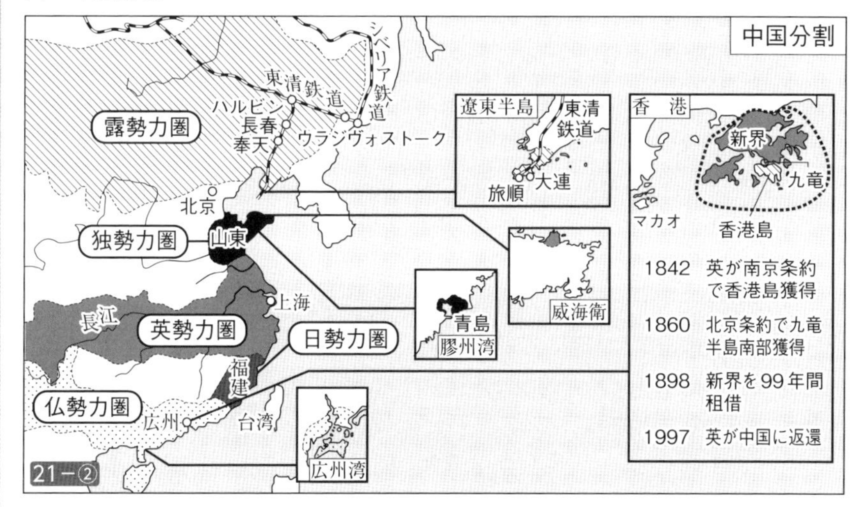

★**門戸開放宣言**（1899·1900）…中国分割に出遅れたアメリカは分割に反対

⑵ **戊戌の変法**（1898）…**光緒帝**が日本を範とした政治改革を試みるが挫折

⑶ **義和団事件**（1900～01）

①義和団の蜂起（1899）…「**扶清滅洋**」を掲げた

▲白蓮教系の結社。義和拳という武術を習得　▲教会・鉄道・電信など「洋」に結びつくものを破壊

②清の列強への宣戦（1900）…西太后が義和団を支援して実行

▼墺・伊・英・露・日・独・仏・米の連合軍

③８カ国共同出兵…清軍・義和団を撃破

④**北京議定書**（辛丑和約，1901）…**外国軍の北京駐兵**を承認

5 日露戦争を経て，日本が韓国を併合

★日清戦争後，韓国（19世紀末に大韓帝国と改称）はロシアに接近

⑴ **日露**戦争（1904～05）

①**旅順**攻略➡奉天会戦➡**日本海**海戦

▲日本が勝利　▲日本が勝利

②**ポーツマス**条約（1905）

▲賠償金を得られなかった日本側には不満も残った

・日本は韓国での優先権，**遼東半島**南部・**南樺太**，**南満州**鉄道を獲得

▲旅順・大連などを含む関東州　▲長春～旅順

⑵ 韓国併合

①日韓協約（1904,05,07）…韓国の外交権や内政権を奪っていく

②**伊藤博文**の暗殺（1909）…韓国人の安重根によってハルビンで射殺された

③**韓国併合**（1910）…朝鮮総督府が朝鮮を統治

6 清朝で革命が起こり，ついに清朝が滅亡

⑴ 光緒新政…**科挙**の廃止，**憲法大綱**の発布，**国会開設**の公約など

⑵ 革命派の形成…**孫文**の興中会を中心に**中国同盟会**が成立

⑶ **辛亥革命**（1911）

①**四川暴動**鎮圧に向かった湖北新軍が，清朝に反旗を翻し**武昌**蜂起

②**中華民国**の成立…アメリカから帰国した孫文が臨時大総統に就任

③清朝の滅亡（1912）

・清朝最大の実力者**袁世凱**は清を滅ぼす見返りとして臨時大総統への就任を中華民国革命政府と密約

・袁世凱は清朝に圧力をかけ，**宣統帝**（**溥儀**，位1908～12）が退位

④袁世凱の独裁と失脚

・臨時大総統となった袁世凱は議会を抑圧

・袁世凱の帝政宣言に対し，地方軍人らが反発

➡袁世凱は帝政を取り消し，同年のうちに病死

テーマ10にあるように，清代の東アジアでは**中華思想のもとに，皇帝を頂点とする体制**が形作られていました。対ヨーロッパ貿易もこの理念に組み込まれ，「貿易はあくまで皇帝の恩恵である」というコンセプトによって，貿易の条件は全て清が一方的に決定。**乾隆帝**がヨーロッパ船との貿易を**広州**の**公行**（コホン）に独占させたのも，その表れです。そんな中，中国貿易のウェイトを高めてきたのがイギリスでした。18世紀に入ると茶が流行し，**産業革命期を通じて労働者階層にも普及**したのでしたね。しかし，イギリスが自慢の綿布を輸出しようとすると，「茶がほしいなら売ってやるが，綿布など我が中国にもある」と取りあってくれません。仕方なくイギリスは**銀**を支払ってお茶を買っていました。自由な貿易を求めるイギリスは北京へ**マカートニー**を派遣。ここにも中華思想が立ちはだかります。乾隆帝は「朕（ちん）が茶を恵んでやっておるのに，ゴチャゴチャと注文をつけるなら貿易を打ち切るぞ」と完全に上から目線。

▲→テーマ17
一方的に商品を買う貿易を片貿易と呼ぶ。▼
▲すなわち，お金

イギリス側は現状を改善すべく，なんと麻薬の密輸に手を染めました。インドで生産させた**アヘン**を中国に運んだところ，これが大ブレイク（アヘン中毒患者が街にあふれ，深刻な社会問題に…）。アヘンの取引額が茶を上回ってしまったため，清側がお金を払ってアヘンを買う，**イギリス側の黒字貿易に転換**してしまいます（p.164の図参照）。事態を重く見た清朝は**林則徐**に対策を命じ，彼はアヘン２万箱を没収する剛腕ぶりを発揮しました。重要な収入源を失った商人の怒りを見てイギリス本国政府は宣戦に踏み切り，**アヘン戦争**に突入します。注意したいのは，**アヘン問題はあくまでも戦争の口実であり，イギリス側の目的は「自由で対等な貿易を清に認めさせること」にある点**です。

▲野党の派兵非難決議は262対271で退けられた

密輸を取り締まっただけで戦争を仕掛けてくるなんて，無茶苦茶です…。

蒸気船の軍艦を派遣したイギリスが帆船主体の清軍に勝利し，**南京条約**が結ばれました。５港を開かせて公行も廃止させ，賠償金もせしめます。追加で認めさせた**領事裁判権**と**関税自主権の喪失**も重要。前者によって，イギリス人はいわば「中国の警察に逮捕されない特権」を得ます。後者は**保護貿易をさせないための措置**ですね。ペリー来航以降の日本も押し付けられた，不平等条約の代表格です。

▲ジャンク船
▲イギリス人が清で犯罪を犯した場合，イギリスの法で裁く

しかしアヘン戦争後も，イギリスの期待ほどには綿布の輸出は伸びませんでした。開港場の増加を望んだイギリスが，戦争の口実を探していた折に起こったのが**アロー号事件**。「香港船籍のアロー号に中国の官憲が臨検に入り，しかもイギリス国旗を侮辱した！」がイギリス側の言い分。先に戦争ありき，とい

▼実際には船籍の登録期限が切れていた
▲南京条約でイギリス領になっている

う下心がミエミエなんですが，イギリスが宣戦してアロー戦争が始まりました。なお，**ナポレオン3世**も共同出兵していますよ。

英仏連合軍は勝利し，最終的に**北京条約**が結ばれました。開港場が増え，**外国公使の北京駐在**が認められます。これに対応して，清は**総理各国事務衙門（総理衙門）**を設置しました。
▲外務省に相当する

外交官と外務省が交渉をする，主権国家体制を受け入れたんですね。

その通り。**主権国家体制**といえば**「互いに対等」**につきあうわけで，こうしてイギリスが望む**「自由で対等な貿易」**が実現しました。
▲→テーマ14　▲すでに南京条約で「対等国交の原則」は認めさせている

ところで，清の政府はアヘン戦争の賠償金を増税でまかなったため，民衆の生活が圧迫されました。生活に困窮する民衆は様々な反乱を起こしましたが，不満の最大の受け皿となったのが，**拝上帝会**です。キリスト教の影響をうけ，「イエスの弟」を自称する**洪秀全**が立ち上げたこの組織が，広西省で蜂起。占領した南京を天京として，**太平天国**を建てました。「**滅満興漢**」を掲げて清朝打倒を目指し，**辮髪**を廃止します。またキリスト教の影響で**男女平等**を掲げ，漢人女性の風習で，女性の足を幼少時から強く縛って成長を妨げる**纏足**を禁止しました。目玉となった政策が，地主から奪った土地を男女平等に配分する天朝田畝制度でした。
▲キリスト教のパンフレットに影響をうけた　満州人の風習　→テーマ10▲

最盛期には300万のメンバーを誇った太平天国ですが，上層部の権力抗争で次第に求心力を失っていきます。対する清朝は，大地主でもある漢人官僚が，自分の土地を守るために自腹で給料を払い，私兵集団**郷勇**を組織して太平天国と戦ったんです。また，列強もアロー戦争が終結すると**常勝軍**を組織して清を助けました（北京条約で開港された港を太平天国が占領しているので，さっさと平和を取り戻したかったんです）。こうして反乱は鎮められました。
▲土地を奪えなかった反乱軍は，天朝田畝制度を実施できず　▲洪秀全は南京陥落の前に病死

太平天国の鎮定後，アヘン＆アロー戦争で英仏の強さを見せつけられた清は，やはりというか対抗近代化を模索しました。**テーマ20**でイスラームにおける近代化の複雑さを示しましたが，中国も同様です。

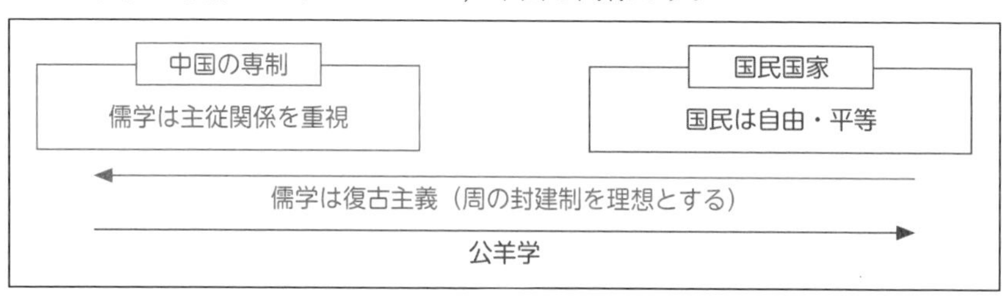

「**中体西用**」のスローガンのもと，**中国の伝統的な専制を維持したうえで西**

洋の科学技術を摂取する**洋務運動**が進められました。旗振り役になったのは，太平天国鎮圧に功があった**曾国藩**（そうこくはん）や**李鴻章**（りこうしょう）ら漢人官僚です。ポイントは，前漢の武帝以来，2000年も中国王朝の屋台骨を支えてきた**儒学**。**儒学的主従関係は，国民国家における「平等な国民」とは相いれません**し，周の封建制を理想として尊ぶ**復古的な姿勢**からは，現体制を改めるような思想は生まれません。従って，洋務運動では政治改革は手つかずでした。ただ，伝統を維持することも大切な価値観ですから，「改革しないから清はダメダメなんだよな」と短絡的に考えるのは早計です（これはイスラームにもいえることですけどね）。

▲いわば「理系」の要素を取り入れ「文系」の要素は手をつけず

ここで視点を変えて，当時の朝鮮王朝を見てみましょう。清や日本が開国した後も，実権を握る**大院君**は鎖国攘夷（じょうい）政策を続けました。ところが**高宗**の奥さんである**閔妃**（びんひ）一派（閔氏）が大院君から実権を奪い，主権国家的な国交を求める日本と**日朝修好条規**（江華条約）を結びました。日本は朝鮮に対して，「朝鮮も主権国家なんだから，清の属国である現状を否定せよ」と**朝鮮に対する清の宗主権を否定**させました。聞こえはいいですが，要するに朝鮮に対する清の影響力を排除しようという狙いです（→ p.163の図）。

▲国王である高宗の父
▲すでに日本は明治時代で近代化を進めている

閔氏政権は日本から軍事顧問を招くなど，開国以降は日本との関係を深めており，清朝は属国である朝鮮に対する求心力低下を懸念しました。そんなさなかの1882年，閔氏政権に対して大院君がクーデタを決行し，一時政権を奪いました。ここで，**朝鮮への影響力を維持する好機と見た清朝が介入**。大院君の身柄を捕らえ，閔氏政権が復活しました。この**壬午軍乱**（じんご）以降，**清朝は閔氏政権を影響下に置く**ことに成功するんですが，間もなく今度は

▲李鴻章

清とつながる閔氏政権　VS　新たに日本が接近した金玉均（きんぎょっきん）**らの開化派**という対立軸が形成されていきました。1884年に**清仏戦争で清が敗色濃厚なのを見た**日本が開化派を後押ししてクーデタを起こしますが，すぐさま清軍がやってきて鎮圧（**甲申政変**（こうしん））。日本の狙いはくじかれ，日清とも一旦朝鮮から撤兵しました。

▲洋務運動にならった穏健な改革をめざす
明治革命にならい政治改革までふみこむ▲
▲→テーマ20
この時の司令官は袁世凱▲

当時の，朝鮮では東学という結社が貧困農民からの支持を集めており，1894年に**甲午農民戦争（東学の乱）**が勃発しました。清が閔氏の鎮圧要請をうけて派兵すると，日本も朝鮮に居留する日本人保護を口実に軍を投入。ついに武力衝突に至ります（**日清戦争**）。軍の規模では清の方が上回っていたのですが，日本は黄海海戦に勝利し，遼東半島までも占領し，圧勝でした。なぜ清が勝てなかったのか，一つは軍制にありました。

軍閥　＝　太平天国で活躍した私兵（郷勇）　＋　近代兵器

洋務運動で強化された軍は，**国家の正規軍ではなく「私兵集団」の性格が濃かった**んです（**軍閥**）。オーナーである漢人有力者は，軍を自身の出世や権力争いに利用することを第一に考えました。兵士にも当然「国家のために戦う」という気概はないですよね。
▲例えば，李鴻章は清仏戦争で北洋軍を温存

戦後の**下関条約**で，日本は**遼東半島**・**台湾**・澎湖諸島をゲットしました（地図21－①）。しかし，当時**シベリア鉄道**の建設を着々と進め，極東に関心を寄せていたロシアが「遼東半島の領有を放棄せよ」と，日本に要求！　これが**三国干渉**です。日本は圧力に屈して**遼東半島**を返還。ロシアは，今度は清に「遼東半島を取り返してやったんだから何かよこせ！」と要求して**東清鉄道**の敷設権を得ました（地図21－②を見ていただくと分かりますが，清の領内を迂回しているシベリア鉄道に対し，清の領土をショートカットしてウラジヴォストークに向かっているのが東清鉄道）。さらに数年後の中国分割では，「取り返してやった」はずの遼東半島を勢力圏に収めてしまいます…。
▲代償に清から3000万両を獲得

日清戦争は清朝の内外に影響を与えました。

国外：清朝の弱体が露呈し，列強の中国分割が加速
国内：洋務運動の失敗が露呈し，政治改革を模索する動きが生まれる

今までの列強は中国を，本気になれば超大国として地力を発揮する「眠れる獅子」と考えていました。でも日清戦争で日本にすら負けたことで完全にナメられ，列強は好き勝手に縄張りを囲い込んでしまいました（地図21－②）。19世紀末は帝国主義の時代だから内陸部まで押さえるわけですね。
鉄道敷設権や鉱山採掘権を獲得▲

一方，国内では日清戦争の敗因が議論になり，数十年前までは江戸時代だった**日本が明治維新で政治の近代化も進めて，国民国家に変質しつつある点が注目されました**（日本軍の兵士は高い士気を維持）。対する清朝は洋務運動で見た通り，伝統を重んじ専制を温存。議会も憲法もなく，国民意識も乏しく，ましてや頂点に立っているのは漢人からすれば異民族である満州人…。こうしてヨーロッパ風の国民国家の必要性を説く知識人や若手官僚が存在感を増し，その代表格となったのが**公羊学**者の**康有為**です（公羊学は**復古主義の立場をとらずに新しいモノへの改革を肯定**する，儒学の中でも特殊な派でした→ p.168の図）。時の**光緒帝**は康有為の考えに感銘をうけ，**日本を範とした立憲君主政**の確立を決意（**戊戌の変法**）。
▲「理系」の科学技術のみならず「文系」の政治学にも着手

しかしイスラームの場合と同様，2000年間続いてきた伝統をおいそれとひっくり返すのは至難の業です。光緒帝の伯母で，伝統と既得権を重んじる，**西太后**をボスとする保守派が改革を徹底弾圧し，光緒帝は現役の皇帝なのに幽閉される羽目に…（**戊戌の政変**）。西太后は４歳で即位した光緒帝の摂政として実権を掌握していたのですが，光緒帝が17歳でひとり立ち。改革を志した20
▲光緒帝は西太后のことを「父上」と呼んだという

代半ばに，伯母の逆鱗（げきりん）に触れてしまったわけです。

19世紀半ば以降，列強による中国での自由な商業・布教活動が認められていくと，色々な摩擦が生じました。ヨーロッパの工業製品が中国の国産品を駆逐して，**国内産業は打撃をうけました**（インドと同じですね）。民衆の怒りは，布教に訪れていたキリスト教宣教師に向けられ（▲鉄道敷設によって，輸送業者も失業）（**仇教（きゅうきょう）運動**），この流れで勢力を伸ばしたのが**義和団**です。肉体を鍛える格闘技団体と，呪術的な宗教が融合した結社で，彼らが蜂起してまずはドイツと衝突しました。

これがけっこう強かった。反乱は北京にまで広がり，外交官を殺害したり公使館を包囲したり大暴れ。彼らは「**扶清滅洋**」（▲清を扶（たす）けて，洋を滅ぼす）というスローガンを掲げていました。これを聞いた西太后は「この機に乗じて義和団と力を合わせ，外国を中国から追い出しましょう」と考えて宣戦布告！　反乱から始まったこの騒ぎは「清 VS 諸外国」という戦争になってしまいました。列強はこれに激怒し，８カ国連合軍が清軍と義和団（▲「義和団戦争」とも呼ぶ）をねじ伏せて，北京を占領。**北京議定書**では**外国軍が北京に駐屯**（▲日本とロシアが大兵力を派遣）することとなり，**清の半植民地化**が決定的になりました。

舞台を再び朝鮮に移しましょう。清が日清戦争で**朝鮮に対する宗主権を放棄**すると，今度は日露が韓国をめぐって火花バチバチです。1897年，朝鮮は独立国となったことをアピールして国名を「**大韓帝国**」（▲略して韓国）と改めますが，日露両国に翻弄（ほんろう）される状況は独立とはほど遠いものでした。

中国分割で旅順・大連を租借して東清鉄道を着工，**義和団事件後も軍隊が満州に駐留**，朝鮮への影響力を拡大…。これが当時のロシアによる怒濤（どとう）の南下です。日露の対立は避けられないものとなり，1904年２月に**日露戦争**が開戦しました。日本の兵力はロシアにはとうてい及ばず，ロシア太平洋艦隊とヨーロッパのバルチック艦隊が合流すれば，日本艦隊を軽々と凌駕（りょうが）する規模です。短期決戦しかない日本は翌年１月にロシア太平洋艦隊の拠点であった**旅順**を攻略し，３月には**奉天会戦**に勝利，５月の**日本海海戦**（▲東郷平八郎が総司令官）ではヨーロッパから回航してきたバルチック艦隊を撃破しました。戦績を見れば日本優位ですが，同盟国イギリスの全面支援（▲新型戦艦や良質な石炭の提供）があってのもの（日英同盟に関して詳しくはテーマ22▲）。一方，戦争中の物資不足を背景とする**血の日曜日事件**（→テーマ22▲）から始まった第１次ロシア革命がロシアにとって頭痛の種となり，ロシアが戦争を手仕舞いする一因になりました。まさに綱渡りですね。

講和である**ポーツマス条約**で**遼東半島**の利権，**南満州鉄道**，**南樺太**を日本に割譲したロシアは，南下をストップさせました。ロシアの影響力を排除した日本は，**第２次日韓協約**で韓国を**保護国**化（▲保護国とは，外交権を失った状態）（すでに日露戦争中に第１次日韓協約を結び，ロシアになびきがちな韓国政府に日本人顧問を設置）し，外交を統括する統監には**伊藤博文**が就きました。２年後には，**第３次日韓協約**で韓国の**内政権**も剝奪（はくだつ）。そして韓国を併合するか議論が分かれている中，慎重派だった**伊**

藤博文が安重根（あんじゅうこん）によって暗殺されると，日本政府は一気に併合に傾き，1910年に**韓国併合**が完成しました。

ところで，アメリカは**中国分割には出遅れた**ため，国務長官**ジョン＝ヘイ**が**門戸開放宣言**を発して中国市場の開放を求めました。日露戦争期には，ロシアの満州・朝鮮進出を警戒します。これらの地域がロシアの植民地になってしまえば，アメリカ企業の進出など夢のまた夢ですからね。こんな事情があって，**セオドア＝ローズヴェルト**大統領は**日露戦争では日本に好意的な立場をとり，講和を仲介**しました。感謝した日本が，ロシア撤退後の中国市場をアメリカに
▲→テーマ19
開放してくれるのでは？　という期待もあったようです。しかし日露戦争後の日本はロシアと話をつけて，今まで以上に互いの縄張りを囲いこんでしまったんです。期待を裏切られた**アメリカは極東で孤立し，中国市場への参入を果たせず**，対日感情を急速に悪化させました。太平洋戦争で頂点に達する日米対立をさかのぼると，源はこのギクシャク関係に行きつくともいえます。

話を中国に戻すと，1905年についに西太后は政治改革を容認しました（**光緒新政**）。背景は①**義和団事件**での惨敗，②**日露戦争**における「国民国家」日本の勝利。**科挙**の廃止は，**儒学的な価値観を基準に官僚を選抜するシステムを放棄した**ということであり，特筆すべきことですね。これにあわせて教育制度も刷新され，海外留学も奨励されました。**憲法大綱**の発布，**国会開設の公約**，内閣の組織といった改革はおおむね**変法の焼き直し**でした。改革のさなかの1908年，光緒帝と西太后が１日ちがいで死去。３歳だった**溥儀**（ふぎ）（**宣統帝**）が即位し，結果的に彼が最後（ラストエンペラー）の皇帝となります。しかし，この改革も権力者が自ら身を切る**「上からの改革」**であり，内容としては不十分でした。

ただし，光緒帝本人は幽閉されている▲
▲→テーマ9
▲例えば，内閣のメンバーは皇族が中心

「清の改革は小手先でお茶を濁し，清朝の延命を図っているだけだ。革命によって新しい共和政国家を創るしかない！」。19世紀末，清朝そのものの打倒を目指す革命派も台頭してきました。その中心が**孫文**で，華僑となった兄が暮らしていたハワイで興中会を結成。1905年には日露戦争の影響で，バラバラだった諸派をまとめて**中国同盟会**を成立させます。
▲華僑からの資金援助を期待

帝国主義時代の列強がさかんに行った資本輸出の代表格が鉄道経営でした。中国の人たちが鉄道を利用して「生活が便利になった～♪」と喜んでも外資にお金を吸い取られてるわけです。そこで中国の資本家がお金を出し合って鉄道の利権を外国資本から買い取る運動が盛り上がりました（**利権回収運動**）。しかし，ここに清朝政府が冷や水を浴びせます。中国資本になった鉄道を取り上げて，外国からの借金の担保にあてようとしたんです（近代化の資金源が増税だけではまかなえず，外国からの借款に頼った事情があります）。苦心して買い戻した鉄道を奪われた資本家は怒り（**四川暴動**），政府は**湖北新軍**に鎮圧を

命じました。しかし新軍の中には「隠れ革命派」がうじゃうじゃいました。ミ
▲民族資本家の子弟や，外国留学経験者など
イラ取りがミイラになって新軍が**武昌**で蜂起し，革命が勃発します。

▲最初は，各地の省が省単位で独立を宣言
革命の報を聞いた孫文は亡命先から帰国し，**南京**を都として**中華民国**の成立を宣言しました。ここで清が出した切り札が**袁世凱**（えんせいがい）。戊戌の政変の際，変法派
▲満州人ではなく漢人
の動きを保守派に密告したことで西太后の信頼を得て，李鴻章の死後は**国内最強の北洋軍を受け継ぎました**が，西太后が死ぬと後ろ盾を失って失脚（光緒帝の弟が溥儀の後見人として実権を握ったのですが，彼がかつて兄を失脚に追い込んだ袁世凱を恨んだため）。しかし革命の火が中国全体に広がると，政府も袁世凱に頼るしかなくなり，現場に復帰させて中華民国を叩くよう命じます。ところが袁世凱は冷めた目で情勢を分析し，もはや清朝は死に体にあると判断。一方の孫文ですが，まだまだ中華民国は準備不足で清朝と戦う軍隊がない。
▲袁世凱の北洋軍
そこで両者が接近し，なんと**「袁世凱が清を滅ぼし，見返りとして孫文は臨時大総統の地位を袁世凱に譲る」**という密約を結びました。裏切った袁世凱に圧力をかけられた溥儀は6歳にして退位，**清朝は滅亡**しました。

袁世凱は光緒新政では改革の旗振り役だったこともあり，孫文には「ヤツは立憲制に順応してくれるのでは？」という期待もあったのですが，野心家の袁世凱は自らの本拠地**北京**に居座って革命派を完全無視。淡い期待を打ち砕かれた革命派は瞬殺されました（第二革命）。

袁世凱は正式に大総統に就任し，**独裁体制を固めます**。この時に第一次世界大戦が勃発し，ドイツの勢力範囲**山東半島**を占領した日本が，山東権益の譲渡や日本人の政治・財政顧問の採用など屈辱的な内容を含む**二十一カ条要求**を突
▲→テーマ22
きつけると，袁世凱は受諾。この「弱腰」に対する批判を封じ込め，また混乱が
▲当時の中国の力では，日本軍に対抗できなかった
続く国内をまとめ上げるために，袁はなんとか自らの求心力を高めようと考えます。その答えがなんと**帝政復活**で，袁世凱自身が皇帝に即位！　これはさすがに時代錯誤だと国内は大ブーイングです。列強も帝政に反発するなど予想外の逆風に驚いた袁世凱は帝政を取り消し（第三革命），同年に病死してしまいました。

結局，この革命で中国はどうなったんですか？

①異民族王朝であった清は滅亡し，（形式上は）共和政の国家が成立
②しかし実際は，軍閥勢力による保守的な政治が続く

一言で言うなら，「表面的な政体は変わったが，政治の中身は相変わらず」です。第一次世界大戦後，「中身」を変えるため，孫文がまた立ち上がります。

第一次世界大戦とロシア革命

1 ビスマルクは宿敵フランスを孤立させる外交を展開

(1) **三帝同盟** (1873)…ドイツ・オーストリア・ロシア
ヴィルヘルム1世▲ ▲フランツ＝ヨーゼフ1世 ▲アレクサンドル2世
(2) **三国同盟**（1882）…ドイツ・オーストリア・イタリアが締結
(3) **再保障条約**（1887）…ドイツがロシアを再び自陣営に引き込む

2 ドイツ皇帝ヴィルヘルム2世の対外積極策を，諸国は警戒

(1) **露仏同盟**（1891）…孤立していたフランスがロシアと同盟
▲当初はイギリスに対抗する性格が濃かった
(2) **英仏協商**（1904）…ドイツに対抗するため，日露戦争への参戦を回避
(3) **英露協商**（1907）…英露両国がドイツの**3 B政策**に対抗して形成
➡上記3つを合わせた**三国協商**が成立

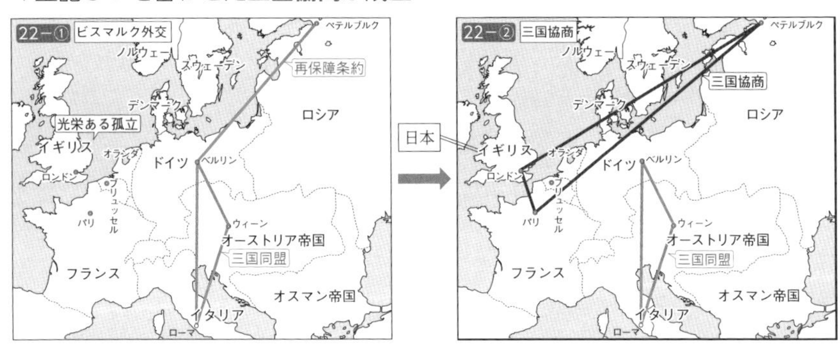

(4) バルカン半島における，ドイツ・オーストリアとロシアの対立
①ドイツ・オーストリア主導の**パン＝ゲルマン主義**
②ロシア主導の**パン＝スラヴ主義**
…**セルビア**がオーストリアに対抗
(5) **サライェヴォ**事件（1914.6.28）
▲ボスニアの首都
①**セルビア**人青年がオーストリアの帝位継承者を暗殺
②オーストリアはセルビアに宣戦
➡第一次世界大戦の勃発

3 バルカン半島を火種とした戦争は，人類が初体験する「大戦」となった

(1) 第一次世界大戦の陣営と戦闘
連合国（三国協商が基盤） vs 同盟国（三国同盟が基盤）

(2) **総力戦**…全国民や植民地までも動員・統制しての戦争・政治・生産体制

(3) 大戦中のイギリス外交
①秘密外交…オスマン帝国領に関する秘密条約（▲→テーマ24）
②対イギリス植民地…インドに対する自治の約束，自治領への協力要請（▲オーストラリア・カナダなど）

(4) 大戦の終結
①アメリカ合衆国の参戦（1917.4）
…ドイツによる**無制限潜水艦作戦**が直接の原因
②**ドイツ革命**（1918.11）…**キール**軍港の水兵反乱から革命に発展（▲戦局の悪化から国内で厭戦気分が高まっていた）
➡ドイツが降伏し終戦（他の同盟国はすでに降伏）

4 20世紀初頭のロシアでは，革命の胎動が見られた

(1) 革命政党…**ボリシェヴィキ**（▲ロシア社会民主労働党の左派），**社会革命党**（SR），立憲民主党など

(2) **第一次ロシア革命**（1905）
①**血の日曜日事件**…日露戦争中の平和請願に，守備隊が発砲
②**十月宣言**…国会（ドゥーマ）開設と憲法制定を約束 ➡しかしニコライ２世は反動化

5 第一次世界大戦中のロシアで，社会主義革命が勃発

(1) **三月革命**（ロシア暦二月革命，1917.3）
①**ペトログラード**（▲ドイツが敵になったことで，ドイツ語読みのペテルブルクから改称）蜂起（1917.3.8）…市民のデモ・ストライキが発生
②**ニコライ２世**の退位…約300年続いた**ロマノフ朝**（▲→テーマ14）が倒れ，帝政終結

(2) **十一月革命**（ロシア暦十月革命，1917.11）
①二重権力構造…資本家主導の臨時政府 VS 労働者主導の**ソヴィエト**
②ボリシェヴィキが蜂起し，臨時政府の**ケレンスキー**政権を打倒
③革命後，**レーニン**は「**平和に関する布告**」「**土地に関する布告**」を発した

(3) ボリシェヴィキ独裁の確立
①憲法制定会議（1917.11）…ロシア初の普通選挙で**社会革命党が圧勝**（▲人口の80%を占める農民が支持基盤）
➡ボリシェヴィキが武力で解散し，**ボリシェヴィキ独裁**へ移行
②**ブレスト＝リトフスク**条約（1918.3）…ドイツと講和し，大戦から離脱

6 ソヴィエト政権は内外の危機を乗り越え，ソ連へ発展

(1) ロシア国内の，反革命派との内戦…**トロツキー**が**赤軍**を整備

(2) 連合国の干渉，ソヴィエト政権の対抗

①連合国による**対ソ干渉**戦争（1918〜22），**シベリア**出兵（1918.8〜）

②**コミンテルン（第3インターナショナル）**の成立（1919）

(3)ソヴィエト政権の経済政策

①**戦時共産主義**（1918〜21）…穀物の強制徴発などを規定　➡経済危機

②**ネップ**（新経済政策　1921）…**経済に資本主義的要素を導入**

(4) **ソヴィエト社会主義共和国連邦**の成立（1922.12）

①**ロシア・ウクライナ**・ベラルーシ・ザカフカースの4共和国からなる

▲白ロシア　▲のちに15共和国に増加

②各国のソ連承認…ドイツ（**ラパロ条約**，1922），英仏伊（1924），日本（1925）

▲ソ連成立の直前

今回は最初に1870年代のビスマルク外交に始まり，英露協商でドイツ包囲網ができるまでのプロセスをお話しします。テレビ番組で例えるなら，年末5時間スペシャル総集編みたいな感じ（笑）。まずは，普仏戦争に敗れてドイツへの復讐心が燃えたぎるフランスに対するビスマルクの対処です。

ビスマルクがもっとも恐れたのがフランスとロシアの同盟（**ドイツが挟み撃ちされる**ので　→地図22−④）。そこで，フランスがロシアを筆頭とする列強と組むのを阻止しつつ，ドイツの同盟国を増やします。平和を維持することで軍事費も浪費せず，この間に**ドイツ工業を発展させようとしました。**

まず，ドイツはロシアとオーストリアとの間で**三帝同盟**を結成しました（オーストリアはドイツと同じ民族であり，後々までドイツにとっての盟友であり続けます）。しかし，ロシアが**露土戦争**でバルカン半島に勢力拡大させると，**イギリスとオーストリアが猛反発**。ビスマルクはなんとか同盟国であるオーストリアとロシアの関係を取り持とうと**ベルリン会議**を開きますが，結局ロシアは南下をつぶされてしまい不満を増大させ，同盟は機能不全に…。ビスマルクは次の一手をうち，ドイツとオーストリアを軸にイタリアを引き込み**三国同盟**を成立させました。さらにロシアをフリーにしておきたくないビスマルクは，ロシアと個別に**再保障条約**を結びます。まさにVIP待遇ですね。

▼バルカン半島を狙っていた　▲→テーマ18　インド航路を守りたい▲　狙っていたチュニジアを奪われた，フランスへの怒りが背景▼

地図22−①がビスマルク外交の最終形です。ロシアとオーストリアが対立しているものの，ドイツがロシアをうまく取り込んでフランスを孤立させていま

す。なお当時のイギリスは，アメリカやドイツの追い上げをうけつつも覇権を維持し，大陸の対立に巻き込まれるのを嫌い孤高を保っていました（**「光栄ある孤立」**）。

ドイツの工業力は順調に成長し，イギリスに肩を並べるまでになりました。すると**資本家たちは政府に対し，製品市場や資本投下先として植民地を求めるように**。ビスマルクはイギリスを刺激するのを避けるため植民地獲得には積極的でなかったんですが，国内から突き上げをくらっちゃったんですね。そんな折，新皇帝**ヴィルヘルム２世**が即位しました。派手好きな彼は，祖父ほど年齢が離れているビスマルクの「弱腰」を批判し，資本家の支持もあって「イギリスなどに遠慮する必要はない！」と，植民地拡大を打ち出します。方針の違いからビスマルクは辞職…。**ここからドイツは方針転換し，膨張政策がライバルのフランスのみならず，ロシアやイギリスの警戒も招くことになります。**

▲ベルリン会議でもイギリスの利害を尊重した

ケンカしているオーストリアとロシア，この双方にいい顔をした「八方美人」がビスマルク。対してヴィルヘルム２世は，ドイツの親戚である**オーストリアとの友好を優先させ**，再保障条約を更新せずに打ち切ります。ロシアがフリーになったことで，孤立していたフランスはロシアに接近して**露仏同盟**を成立させ，ようやく仲間を得ました。一方のドイツは1899年にオスマン帝国から**バグダード鉄道**の敷設権を得ると，これを背骨とする**３Ｂ政策**を掲げました。これには**オーストリアのバルカン半島進出を後押し**する意味もある（地図18－③）んですが，ということは当然**ロシアの南下政策と衝突**。また，**バグダードからペルシア湾を通ってインド洋に出ればインドが目と鼻の先**。イギリスが黙ってるはずがなく，**３Ｃ政策**で対抗します（地図20－①でご確認を）。

このように英独間で緊張が生じたといっても，**19世紀における列強対立の主軸はあくまでイギリス VS ロシアでした**。ロシアは**シベリア鉄道**＆**東清鉄道**を敷設しつつ，中国分割で中国東北地方を手中に（地図21－②）。極東でも英露対立が激化してしまったんです。ロシアは**義和団事件**でも大軍を送り込もうと準備。ここでイギリスは困った。**苦戦が続く南アフリカ戦争**に50万近い兵力を割いているため，中国に手が回らない！　窮したイギリスは，同じくロシアの南下を警戒していた日本に頼ります。日本は義和団事件で大軍を送ってロシアを牽制し，利害が一致した両国の間で，1902年に**日英同盟**が結ばれるに至りました。

三国干渉の見返りに清から敷設権を獲得▼
▲実はイギリスは，ロシアに対抗するためドイツとの同盟も模索
▲露仏同盟をうけてフランス資本で建設
▲→テーマ21
▲→テーマ20

日露戦争前夜の国際関係を整理しましょう。列強間には，日英同盟，露仏同盟，三国同盟が存在します。日露で戦争が始まって激化すれば，同盟国のイギリスとフランスも参戦。つまり**日英 VS 露仏という大戦争**になってしまいます。英仏露が共倒れになった場合，一番得をする国はどこでしょうか。

▲日英同盟・露仏同盟の規定で，参戦が義務づけられている

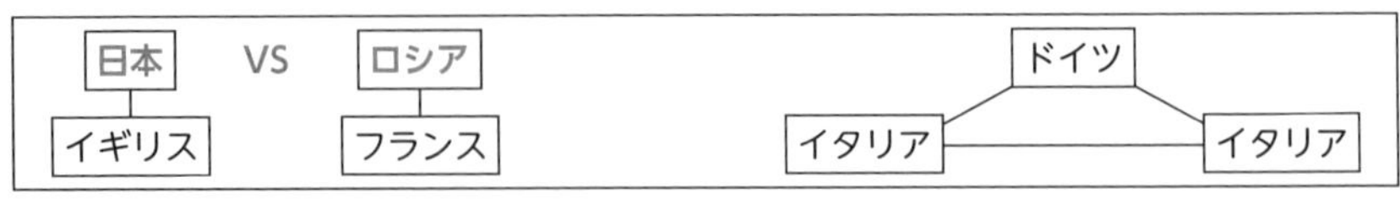

ドイツです。ライバルが勝手につぶし合って，まさに「棚ボタ」！

ヴィルヘルム２世にとっては最高の展開ですよ。逆にドイツの宿敵フランスとしては絶対に避けたい状況だから，日露の戦争に関わりたくない。ここで選択を迫られたのがイギリスです。上述したように，**イギリスはロシアこそがライバルだと長らく考えてきた**わけですが，ドイツのことも気になる。「**むしろ注意すべき相手は，新興のドイツなんじゃないか？**」という意見が出てきたんですね。そして，イギリスは決断。「大英帝国が警戒すべきは，ドイツである」と。

イギリスのライバルは……ロシア	イギリスのライバルは……ドイツ
イギリスが日露戦争に参戦し，ロシアを抑える	イギリスは日露戦争に参戦せず，**ドイツに対抗して国力を温存**
ただしフランスも参戦してくるため，消耗して**ドイツ強大化のリスクあり**	ただし同盟国の日本だけでロシアを抑える必要がある

まとめると，表のような感じです。こういった事情で日露戦争の開戦直後に**英仏協商**が結ばれました。「日露の戦いに英仏は加わらないから二カ国だけでやってね（俺らはドイツをマークするから）」という意図です。
▲ファショダ事件で英仏関係が改善されていたことも背景

ドイツをライバル認定したイギリスですが，当然ロシアもつぶしたいわけで，単独でロシアと戦う日本を全面支援。なんとか日本が勝利し，イギリスにとっては最高の結果になった一方，敗北したロシアは朝鮮から手を退きました。

一連の日露対立の結果，一番不愉快な思いをしたのは間違いなくドイツのヴィルヘルム２世です。日露戦争で英仏露が共倒れになれ～♪　と期待したのに英仏は参戦せず（怒）。そして日露戦争ではロシアがまさかの敗戦。**極東から撤退したロシアは，南下政策の矛先をまたバルカン半島に向けた**のです（怒怒）。

一方，**極東における英露の対立は改善**されました。「両国ともドイツの３Ｂ政策を警戒している。イランの利害調整をすれば，手を組むことも可能だ！」と，1907年に**英露協商**が成立しました。なお**日露戦争の日本の勝利は「国民国家>専制国家」を世界中に示したわけでアジアの民族運動を刺激しました**。この影響で起こった**イラン立憲革命**は，協調に転じた英露に圧殺されますけどね。
▲→テーマ20

ここに，ドイツに対抗する英仏露の**三国協商**が完成しました（地図22－②）。

日露戦争後，ロシアはバルカン半島への南下に専念するようになりました。スローガンはスラヴ民族の団結を掲げる**パン＝スラヴ主義**。ドイツは３Ｂ政策を推進する中でオーストリアのバルカン半島進出をサポート（**パン＝ゲルマン主義**）。この状況は「**ヨーロッパの火薬庫**」と表現されますね。

日露戦争はオスマン帝国の近代化にも影響を与え，1908年に**青年トルコ革命**が勃発。これでオスマン帝国が強くなるかと思いきや，スラヴ&ゲルマンの両陣営が革命のゴタゴタにつけ込んできました。スラヴ側では**ブルガリア**が独立（地図22－③）。ゲルマン側は，オーストリアが**ボスニア・ヘルツェゴヴィナ**を併合しました。この併合に反発したのがスラヴ系の**セルビア**です。彼らは「大セルビア主義」を掲げ，セルビア人が居住する地域を全て併合しようとしていました。ロシアはそのセルビアたちを焚きつけてオスマン帝国を攻撃させましたが，奪った領土の分け前をめぐってセルビアがブルガリアと内輪もめを起こします。この過程で，「アンチ＝セルビア」となった**オスマン帝国とブルガリアはオーストリア陣営に接近**することになりました。

▲→テーマ20（青年トルコ革命）
▲既にベルリン会議で行政権は獲得していた（ボスニア・ヘルツェゴヴィナ）
両地にはセルビア人が多く居住していたため▲（反発した）
「バルカン半島の盟主」を自任▲（セルビア）
第１次バルカン戦争▲（攻撃させました）
第２次バルカン戦争▲（内輪もめ）

そして1914年６月28日，ボスニアの州都**サライェヴォ**を訪問していたオーストリア帝位継承者が，セルビア人青年に暗殺されてしまいました。激昂（げっこう）したオーストリアはセルビアに最後通牒（つうちょう）を突きつけて宣戦すると，ドイツがオーストリアに，ロシアがセルビアについて参戦。三国同盟と三国協商を引きずり込んだ**第一次世界大戦**の勃発です。

第一次世界大戦の参戦国は，少数派の同盟国に注目するのが楽です。三国同盟の**ドイツ・オーストリア**，バルカン戦争を通じてゲルマン陣営と関係を深めた**ブルガリア**と**オスマン帝国**ですね。

あれ！？　イタリアは同盟国サイドにいませんよ。

イギリスの策謀で，「未回収のイタリア」をめぐって**オーストリアと対立していたイタリアは連合国（英仏露の三国協商が基盤）側で参戦**するんです。
▲→テーマ18（未回収のイタリア）

ビスマルクがかつて危惧したロシアとフランスに挟まれる状況が現実となり，これにどう対応するか…。ドイツ参謀本部は，ロシア軍がドイツ国境に到達するのに時間がかかるだろうと読み，まずは全軍を西部のフランスに投入しようと考えました（中立国**ベルギー**を通過してフランスの意表を突く）。短期決戦でパリを落としたら，今度は全軍を東部に振り向けて，遅れて来たロシア軍を叩（たた）く。時間差をつけて各個撃破するシュリーフェン作戦です。

22－④

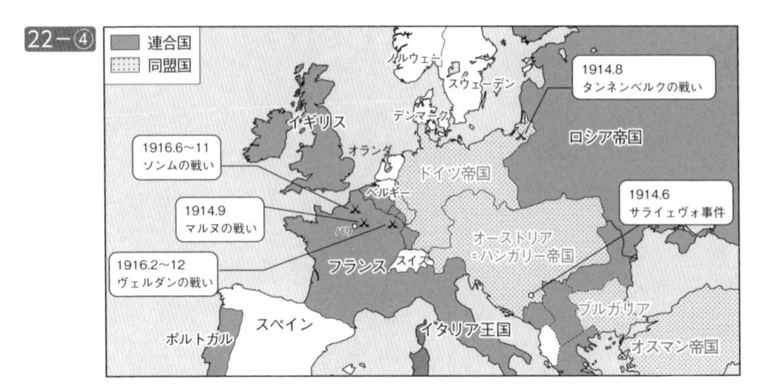

しかし，予想以上に早くロシア軍が東部国境に迫って来て，ドイツの目論見は早くも狂います（ドイツ軍は８月の**タンネンベルクの戦い**でロシア軍を追い払い，事なきを得ましたが…）。９月に入り，ついに独仏軍が衝突。ドイツの進撃をフランス軍が**マルヌ**で阻止しました。ここで戦線は膠着(こうちゃく)し，ドイツが望んだ短期決戦は叶(かな)わず，東部国境には再びロシア軍がやって来ました。結局ドイツは東西二正面作戦を強いられてしまいます。

一方，日本は日英同盟を口実に連合国側で参戦しており，「敵国ドイツに打撃を与える」という口実で，ドイツの勢力範囲である**山東半島**▲→テーマ21や太平洋にあるドイツ領**南洋諸島**を占領。山東半島の権益を日本に譲渡するよう求めたのが**二十一カ条の要求**で，当時の袁世凱政権に受諾させました。

開戦して間もなく「この戦争，今までとは何か勝手が違うぞ…」と参戦国は気づき始めました。まずは新兵器。**戦車・飛行機・毒ガス・潜水艦**という現代の戦争でも用いられる兵器が登場し，**戦禍が拡大**します。さらに，**機関銃**（機関銃は第一次世界大戦で登場した新兵器ではない▼）の普及によって戦場では四六時中，銃弾が飛び交いました。軍は陣地に**塹壕**(ざんごう)を掘り，身を隠して機関銃を撃ちあいます。物資をいたずらに消耗し，睨(にら)みあいが続く**長期戦**となり，しびれを切らせて不用意に突撃すれば，機関銃掃射(そうしゃ)の格好の餌食(えじき)になるのがオチ。このように**機関銃の普及で防御側が有利になった**ことでことごとく防御側が守り切ってしまい，死闘の末にも戦局が変わらない！　という状態になりました。例えば西部戦線の３つの戦いを見ると，全て防御側が攻撃側を阻止しているんですよ。でもその被害は尋常じゃなく，ある統計によれば**ヴェルダン要塞**攻防戦の死傷者は計70万，**ソンムの戦い**は150万人です…。

おびただしい量の武器・弾薬・物資が消費され，瞬く間に補給が底を尽きました。政府は兵士と物資を戦線に供給し続けなければいけません。人手不足になった後方では**女性が軍需工場などで働き人手不足を補いました**。多くの農地が戦場になって食糧が不足したため，**食糧は配給制**に。戦争遂行のために，前線の兵士だけでなく後方の国民の頑張りが求められる，**総力戦**体制になったのです。これを支えた精神的支柱はやはりナショナリズムで，政府は大戦を祖国防衛の戦いと位置づけ，**挙国一致**体制を敷きます。

戦場

- 新兵器によって戦禍そのものが拡大
- 機関銃の普及により，長期にわたる塹壕(ざんごう)戦となり，かつてない物量戦・消耗戦になった
- 機関銃の普及により，防御側が有利となる

後方

- 政府は，国内経済を軍需産業中心に再編成して国民の消費生活を統制。国民は耐乏生活を強いられた
  Ex. 女性や青少年を軍需工業へ動員，
  食料の配給制
- 政府はナショナリズムの高揚を背景として，大戦を祖国防衛の戦いと位置づけ，挙国一致体制を敷いた

兵士　農地も戦場となり荒廃　兵士

塹壕　塹壕

膠着した戦局を打開するきっかけは**アメリカ合衆国の参戦**でした。当初は**中立**であったアメリカですが，ドイツの**無制限潜水艦作戦**に反発して連合国側での参戦を決意します。この背景にはアメリカが**イギリスとフランスに多額の貸し付けをしていた事情**もありました。もし英仏が負ければ，賠償金支払いなどの負担で，貸したお金が返ってこない恐れがあるからです。

前代未聞の消耗戦は深刻な物資不足をもたらし，国民生活を圧迫しました。まずはロシアがギブアップし，窮乏に苦しむ国民によって**ロシア革命**が勃発します。同盟国も次々に降伏し，最後はドイツでも厭戦(えんせん)気分が高まって**ドイツ革命**へ。皇帝ヴィルヘルム２世はオランダへ亡命して，新しい共和政政府が休戦協定に調印しました。この終戦は「連合国が同盟国をノックアウトした」というよりも，「０対０の試合が延々と続き，スタミナが尽きたチームがギブアップして試合放棄した」と言った方が適切でしょう。勝者となった連合国もボロボロになっていたわけで，これが戦後に深い爪跡を残すことになります。

かつてマルクスは，あらゆる国家において共産主義革命は必ず起こる，と予言しました。ロシアでは20世紀初頭にマルクス主義の**ロシア社会民主労働党**→テーマ17▲が成立し，レーニンがその一派であるボリシェヴィキを率いました。この時期，農村からの革命を目指した**ナロードニキ**（人民主義者）の流れをくむ**社会革命党**（SR(エスエル)），ブルジョワ政党**立憲民主党（カデット）**も成立しました。

第１次ロシア革命が勃発した経緯は**テーマ21**でお話しした通りです。日露

戦争のさなか，民主化と戦争中止を訴えたおよそ10万人の請願デモに軍が発砲し，約2000人の死傷者がでた**血の日曜日事件**が革命の発端。ここに**日本海海戦**で敗北した報(しら)せも届き，国内は蜂の巣をつついたような大騒ぎになって，政府は国内を制御できなくなってしまいました。戦争どころではない，と政府は９月に**ポーツマス条約**に調印し，翌月にニコライ２世は**十月宣言**で**国会**(ドゥーマ)開設と憲法制定を約束すると，革命はひとまず鎮静化しました。ところが，国民が大人しくなったのを見たニコライ２世は手のひらを返して反動化。議会は骨抜きにされ，革命派は徹底的に弾圧されました。

第１次革命が不完全燃焼で燻(くすぶ)っている状況下で，ヨーロッパは第一次世界大戦に突入しました。総力戦に伴って日露戦争以上の生活苦に見舞われた民衆が，1917年３月に再び大爆発！　女性労働者のデモに男性が合流し，鎮圧を命じられた兵士までも仲間に加わる始末で，彼らは**ソヴィエト**（評議会）を結成しました。一方で資本家などを中心とする**臨時政府**も成立し，観念したニコライ２世は退位して300年余り続いた**ロマノフ朝**はここに滅亡しました（なお「三月革命」「二月革命」と複数の表現があるのは，ロシアで世界的に定着していたグレゴリ暦とは別の暦が用いられていたからです）。

こうして，ロシアはソヴィエトと臨時政府が併存する「**二重権力**」の状況に。この時点で最大の焦点になったのは，新しい政治・経済体制ではありません。「未曾有(みぞう)の物量戦となった**大戦を続けるのか，やめるのか**」という議論です。

あれ，戦争をやめたいのは国民の総意ではないんですか？

ここでちょっと英仏の気持ちになってみましょう。英仏としてはこのままロシアに参戦し続けてほしいに決まってます（ドイツを挟めるから）。臨時政府がドイツと戦い続けてくれれば，英仏は大喜びで「サンキュー！メルシー！**臨時政府こそ正当なロシア政府の後継だ**」とお墨付きをくれるわけですね。臨時政府が大戦を続けようとしたのには，こんな狙いがあったんです。だけど，ソヴィエトにとってみればたまったもんじゃない。四月に亡命先から帰ってきたボリシェヴィキの**レーニン**はソヴィエトに参加して「**即時停戦！ソヴィエトに権力を！**」と叫び臨時政府との対決姿勢を明確にしていきます。

11月７日，支持を拡大させたボリシェヴィキが蜂起して臨時政府を崩壊させました（**十一月革命**）。翌日，暫定の政府を発足させたレーニンは**「平和に関する布告」**と**「土地に関する布告」**を発しました。前者は全交戦国に和平を呼びかけるものでしたが，味方である**連合国は完全無視**（共産主義者の訴えになど答えるはずはありませんからね）。一方で，ロシアとフランスによる挟みうちから脱したいドイツはロシアとの停戦交渉に応じました。後者は地主の土地を没収するもので，リアル共産主義の始まりといえます。

同月，憲法制定会議の選挙が行われ，**ロシア初の普通選挙**で勝利したのは**社会革命党**でした。国民の８割以上を占める農民を支持基盤としていたため，普通選挙であれば勝つに決まっています。ここでレーニンは，翌年１月に開かれた議会を武力で解散させて，なんと**ボリシェヴィキによる独裁**政治にもっていってしまいました。「共産主義に抵抗する勢力を一掃するまでは非常事態で即断・即決が求められるから，共産党（ボリシェヴィキ）による一党独裁が容認される！」という大義名分ですが，選挙で負けた途端にこの理屈を出すのは，ちょっとあざといですよね…。その是非はともかく，状況としてはフランス革命中のロベスピエールらによるジャコバン派独裁（▲→テーマ16）に近いかもしれません。**反共勢力との戦いを遂行するために独裁体制を敷く**このシステムは，のちに成立する共産主義国家のスタンダードになっていきます。

1918年３月にドイツなどと**ブレスト＝リトフスク条約**を結び，ロシアはようやく大戦から離脱したものの，反共勢力との戦いはさらに過酷なものに…。この危機に対応して，敏腕な**トロツキー**は**赤軍**（▲赤色は共産主義のシンボルカラー）を整備し，また国内では秘密警察であるチェカが反革命分子を取り締まります。さらに「こちらからも資本主義側へ反撃だ！」と**コミンテルン**（▲第３インターナショナル）が成立。世界の共産党の総本部として，各地に物資を送ったりアドバイスをしたり，世界革命を掲げました。

それでもやはり，ヨーロッパ方面からはイギリスやフランスが，極東からは日本やアメリカがロシアへ侵攻し，ソヴィエト政権は苦境に立たされます。ロシアの国土が戦場になったことで，農地が荒らされ工業生産も低下してしまいました。ここでレーニンは，穀物を強制徴発し，企業を国有化する**戦時共産主義**を断行。しかし，強制徴発とはつまるところ「タダ働き」ですから，農民のやる気は削がれて農業生産はガタ落ちとなり，大飢饉（▲大規模な農民反乱も起こった）が発生してしまいました。なんとか敵の攻勢を凌ぎ切ると，政府は方針を転換して**資本主義的要素**を一部容認。「余ったモノは金儲けのために売ってもいいよ」という**ネップ**を打ち出し，なんとか生産は回復…。イギリスやフランスはソヴィエト政権の柔軟な姿勢を見て，「あれ？　共産主義者が資本主義を認めてるぞ。レーニンは意外に話せる相手なのかも」と警戒感を緩めました。これが背景となり，1922年に**ソヴィエト社会主義共和国連邦**が正式に発足すると，イギリスやフランスはわずか２年後の1924年にソ連と国交を結ぶ（▲当時の英仏が左派政権であったということもある）ことになります。なおソ連成立の直前に，第一次世界大戦後の国際社会で互いに孤立していたソヴィエト政権とドイツが，国交を開いていますよ。

テーマ 23

第一次世界大戦後の欧米諸国

1 大戦後，ドイツを封じ込めるヴェルサイユ体制が形成された

⑴ **十四ヵ条**（1918.1）… 大戦中にアメリカ大統領**ウィルソン**が発表
★**民族自決**，国際平和機構設立，軍備縮小，秘密外交の廃止など

⑵ 連合国と敗戦国の講和条約
①**ヴェルサイユ**条約（1919）…ドイツとの講和条約

⑶ 東欧８カ国諸国の独立…**民族自決**に基づくが，**反共防壁**の役割も担う

⑷ **国際連盟**
①本部はスイスの**ジュネーヴ**。原加盟国は42カ国
②問題点…**集団安全保障**体制を採用したが，以下のような問題点があった
・**全会一致**による決議方式…決議の遅滞をもたらした
・脆弱な制裁手段…**経済制裁だけで軍事制裁の権限を持たなかった**
・大国の不参加…**アメリカ**，共産主義の**ロシア（ソ連）**，敗戦国の**ドイツ**

2 アジア・太平洋ではワシントン会議（1921～22）で日本が抑え込まれた

⑴ **四カ国**条約（米・英・日・仏，1921）…**日英同盟**は解消

⑵ **九カ国**条約（1922）…中国の主権の尊重・門戸開放などを規定
中国が望んだ不平等条約撤廃，外国軍撤退，租界回収は実現せず▲

⑶ **ワシントン海軍軍備制限**条約（1922）

3 ドイツとフランスは賠償金をめぐって対立，のちに協調へ転換

⑴ **ルール**占領（1923～25）
…フランス・ベルギー軍がドイツ最大の工業地帯を占領

⑵ **ドーズ**案…1年あたりの賠償額を減額して，アメリカ資本をドイツへ投下

⑶ **ロカルノ**条約（1925）
①**ラインラント**の非武装を維持することを決定
▲フランス及びベルギーとの国境地帯
②ドイツの**国際連盟**への加盟を決定

⑷ **不戦**条約（1928）

⑸ **ヤング**案（1929）…賠償金総額を約４分の１に減額

4 ヨーロッパ諸国は大戦の後遺症に苦しむ

(1) イギリス…債務国に転落

①**女性参政権**の実現…第４回選挙法改正（1918）

②**マクドナルド**労働党内閣（1924）…初の**労働党**内閣で，ソ連を承認

③**イギリス連邦**…自治領が**本国と対等な地位を認められた**

▲カナダやオーストラリアやニュージーランドなど

(2) イタリアのファシスト政権

▼1921年に国民ファシスタ党に改称

①**ムッソリーニ**…**ファシスト**党を結成し，反共・領土拡張を主張

▲社会党に在籍したが，大戦への参戦を主張し除名

②**ローマ進軍**（1922）…武装した党員がローマに集結

③**フィウメ**を併合（1924）…ユーゴスラヴィアを威嚇して併合

④一党独裁体制の確立（1926）…ファシズム大評議会が議決機関となる

▲他の全ての政党を解散させて実現

⑤**ラテラノ**条約（1929）…ローマ教皇と和解　➡**ヴァチカン市国**が成立

(3) ドイツのヴァイマル共和国

▲ヴァイマル憲法制定からヒトラー政権成立（1933）までの通称

①**スパルタクス団**の蜂起（1919）…共産主義革命を目指すが鎮圧された

②**ヴァイマル**憲法（1919年制定）

・「**世界で最も民主的な憲法**」とされ，労働者の権利を拡大

・**男女平等の普通選挙**を規定

・一方で大統領には非常時の大権（大統領緊急令）を認めた

(4) レーニン死後のソ連

①**スターリン**と**トロツキー**の後継者争い　➡スターリンが勝利し，独裁確立

②**五ヵ年計画**の推進…計画経済による工業発展と，農業の集団化を目指す

5 1920年代のアメリカは，経済繁栄を謳歌した

(1) **ウィルソン**大統領（民主党，任1913～21）

①**女性参政権**の実現（1920）

②大戦後は国内で孤立主義の傾向が強くなり，**国際連盟には加盟せず**

▲ヴェルサイユ条約批准は上院で否決された

(2) 共和党政権（1921～）…自由放任主義を標榜

(3) 大衆消費社会（**大量生産**，**大量消費**）の到来

①**自動車**…**フォード**が開発した**組み立てライン**によって大量生産を実現

▲規格を統一し，工程を単純化

②新たなメディア（**ラジオ・映画**），娯楽（ジャズ音楽やプロスポーツ）

(4) アメリカ社会の保守化…「**WASP**」の価値観を強調

▲White，Anglo-saxon，Protestant

①**禁酒**法（1919～33）…宗教的事情，労働効率上昇の企図が背景

▲密造酒の密売が横行　▲勤労を奨励するカルヴァン派を反映

②サッコ・ヴァンゼッティ事件…イタリア系移民を強盗殺人の容疑で逮捕

▲サッコとヴァンゼッティは容疑者の名前

③**移民法**（1924）…東欧・南欧からの移民を制限，**日本からの移民は禁止**

第6章 二つの世界大戦

1917年11月，**レーニン**は**「平和に関する布告」**で**「無併合・無償金・民族自決」**に基づく講和を第一次世界大戦の参戦国に訴えました。詳しくは後で述べますが，あまりにインパクトある内容であり，**共産主義を認めない資本主義サイドとしても説得力のある講和方針を示す必要が生まれました**。アメリカ大統領**ウッドロー＝ウィルソン**は「無併合・無償金」に相当する**「勝利なき平和」**

▼ウィルソンは1917年１月の演説で，既にこの理念を提唱　▲Peace without Victory

を主張しました。戦争が終わった時に勝者が敗者から領土や賠償金をふんだくる習慣があると，敗者が勝者を恨み，報復しようと次の戦争が起こる。次の戦争後も負けた方は恨みを晴らそうと考え，戦争の連鎖が終わりません。でも，領土や賠償金をとるのをやめれば，負けた方が恨みを持たなくなって負の連鎖を断ち切ることができますよね。素晴らしいアイディアですが，かねてからドイツへの復讐を果たそうとしてきたフランスはこの理念を一蹴しました…。また，1918年にウィルソンは講和の枠組みとして**十四カ条**を講和原則として提示し，レーニンがアピールした**民族自決**をしっかり盛り込みました。民族自決とは「全ての民族は，帰属・政治的運命を自ら決定する権利を持ち，他勢力に干渉されることはない」，要するに**「自分のことは自分で決める」**というごくごく当たり前の理念なんですが，当時の植民地は列強の言いなりであり，自分のことを自分で決められませんでした。いわば「民族他決」だったんです。ということは，

民族自決　＝　植民地支配の否定，一民族一国家

と解釈できますから，この理念は**植民地独立の一大スローガン**になりました。しかし，**植民地を手放すつもりなど毛頭ない英仏はこれに反発**。結局ウィルソンの理想主義は煙たがられ，講和会議では英仏の意向が強く反映されました。

英仏などが一方的に内容を決め，ドイツに押しつけた講和が**ヴェルサイユ条約**です。**アルザス・ロレーヌ**を奪回したことはフランスとしては当然ですね。

▲テーマ18　石炭が豊富なザールも，15年間は事実上フランス領▲

ポーランド回廊をポーランドに割譲したことによって東プロイセンはドイツ本

▲ドイツ領を貫く意味合いで「回廊」と呼ぶ

土と切り離された「飛び地」になってしまいました。また，独仏国境地帯の**ラインラント**には駐兵を禁止されました（ドイツ領の状況については，地図**25－①**に詳しく載っています）。ドイツの軍備そのものも骨抜きに。そして，同じ民族である**ドイツとオーストリアの合併は禁止**。「民族自決」が無視された例です。同様に，没収したドイツの植民地は本来ならば独立させるのが筋ですが，戦勝国の**委任統治**領とされました。また，ドイツ以外の同盟国も連合国

▲国際連盟が先進国に統治を委ねる

と個別に条約を結びました。オーストリアがなんと領土の４分の３を失ったのは，ついに**多民族国家が崩壊**したことを意味していますよ。

ヴェルサイユ条約を中核として構築された第一次世界大戦後の秩序を**ヴェルサイユ体制**といいます。この体制の特徴ですが，①**敗戦国を袋叩きにする**のは

ヴェルサイユ条約を見れば分かりますね。また②参加国は**反共姿勢**では一致して，ソヴィエト政権の代表者はもちろん呼ばれていません。
▲この時期は対ソ干渉戦争が続いている

続いて東欧です。英仏は，敗戦国とロシアの領土を取り上げて，西欧とロシアの間に８つの独立国をつくりました。英仏には，まずは敗戦国を弱体化させる狙いがあり，さらには**８カ国を，ロシアを震源地とする共産主義が西欧へ波及するのを防ぐ「壁」として利用**してやろう，という下心もありました。前述の姿勢①②が如実に表れてますね。

なお，ポーランドはオーストリア・ドイツ・ロシアから領土を集めて独立しましたが，これは18世紀末の**ポーランド分割から復活した**，ということです。
▲→テーマ14
先ほどドイツの飛び地の話をしましたが，実はポーランド分割前のプロイセン領には飛び地が存在していたんですよ。この処遇をどうするか，両国の深刻な領土問題になります。
▲ドイツの前身

加盟国全てが侵略しないことを約束

Ⓐ-Ⓑ-Ⓒ-Ⓓ-Ⓔ-Ⓕ-Ⓖ

侵略する国があれば，他の全加盟国が侵略国に制裁

Ⓔ vs Ⓓ　Ⓐ Ⓑ Ⓒ Ⓕ Ⓖ

EがDを侵略した場合, A B C D F G がEに制裁

形骸化した十四カ条の中で，なんとか実現にこぎつけたのが国際平和機構である**国際連盟**。従来のヨーロッパ諸国は，**自国の軍備を強化したり同盟国を増やして，ライバルに「これは勝ち目がないや…」「簡単には勝てないぞ…」と思わせる手法**で戦争を抑止しようとしてきました。でも，ひとたび戦争が起これば強大な軍備や同盟網のせいで甚大な被害をもたらしてしまいます。それが未曾有の規模となったのが第一次世界大戦でした。低いリスクで戦争を抑止できないか？という知恵から生まれたのが**集団安全保障体制**です。まずＡ～Ｇの７カ国が相互に侵略しないことを約束（上図参照）。ここで仮にＥがＤへの侵略を企てたとしましょう。そうなった場合，Ｅ以外のＡＢＣＤＦＧ全員がＥへの制裁を発動させます。Ｅ国は「１対６では勝ち目がない…」と考えて侵略を思いとどまる。このシステムは，他の加盟国が全員味方になってくれるので，**個々の国々は過度の軍拡をする必要がない**のが魅力。この画期的なシステムが理解できると，同時に国際連盟の問題点が見えてきます。まず侵略国に対して，最大の抑止力となる**軍事制裁**を課せない…。
▲これを個別的安全保障という
▲加盟国が多いほど抑止力が高まる
▲最低限の軍備は必要
▲経済制裁や外交的制裁のみ

スポーツで例えるなら，「レッドカードが存在せず退場処分にならないから，反則やりたい放題！」みたいなものですね。

次に，加盟国グループに**ドイツ**と**ロシア**，さらには**アメリカ**が参加していな
▲両国を仲間外れにするヴェルサイユ体制の方針による

い（構想を立ち上げた民主党のウィルソンに対して，当時**上院で多数派だった共和党が反対し加盟できず**）。これら大国に「侵略をしません」と約束させられないのは不安ですし，侵略国を抑える際の仲間にできないのは心細い。また**全会一致**が原則なので，制裁の詳細をなかなか決められませんでした。

一方，極東における戦後の秩序は，1921年に開かれた**ワシントン会議**で規定されました（**ワシントン体制**）。その主眼は日本を抑え込むことです。近代日本は**日清戦争**，**日露戦争**，**第一次世界大戦**と全て勝利。特に大戦では，ヨー
▲1894～95　▲1904～05　▲1914～18
ロッパ諸国が総力戦で疲弊するのを尻目にドイツ植民地を占領しました。戦後，英仏米らは「ちょっと日本が強くなりすぎだぞ」と極東の勢力図が一変したことに懸念を抱き，会議に至りました。まず，**太平洋**の利害調整をした**四カ国条約**では**日英同盟**が解消されました。当然日本にとっては痛手。**九カ国条約**
▲「四カ国で協調＝日英だけの同盟は不要」というニュアンス
をうけて，大戦中に抜け駆けした日本がドイツから奪った**山東権益が返還**される運びとなりました（**二十一カ条の要求**もほぼ廃棄）。また**大戦で疲弊した諸**
▲山東権益の譲渡などを求めていた
国が海軍の維持費に苦しんでいたことを背景に，**ワシントン海軍軍備制限条約**が結ばれ，日本の主力艦の保有比率は米英の６割に規定されました。日本にとってポジティヴに考えるならば「軍事費が節約できるし，大国アメリカの６割なら上出来だ」。一方，ネガティヴ思考なら「我が日本海軍は永久にアメリカに追いつけないではないか！」となります。日本軍部には，やはり後者の考えを持つ人が多かったようですね。

▼ドイツの国家予算の20年分を越える規模
ヴェルサイユ条約の翌々年，ドイツの賠償総額は1320億金マルクと決定し
▲このうち，約半分がフランスの取り分
ました。その年の賠償支払いにも窮（きゅう）したドイツに対し，フランスは隣国ベルギ
大戦の主戦場となったフランスも，経済復興に苦戦していた▲
ーを誘ってドイツ最大の工業地帯**ルール**地方を占領。工業製品を賠償金の代わりとして押収（おうしゅう）しようとしたんですね。フランスの復讐心たるやすごい…。ドイツ人はフランスの暴挙に抗議して，ルールの工場操業を全面ストップ。でも，ドイツ経済の心臓部がストップしているのに，政府は生産を停止した労働者に給料分のカネを渡して支援しようと考え，紙幣を刷（す）りまくりました。その結果，超**インフレ**が進んで物価がなんと１兆倍に！　なお，この時の経済混乱をうけ
▲モノ不足なのに紙幣は余り，通貨の価値が下がった
てドイツ自動車産業の再編が進み，1920年代後半にダイムラー社とベンツ社が合併してあの「メルセデス＝ベンツ」ブランドが生まれました。

首相**シュトレーゼマン**が新通貨**レンテンマルク**を発行（１兆マルク分の「札束」を１レンテンマルクの「紙幣１枚」と両替）してインフレは収拾しますが，ドイツ経済が青息吐息（あおいきといき）なことに変わりはありません。そんな時，支援の手を差しのべてくれたのがアメリカで，**ドーズ案**をまとめました。まず，賠償総額のことは棚に上げて，この先５年間の支払いを現実的な金額に設定。そして，**ア**

メリカの民間資本をドイツに投下してドイツ経済の復興を支援しました。すると，右のような三角形ができあがります。まずアメリカ資本がドイツへ，賠償金がドイツから英仏へ。そして英仏は賠償金によって経済を再建して，大戦中にアメリカに借りていたお金を返済（逆に言えば，ドイツが賠償金を払えないと，英仏はアメリカに借金を返せない）。つまり，**アメリカがドイツの賠償支払いをサポートしてあげれば，めぐりめぐってそれが自国にリターンしてくる**わけです。

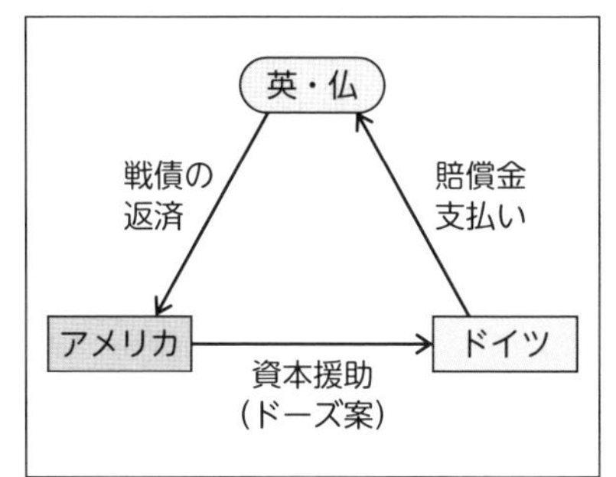

このトライアングルは，関係国全てが得をするWIN-WINの関係ですね。これを一つのきっかけに，**国際協調**の機運が高まりました。このドーズ案から世界恐慌が始まるまでの時期を「**相対的安定期**」と呼びます。フランス軍は（▲1924年）ル（▲1929年）ールから撤退し，1925年に仏独を中心に**ロカルノ条約**が結ばれ，ドイツの**国際連盟**加盟が認められました。**戦争そのものを違法**とした画期的な**不戦**条約は（▲1928年）国際協調の象徴で，翌29年には賠償総額を減額する**ヤング案**も成立しました。

ここからは第一次世界大戦後の欧米各国の状況を見ていきましょう。第一次世界大戦の戦禍は，覇権国家だったイギリスにも大きな変化をもたらしました。アメリカへの借金を背負う**債務国**に転落し，植民地の維持にも四苦八苦。政府は，**国民に戦争協力を求めた見返りとして普通選挙・女性参政権を認め，民主政治・大衆政治の時代が到来**しました（▲これは他の国にも共通する現象）。共産党が躍進するのでは？　と思う方がいらっしゃるかもしれませんが，政権に就いたのは穏健な**労働党**の**マクドナルド**でした。先進工業国は，植民地支配や貿易黒字によって国全体が豊かになって労働者の暮らし向きもよくなりました。これを反映して，**革命を避ける「草食系」の労働党が勢力を拡大させた**のです。

1920年代のイタリアでは特筆すべき事態が。**ムッソリーニ**が結成した**ファシスト党**による**一党独裁**が確立したんです。まず背景にパリ講和会議がありました。イタリアは「未回収のイタリア」として南チロルやトリエステをようやく手に入れましたが，（▲→テーマ18）**フィウメ**という領土も同様に獲得するつもりでした。しかしその要求は認められなかったため，なんとイタリア代表は会議を途中退席。（▲得られる賠償金も少額だった）①国民の間には，領土に対する愛国的な不満が鬱積（うっせき）し，愛国的な領土拡大への渇望が生じます。一方で国内は，総力戦のあおりで**経済混乱**に見舞われました。労働者は工場を，農民は地主の土地を占拠して，共産主義の機運が一気に高揚。②警戒感を強めた資本家・地主・軍部などの上層は，革命を押さえつ

▲イタリアでは1919年と20年を「赤い2年間」と呼ぶ

ける強力な政府を期待するようになっていったのです。

①②の受け皿となったのが，**「ナショナリズムを武器として社会主義を攻撃し（議会制民主主義も否定），強大な国家を目指す！」**というムッソリーニの思想でした（この体制は，のちに「**ファシズム**」として定式化されます）。
▲大衆を動員するのも特徴
党勢を拡大させたムッソリーニは号令をかけ，黒シャツを着こんだ党員数万人をローマに集める示威行進を行いました（**ローマ進軍**）。この勢いにビビった国王は，共産主義を警戒していたこともあってムッソリーニを首相に指名してしまうんです。この後，ファシスト党は**大衆の支持**を背景に法改正を重ね，1926年には一党独裁体制を確立させました。これと前後して，イタリアは**フィウメ**の獲得や**アルバニア**の**保護国化**を進め，**ラテラノ条約**では普仏戦争時の教皇領占領以来，「冷戦状態」だったローマ教皇と和解。敬虔なカトリックで
▲→テーマ18
あった国民はムッソリーニを支持・評価したのでした。この時に，ローマ教皇のオフィスである**サン＝ピエトロ大聖堂**とその周囲が，**世界で最小の国家ヴァチカン市国**として独立しました。その面積は約0.44km で，東京ディズニーランドよりもちょっとだけ狭いイメージです。

イタリアに続いてドイツでファシズム政権が成立することは皆さんご存知だと思いますが，両国には**「上からの統一で近代国家が成立した」**という共通点
▲→テーマ18
があります。イタリアではサルデーニャ国王，ドイツではプロイセン国王が主導権を握って政治を行い，**英仏のような民主主義は根づきませんでした**ね。こ
▲国内では保守派が力を持ち続けた
のせいで「リーダーが一人で引っ張っていくから，国民は黙ってついて来い」というファシズム体制を，多くの国民が違和感なく受けて入れてしまった，という事情があるんです。とはいえ，ドイツ革命が起こったドイツは，15年ほどは民主主義が実現しました。それが**ヴァイマル共和国**。1917年にロシア革命が起こると，ドイツの共産主義者も「今こそ世界革命だ！」と立ち上がりま
▲カール＝リープクネヒトやローザ＝ルクセンブルク
した（**スパルタクス団**の蜂起）。しかし，ドイツの革命は帝政崩壊をもたらしたものの，共産主義革命の方は潰されてしまいました。ロシアで例えてみると…。
▲→テーマ22

三月革命は成功したけど，十一月革命は失敗したイメージですか。

そんな感じです。イギリスなどと同様に，ドイツの労働者も革命を避ける**ドイツ社会民主党**に流れていて，共産党はメジャーになりきれなかった。その社会民主党主導で作られた**ヴァイマル憲法**は，当然ながら労働者の権利を大々的に保障。これが**「世界で最も民主的な憲法」**と呼ばれた所以です。その一方で，大統領緊急令を規定し，**非常時に大統領に大権を与えました**。これは19世紀の**「上からの統一」の名残り**と考えることができます。

共産主義のソ連に目を向けると，**レーニン**死後のソ連では**トロツキー**と**スターリン**の間で「後進国だったロシアが単独で社会主義を建設できるか？」という論争が勃発。トロツキーは「NO。**世界革命**を進めることでまずは共産主義国の仲間を増やすべき」と説きますが，スターリンは「YES」と真っ向から反論。勝利したスターリンはトロツキーを国外追放とし，政敵や反乱分子も，秘密警察を駆使して排除（「**粛清**」）し，独裁権を確立させました。

▲レーニンの後継者争いの意味合いもあった

▲あえてトロツキーと異なる意見を挙げて追い落とそうとした側面も

最後にアメリカです。大戦でアメリカ本土は被害をうけず，総力戦で苦しむヨーロッパの連合国に大量の物資を輸出し，お金も貸しつけていました。戦後は空前の好景気となり，**ニューヨーク**の**ウォール街**が世界金融の中心にのし上がります。

▲アメリカの工業生産は，1929年で世界全体の約４割を占めた

この1920年代，現代に通じる**大量生産・大量消費社会**が生まれました。メーカーが同一規格の商品を大量に生産し，購買力を高めた大衆がこれを購入する，**「画一化」**が進んだ社会とも言えますね。その象徴が，**ベルトコンベアを用いた組み立てライン**で自動車を大量生産した**フォード**でしょう。**ラジオ**や**映画**など新たなメディアで企業広告が展開されたことも，大衆の購買意欲を刺激しました。**割賦販売**（かっぷ）（いわゆる分割払いのことで，商品の代金を複数回に分けて支払う）が普及して，高額商品にも手が届くように。大衆には映画に加え，ジャズやプロスポーツなどの娯楽も根づいていきました。ウォルト＝ディズニーがミッキーマウスの映画を製作したのが1928年で，メジャーリーガーの大谷翔平選手が事あるごとに比較されるベーブ＝ルースの全盛期も1920年代。この時期のアメリカが100年後の日本に及ぼしている影響たるや恐るべし，ですね。

1920年代半ばには約500のラジオ放送局があった▲

一方この時期，アメリカ合衆国を建国以来支えてきたイギリス系白人（**WASP**）の価値観が幅を利かせて社会は極度に不寛容になり，異質なモノは徹底的に攻撃されました。禁酒法はWASPの「P（プロテスタント）」の，勤労を奨励し禁欲を重視する価値観から制定されたものですが，これにも大戦が影を落としています。大戦中，大切な食糧である穀物をビールなどにすることが「浪費」と批判され，しかもビール醸造業者には敵国ドイツ出身者が多かったんですよ。イタリア移民２人が強盗殺人事件の容疑者として逮捕され，証拠不十分で死刑になった**サッコ・ヴァンゼッティ事件**には，WASPと相いれない移民に対する負の感情が見てとれます（ロシア革命の影響で反共の風潮が強くなっており，二人が無政府主義者であったことが偏見に拍車をかけた側面も）。日本からの移民を禁じた1924年の**移民法**も然（しか）り。アジア人への風当たりも強くなりました。

▲White,Anglo Saxon

ここではカルヴァン派を指す　→テーマ13▲

▲なお二人とも，大戦において徴兵を拒否している

テーマ

24 戦間期のアジア

1 戦間期の中東では，多くの新興国家が成立した

⑴　第一次世界大戦中のイギリスによる秘密外交

フセイン・マクマホン協定（1915）	オスマン帝国支配下のアラブ人に対し，蜂起する見返りに戦後の独立を約束
サイクス・ピコ協定（1916）	英仏露が，戦後のオスマン帝国領の分割を約束
バルフォア宣言（1917）	イギリスがユダヤ資本の戦争協力を求め，その代償にユダヤ人国家の建設支持を約束 ▲ナショナル＝ホーム

⑵　トルコ

①**セーヴル**条約（1920）…第一次世界大戦の講和条約。亡国的な内容

②**オスマン帝国**が滅亡（1922）…**ムスタファ＝ケマル**主導で**スルタン**制廃止

③**トルコ共和国の**成立（1923）…初代大統領は**ムスタファ＝ケマル**

④トルコの近代化（西欧化）
▲ケマルの政治は独裁傾向が強く，土地改革は行なわれず

カリフ制…**政教一致** ⇨	**カリフ**制廃止（1924）…**政教分離**
イスラーム法…**政教一致** ⇨ ▲シャリーア	トルコ共和国憲法（1924） ▲主権在民，大統領制
一夫多妻，女性のベール着用 ⇨	一夫一婦，ベール禁止，**女性参政権**
アラビア文字 ⇨	トルコ語に合わせた**ローマ字**
イスラーム暦 ⇨ ▲ヒジュラが行われた622年が元年	太陽暦（**グレゴリウス**暦）

⑶　英仏の委任統治領…1930～40年代に独立

①英…**イラク・ヨルダン**

②仏…**シリア・レバノン**

⑷　**サウジアラビア**

①**イブン＝サウード**がフセインを破り，独立（1932）

②**ワッハーブ派**を信奉

⑸　エジプト（1922に独立）

①**スエズ運河**駐兵権，エジ

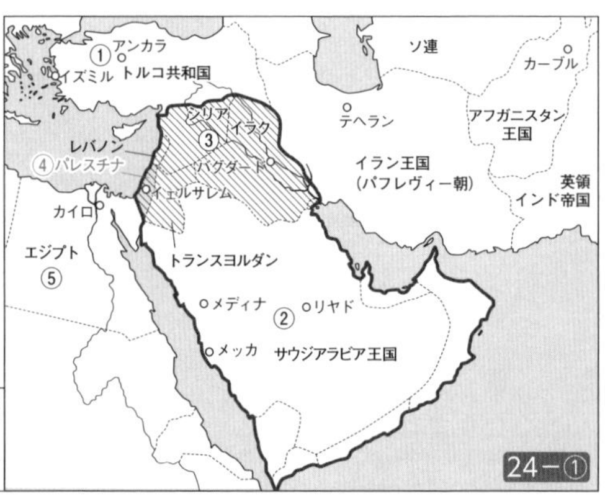

プト防衛権，スーダン領有権などは英が保持

(6) イラン

①**パフレヴィー朝**…**レザー＝ハーン**がカージャール朝を廃し，成立（1925）

②ナショナリズム高揚策として，国名をペルシアから**イラン**に改称（1935）
▲アーリア人（高貴な人）の国，の意

(7) アフガニスタン…第３次アフガン戦争を経て，イギリスが独立承認（1919）

2 ガンディーがインドの独立運動を指導したが，戦間期の独立はならず

(1) イギリスは，戦争協力の代償として戦後の自治を約束したが，無視

(2) ガンディーによる**非暴力・不服従**運動（**サティヤーグラハ**，1919～22）
▲真理の把握，という意味

(3) インド国民会議**ラホール**大会（1929）

①**ネルー**らが主導し，**プールナ＝スワラージ**（**完全独立**）を宣言

(4) **1935年インド統治**法（改正インド統治法，1935）

①連邦制・各州の**自治**（≒**内政権**）を規定したが，独立は実現せず

3 日本統治下の朝鮮

(1) 朝鮮総督府の**武断**政治…言論・出版・集会・結社の自由を奪う

(2) **三・一**独立運動（1919.3.1～）

①パリ講和会議での「**民族自決**」に期待した朝鮮の民衆が独立を宣言
▲高宗の死去も背景

(3) 「**文化**政治」への転換…言論・集会・結社への**取り締まりを緩和**

(4) 日中戦争勃発後

①**皇民化**政策の実施…日本語の強制，神社参拝の強制，**創氏改名**
▲日本風の姓名を用いる

②太平洋戦争勃発（1941）➡労働者として徴用，徴兵制が敷かれて従軍

4 中国では民族運動のさなか，国民党と共産党の思惑が交錯

(1) 新文化運動（文学革命）

①**陳独秀**…北京大学の学長に就任し，『新青年』を創刊

②**胡適**（こせき）…**白話**文学（旧来の文語を否定した口語による文学）を提唱
▲デューイに師事。帰国後，北京大学の教授に就任

③**魯迅**（ろじん）…白話文学を推進し儒教的道徳を批判した作家

④李大釗（りたいしょう）…大学内に**マルクス主義**研究会を創設

(2) **五・四運動**（1919年５月４日）…民衆がパリ講和会議で**民族自決**が認められなかったことに反発し，デモ。軍閥政府は**ヴェルサイユ条約調印を拒否**

(3) **中国国民党**（初代党首は孫文）と**中国共産党**が成立

第6章 二つの世界大戦

{ ①**中国国民党**
  ②**中国共産党**

(4) 第1次国共合作と北伐

①**第1次国共合作**の成立（1924.1）
②**広州**国民政府の成立（1925.7）
③**北伐**の開始（1926.7）
…総司令官**蔣介石**（しょうかいせき）が国民革命軍を率いる
▲黄埔軍官学校の校長を務めた
④**上海**クーデタ（1927）…蔣介石が共産党員を弾圧 ➡**国共合作は崩壊**
⑤**南京**国民政府の樹立（1927.4）
➡北伐の再開（1928）
⑥**張作霖**爆殺事件（奉天事件 1928.6）
➡**反日**となった子の**張学良**が軍閥を継承して**蔣介石に降伏**。北伐は完成
▲満州は間接的とはいえ国民党の影響下に入ってしまった

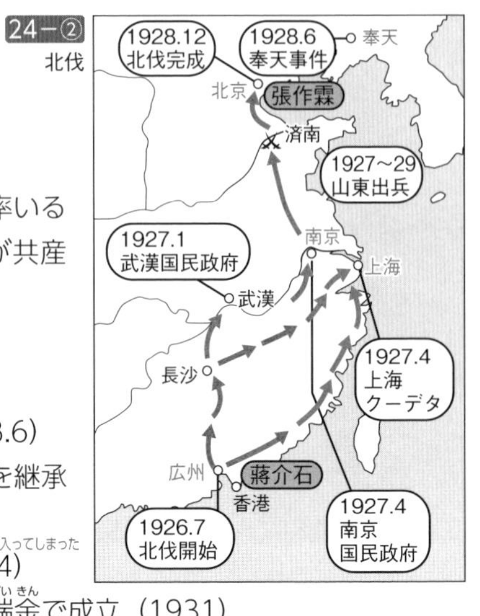

(5) 国共の対立と満州事変（1927～34）

①**中華ソヴィエト共和国**臨時政府…瑞金（ずいきん）で成立（1931）
▲江西省
②**柳条湖**（りゅうじょうこ）事件（1931.9.18）…関東軍が南満州鉄道を爆破（「**満州事変**」）
③**満州国**の成立（1932.3）…日本の傀儡（かいらい）国家。清朝最後の皇帝**溥儀**（ふぎ）が執政
▲後に皇帝となる
➡蔣介石は日本よりも，**中国共産党との内戦を優先**
▲塘沽停戦協定で満州国を事実上承認

(6) 長征と国共の再接近

①**長征**（大西遷，1934.10～1936）…陝西省**延安**に根拠地を移した
3万の兵士は到着時には8000人に減少▲
②**西安**事件（1936.12）…**張学良**が督戦のため西安に来た蔣介石を監禁
▲西安は，かつての前漢＆唐であった長安

(7) 日中戦争（1937～45）と第2次国共合作

①**盧溝橋**（ろこうきょう）事件（1937.7.7）から**日中戦争**へ ➡**第2次国共合作**
②蔣介石は国民政府を**重慶**に移転（1938）し持久戦へ

第一次世界大戦に苦しむイギリスは，場当たり的に約束を乱発して各所に戦争協力を求めました。第一の被害者がアラブ人です。まずイギリスは，メッカの太守（シャリーフ）**フセイン**と協定を結んでイギリスに協力する見返りとして**アラブ人に独立を約束**。その一方で，フランス・ロシアとの**サイクス・ピコ協定**でオスマン帝国の**アラブ人地域を山分けしよう**と密約。さらには，**バルフォア宣言**で資金協力と引きかえにパレスチナにおける**ユダヤ人国家の建設を支持**。今回，地図 24－① には国や地域に目印となる番号をつけておきました。フセインが想定したアラブ人国家の地域は地図内の②③④に及ぶ，□で囲まれた広大な地

アラビア西岸はオスマン帝国の自治領のような立場だった▲
▲ユダヤ人の「故郷」だが，当時はアラブ人が居住

域であるのに対し，サイクス・ピコ協定で分割が約束された地域は，地図内の
④パレスチナは国際管理とされた▲
③④に相当するエリアです。そしてが示す④パレスチナに至っては３つの約束が重複し，矛盾だらけの状態に！

フセインは1916年に**ヒジャーズ王国**を建国。イギリスとの申し合わせ通り
▲メッカとメディナを含むアラビア半島西岸
に挙兵し，王国軍は一時シリアにまで侵攻して，アラブ統一国家を夢見ます。しかし戦後，サイクス・ピコ協定に基づき③④に相当する部は英仏の統
ロシアは革命が起こったため，分割に参加せず▲
治下に置かれました。とはいえ，民族自決が掲げられたこの時期に植民地を新たに増やせば大騒ぎ。そこで編み出された方便が**委任統治**でした。敗戦国から奪った地域を「近代国家としての自立が難しい君たちを，戦勝国が支えてあげよう」という建前で支配したのです。

気の毒に…。でも②アラビア半島は支配できたんですよね。

実は…今まで黙ってましたけど，**アラビアには部族争いの火種があった**んです。フセインの前に立ちはだかったのが，アラビアの豪族サウード家。当主**イブン＝サウード**は，ネジド王国を建て勢力拡大。決戦は，イブン＝サウードの
▲アラビア半島中部
勝利に終わりました。彼はアラビア半島を統合し**サウジアラビア王国**が成立し
▲サウジとはサウード家を指す
ます（フセインはアラブ統一どころか玉座も失う羽目に…）。サウジアラビアとは「サウード家のアラビア」という意味です。サウード家は**テーマ20**で紹介したワッハーブ派を奉じており，現在もイスラーム法を施行する**政教一致体制**を採用しています。サウジアラビアの国旗には「アッラーの他に神はなく，ムハンマドは神の使徒である」という文言が書かれていますよ。

続いて③④に相当する部です。英仏が自分の都合でイラク・ヨルダン・シリアなど③を切り刻んで分配しますが，怒りが収まらぬアラブ人の激烈な民族運動が起こり，英仏とも独立を容認する方針への転換を迫られました。④のパレスチナはバルフォア宣言が絡むのでもっと大変。くわしくはp.239のコラム３を参照してください。

イギリスに従属していた⑤エジプトでも民族運動が高まり，イギリスは1922年に独立を認めました。とはいえ**スエズ運河**地帯の駐兵権，エジプト防衛権，スーダン統治権はイギリスが保留するという**形式的な独立**でした。

ではオスマン帝国の本丸①小アジアです。大戦に敗れて死に体のオスマン帝国で軍人**ムスタファ＝ケマル**が立ち上がり，**アンカラ**に新政府を建てて侵攻してきたギリシア軍と戦いました。一方，1920年に結ばれた**セーヴル条約**でオスマン帝国に残されたのは，ヨーロッパ側はイスタンブルだけ，小アジア側もわずかな領土のみ…。まさに亡国です。ムスタファ＝ケマルは，トルコをゼロ
▲アラブ人地域は英仏に分配されている

から再生するしかないと決意し，**スルタン**を退位させ，ここに**オスマン帝国は**
600年以上の歴史に幕を閉じた▲
滅亡しました。ムスタファ＝ケマルの指導力を見たイギリスはアンカラ政府を認めざるをえなくなります。ここでケマルは，**多民族国家で難儀するよりも「トルコ人の国民国家」としてスリム化しよう**という判断を下しオスマン帝国
▲これを「トルコ主義」という
時代のアラブ人地域をスパっと切り捨てました。でも実際は単一民族ではなく，多くの**クルド人**が居住していました。セーヴル条約では民族自決を反映してクルド人の自治が持ち上がったのですが，ムスタファ＝ケマルはこれをもみ消してトルコ領内に押しとどめます。これが現在まで続く「国家を持たない最大の民族」クルド人問題です。

同年，ムスタファ＝ケマルを大統領として**トルコ共和国**が成立。「**アタテュルク**」という尊称を贈られた彼は，**テーマ20**でも示したような**西欧化**を進めました。まずは**政教分離**で，イスラーム法に代わって憲法を制定しました。続いてイスラーム世界において地位が低かった女性の地位を高め，**女性参政権**が実現します。さらには文字と暦からもイスラーム色を排除する徹底ぶりでした。上述した政教一致のサウジアラビアとは好対照ですね。ただ，政教分離の観点でモスクから博物館に転用されていた，壮大な「アヤソフィア」が2020年にモスクに戻されました。背後には，モスク復活を求める保守層からの支持を得たい大統領の狙いがある，という憶測がもっぱらです。

イランの**カージャール朝**は，第一次世界大戦でイギリスとロシアに占領され
▲英露に対抗するため密かにドイツと通じていた
てしまいます。ロシアは革命が起こって撤退するものの，イギリスは戦後まで居座りました。ここで，トルコのムスタファ＝ケマルに相当する存在が登場。軍人**レザー＝ハーン**で，自ら**パフレヴィー朝**を創始して国王になりました。**西欧化**改革を進めたところはトルコと共通していますね。また彼は，国号をペル
▼Iran＝アーリヤ人（高貴な人たち）の国
シアから**イラン**と改めました。イラン人の国民意識を考えるうえで，

インド＝ヨーロッパ語系のイラン人（ペルシア人）　と　セム語系のアラブ人

が別の民族であることは，ぜひとも知っておいていただきたいです。

大戦中のイギリスは，インド人にも**戦後の自治を約束**し協力を求めました。

ハイハイ，どうせ約束は守らないんでしょ？

ハイ。100万人以上のインド人がイギリス軍に入隊し，祖国のために戦ったんですが，戦後の**1919年インド統治法**で認められた**自治は名目的**なものでした。怒れるインド人を，イギリスは**ローラット法**で押さえつけます（「令状なしの逮捕，裁判抜きの投獄」を定めたこの法，もはや法治国家の体（てい）すらなしていませんよね…）。こうなれば，インド人とイギリスの衝突は不可避なわけで，

無防備の民衆が発砲をうけて多数の死傷者が出ました。
イギリスとインド側が主張する死傷者数には開きがある▲

この事件と同時期，「イギリスに断固報復すべきだ！」と憤（いきどお）る民衆に対して「暴力を用いても，互いが憎み合って悪循環になるだけ。我々は野蛮なイギリス人と同レベルになってはいけない」と**非暴力・不服従（サティヤーグラハ）**による抵抗を説いたのが**ガンディー**でした。店舗や工場を一斉休業して断食し，自ら糸を紡いでイギリス製品を不買し，選挙をボイコット。イギリス人に暴力で取り締まられても決して反撃しない。はじめは消極的な印象だったこの戦術も，次第にインドの**大衆**を巻き込み，また一時は**イスラーム教徒の全インド＝ムスリム連盟も共闘**する一大ムーヴメントに。
ハルタール▲
▲無抵抗のインド人への暴力は，国際的非難を呼んだ

民族運動の最大組織**国民会議派**も，1929年の**ラホール**大会で非暴力・不服従の方針を採用しました。「**完全独立**（プールナスワラージ）」を採択したこの大会の中心にいたのが，のちの初代首相**ネルー**ですね。疲弊したイギリスはインドへの譲歩を余儀なくされていき，ついに**1935年インド統治法**において州レベルの**自治**は認められることになりましたが「独立」はいまだならず，という状況です。
▲≒内政

次に東アジアです。朝鮮半島に目を向けると，1919年に**民族自決**を期待して**三・一独立運動**が起こりました。運動は鎮圧されたものの，日本側は従来の高圧的な**武断政治**を改め，言論・集会・結社への取り締まりを緩和する「**文化政治**」という同化政策に転換。日中戦争勃発を契機に**皇民化政策**が展開され，日本語の使用や**創氏改名**が推し進められます。内地の人手不足が深刻化すると，朝鮮人労働者が移住・連行させられました。さらに太平洋戦争の末期には徴兵制が敷かれ，軍人や軍属として戦地に動員されました。

中国では，清朝は滅亡したものの，保守的な政治は依然として続きました。**袁世凱**（えんせいがい）が死去すると，激しい後継者争いが勃発。これらの**軍閥は，列強の支援をうけて中国を支配**していました。列強は中国の革命（＝近代化）を恐れていますから，保守派の軍閥が幅を利（き）かせている方がありがたいわけです。

第一次世界大戦中の中国では，知識人たちによる民衆の意識改革が進められました（**新文化運動**）。**陳独秀**が創刊した『**新青年**』の中で欧米の科学・合理思想を紹介。同時に，**儒教道徳**（これが国民国家にとって障害であることは**テーマ21**で説明した通りです）**を払拭**しようとしました。乱暴な言い方をすれば「支配者の言うことに無条件に従う」精神性
▲その中核が文学革命

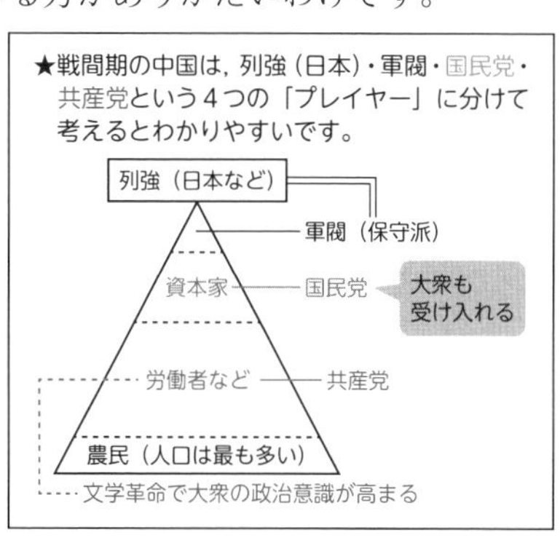

を改めない限り革命など起こせない！　ということです。**胡適**は，文章を**口語**（話し言葉）で分かり易く表現する**白話文学**を推進しました。白話小説の代表格が**魯迅**で，中国人の奴隷根性・中華思想をこき下ろします。

大戦の終盤，中国は連合国側で参戦しました。北京政府の首班として軍閥のボスがパリ講和会議へ向かいます。（▲戦勝国となって国際的地位を高めようとした）政治意識が高まった大衆は会議において**民族自決**が検討されていることを知り，「やった，中国が植民地支配から解放されるぞ。特に**二十一カ条要求**は許せん！」と期待を寄せました。でも…，皆さんも承知の通り民族自決は認められず。これを聞いた北京の学生や民衆は「列強は中国から出ていけ！　その手先である軍閥もくたばれ！」と大爆発（**五・四運動**）。この報せをパリで聞いたボスは「ヤバイ。このまま列強にヘタれて帰国したら，民衆に何されるか分からん。抗議のポーズだけでもとっておかねば」と考え，**ヴェルサイユ条約調印を拒否**したのです。**大衆が初めて政府を動かした**ムーヴメントですね。

五・四運動は，軍閥だけではなく各方面にも影響を及ぼしました。革命を指導してきた**孫文**は，今までは実のところ大衆の力を軽んじていて，少数のエリート・富裕層こそが革命を担うと考えていたんですね。（帝国主義に対抗するため，一部の軍閥と提携▲）でも五・四運動のパワーを見て目からウロコ。大衆の力こそが革命の原動力だと考えを改め，1919年に立ち上げた**中国国民党**では**大衆にも門戸を開きました**。一方で1921年に（▼新文化運動において，李大釗がマルクス主義を中国に紹介）**中国共産党**（▲以下共産党と略記）が成立します。ここで，共産主義と民族運動の関係について説明しましょう。**共産主義は本来ナショナリズムを否定します**。労働者が愛国心を持つと，ライバル国の労働者と協力できず手強い資本家に歯が立たない，つまり世界革命を起こせないからです。でもレーニンは，植民地におけるナショナリズムは認めました。愛国心に満ちた労働者が民族運動に身を投じて植民地支配から独立できれば，植民地から搾取していた「ボスキャラ」たる英仏の資本家にダメージを与え，**英仏での共産主義革命のアシストにつながる**と考えたのです。この時，**植民地の労働者と資本家が手を組むという現象も起こり得る**わけで，中国共産党は一旦は資本家主導の国民党との提携にふみ切ったんですね。これが**第１次国共合作**。大衆の力を評価する孫文も合作に乗り気で，［国民党・共産党］　VS　［軍閥・列強］　という構図が見えてきました。しかし，軍閥と戦う準備の途上に孫文が病死。「**革命いまだならず**」という遺言は広く知られるところです。

孫文の後継となったのが黄埔軍官学校の校長を務め，国民革命軍総司令官となった**蔣介石**。国民政府が置かれた**広州**から，軍閥打倒のために国民革命軍が出撃して，**北伐**が始まりました（地図24－②）。国民革命軍は次々と軍閥を打ち破っていきます（共産党も奮闘！）が，国民党の中には共産党との連携をめぐって不協和音が…。実は蒋介石は筋金入りの**反共**で，共産党との協力に日ごろから不満を抱いていました。この状況下，イギリスやアメリカは（今まではどちらかといえば軍閥寄りだったんですが）蒋介石に接近し「共産党を潰(つぶ)してくれれば，これからは国民党を支持する」と提案。中国最大の**浙江財閥**(せっこうざいばつ)が蒋介石側に立ったこともあって，共産党を切り捨てる機は熟した，というわけです。1927年４月12日，共産党員の一斉逮捕・虐殺（**上海クーデタ**）が断行され，国共合作は崩壊へ向かいました。

翌28年，蒋介石は国民党だけで北伐を再開。ついに首都北京を占領し，軍閥抗争で勝ち残って実権を握っていた**張作霖**は自らの本拠地である**奉天**へ撤退していきました。ここで思わぬ事態が。奉天へ向かう張作霖が列車・橋脚ごと爆破されて殺害されてしまったんです。これは日本の**関東軍**の仕業でした。満州に南満州鉄道（満鉄）などの権益を持つ日本は，同じ東北地方を勢力範囲とする張作霖を支援してきました。しかし「もはや，没落した張作霖など利用のしがいもない。奉天軍閥はこれで終わりだ。**日本自身で東北地方を支配してしまえ**」と考えた関東軍によって謀殺されてしまったんです。北京に滞在していて難を逃れた息子の**張学良**はいち早く奉天軍閥を建て直し，父を殺した日本に立ち向かうため蒋介石の指揮下に入る決断をしました。東北地方を掌握する張学良が蒋介石に忠誠を誓ったことで北伐は完成，中国は（一応）統一されました。

以上の経緯が分かると，1931年に**満州事変**が起こる経緯がスムーズに理解できます。東北地方を制圧する野望を挫(くじ)かれてしまった関東軍は，満鉄を自ら爆破して張学良の仕業に仕立てあげ，これを口実に東北地方の主要都市を占領！ 1932年３月，日本は最後の皇帝(ラストエンペラー)**溥儀**(ふぎ)をトップとする傀儡(かいらい)国家**満州国**を建国します（地図**24−③**）。これに対し，事件の不当性を訴えた中国側の要請で国際連盟から**リットン調査団**が派遣されました。調査の結果，柳条湖事件は関東軍の自作自演であるという結論に至り，調査団の報告を採択する決議に不満を持った日本は，1933年に**国際連盟を脱退**しました。

世界恐慌をうけて日本も不況に苦しみ，海外市場を求めていた▲

ところで，上海クーデタ後の共産党はどうなっていたのでしょうか。クーデタの難を逃れた勢力が**毛沢東**を中心に，江西省の農村地帯に**中華ソヴィエト共和国臨時政府**を樹立。ということは，実権を掌握する南京の蒋介石は，北の満州国（日本）と南の共産党という２つの敵と同時に対峙(たいじ)することになりましたね。さて，どうするか。

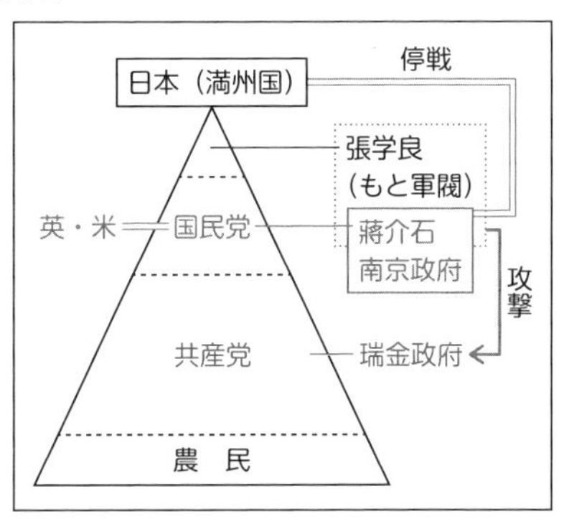

> 同じ中国人なんだから，国共で協力して日本と戦いましょう！

そう考える人も多かったんですが，反共の蔣介石は「分裂状態の国内を統一するのが先決である」と考え，**日本とは停戦して共産党への攻撃を優先**（▲この戦略を「安内攘外」と呼ぶ）させました。国民党の総攻撃は苛烈（かれつ）をきわめ，紅軍（▲中国共産党の軍隊）は総崩れとなってたまらず瑞金を脱出。２年に及ぶ逃避行，**長征**の始まりです。国民党軍に見つからないように劣悪な道なき道を進み，多くの犠牲者を出しながらも延安に到達しました（▼この途上，毛沢東は共産党内の指導権を確立）。

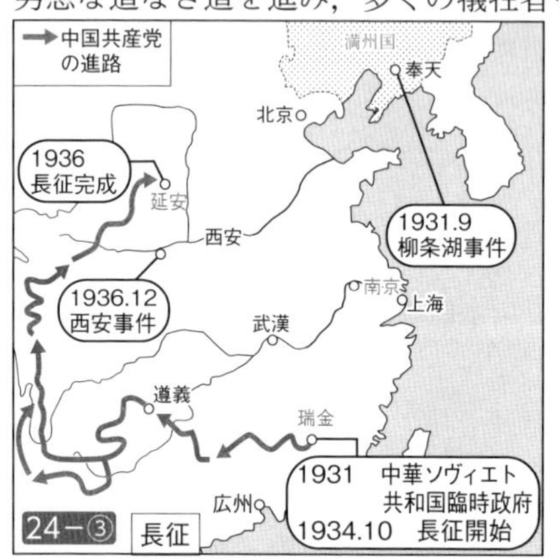

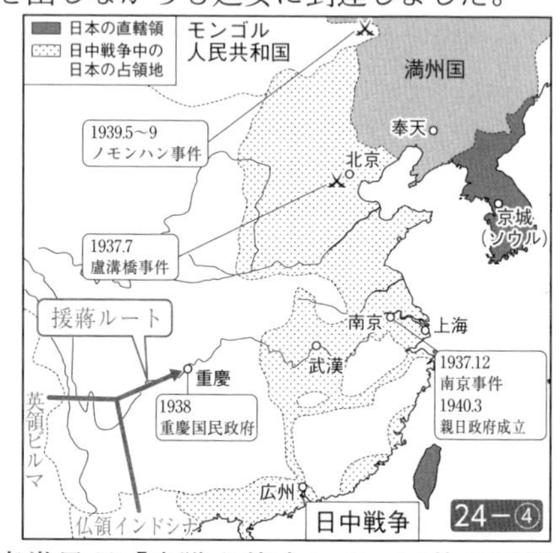

この長征の途上，モスクワにいる共産党員が「内戦を停止して，国共で団結して日本と戦おう」という趣旨の**八・一宣言**を発していました。完全無視した反共の蔣介石とは対照的に，宣言に心震えた男がいました。父親の仇（かたき）をとり，故郷の満州を奪還したい**張学良**です。そこで彼は，蔣介石が**西安**（▲張学良の軍が駐留していた）を訪れた際になんとボスである蔣介石を監禁（**西安事件**）！　共産党の**周恩来**（黄埔軍官学校時代，蔣介石の部下だった▲）も説得にあたり，ついに蔣介石に内戦停止を認めさせました。このように国共和解に功のあった張学良ですが，ボスである蔣介石を捕らえた代償は大きく，数十年に及ぶ軟禁生活を強いられることになります。

1937年７月，日中が軍事衝突した**盧溝橋事件**から日中は全面戦争に突入しました。蔣介石は紅軍を八路軍として指揮下に入れ，**第２次国共合作**が成立。日本が国民政府がある南京に攻勢をかけると，蔣介石は長江をさか上るような形で南京➡武漢➡**重慶**と政府を移転させました。日本軍を内陸部に引きずり込み補給線を引き延ばしてやろうという魂胆です。日本軍は南京などの沿岸部は押さえたものの，農村部ではゲリラ戦に苦しんで戦線は膠着。重慶を爆撃したり，蔣介石と対立していた**汪兆銘**（おうちょうめい）を引き抜いて南京に傀儡政権をつくったりしましたが，戦局は好転せず，いたずらに戦線を拡大させただけでした。

テーマ 25

世界恐慌とファシズムの台頭

1 繁栄を謳歌していたアメリカで大恐慌が起こった

(1) 背景…企業の生産過剰，国民の購買力低下，国際貿易の停滞など

(2) **ウォール街**での株価大暴落（1929.10.24 「暗黒の木曜日」）

(3) **フーヴァー＝モラトリアム**…賠償金・戦債支払いを１年間停止

2 世界に波及した恐慌に，各国はどのように対応したのか

(1) アメリカの対策…**フランクリン＝ローズヴェルト**大統領
▲民主党 任1933～45

①**ニューディール**政策…**政府が経済活動に介入**する修正資本主義
▲「新規巻き直し」

・**農業調整**法（AAA），**全国産業復興**法（NIRA）…製品価格引き上げ

・**テネシー河流域開発公社**（TVA，1933）…公共事業で失業者を吸収

・**ワグナー**法（1935）…団結権・団体交渉権など，労働者の権利を拡張

②外交政策…**善隣**外交などで，海外市場の拡大を目指した
▲従来の棍棒外交を改めた

(2) イギリス

①**マクドナルド**労働党内閣…失業保険の削減問題で内閣は崩壊
▲10%

➡マクドナルド挙国一致内閣（1931～35）

②**ブロック**経済の形成（スターリング＝ブロック）

(3) フランス…**フラン＝ブロック**を形成

英仏米は植民地や従属地域を関税障壁で囲み，外部からの製品を遮断して，自国製品を優先的に販売

イギリス 経済圏 スターリング ＝ブロック

フランス 経済圏 フラン ＝ブロック

アメリカ 経済圏 ドル ＝ブロック

自前の経済圏を持たない独伊日は輸出が行き詰まる

3 恐慌に苦しむドイツではナチ党が政権を掌握した

(1) **ナチ党**（国民社会主義ドイツ労働者党）
▲ヒトラーが前身の政党の党首となり，1921年に改称

①独自の民族観…ドイツ民族の優秀性を主張し，民族共同体の建設を掲げた
▲社会進化論や優生学が基盤
②**反ユダヤ主義**，**反共産主義**を掲げる
③ミュンヘン一揆（1923）に失敗し，ヒトラーは逮捕される

⑵ ナチ党独裁の確立
①左右両派の台頭…恐慌下，ナチ党とドイツ共産党が議会内で勢力を伸ばす
②ヒトラー内閣の成立…**ヒンデンブルク**大統領がヒトラーを首相に任命
③**全権委任**法（1933）…ヒトラー**内閣に立法権をも委ねた** ➡一党独裁へ
④ヒンデンブルクの死 ➡ヒトラーが大統領と首相の権限を合わせ**総統**（フューラー）就任

⑶ ナチ党の国内政策…公共事業，**四カ年計画** ➡失業率は低下

⑷ ヴェルサイユ条約の破棄まで
①賠償金支払いの破棄（1933）…ヒトラーが政権獲得の直後に宣言
②ドイツの**国際連盟**脱退（1933）…軍備の不平等を理由に宣言
③**ザール**地方の復帰（1935）…ザールでの住民投票によってドイツに復帰
▲支持率91％
④**再軍備宣言**（1935）…ヴェルサイユ条約を破棄し，徴兵制が復活
▲空軍・海軍も再編

4 ドイツ以外の諸国の動きは

⑴ イギリス・フランスの**宥和政策**…ヒトラーに譲歩
⑵ ソ連が主導した**人民戦線戦術**…**ファシズムに反対する全ての勢力が結集**
⑶ イタリアの動向
①**エチオピア**侵攻（1935～36）…国際連盟による経済制裁の効果は不十分
②**スペイン内戦**（保守派の**フランコ**将軍 VS 人民戦線）…ドイツと共にフランコを支援 ➡ドイツ・イタリアが接近し，提携する契機となる
③**三国防共協定**の成立（1937.11）…日独伊の三国による

5 ドイツが近隣国へ対外進出を進める

⑴ 1936 **ラインラント**進駐
▲ドイツ軍がライン左岸まで進駐
⑵ 1938.3 **オーストリア**併合
⑶ 1938.4 **ドイツ系住民の多いズデーテン**地方の割譲を要求
➡**ミュンヘン会談**で英仏はヒトラーの要求を認めた。宥和政策の頂点
⑷ 1939.3 **チェコスロヴァキア**解体
▲東欧一の工業国
⑸ **ポーランド回廊**に関する要求…ダンツィヒの返還など
⑹ 1939.8 **独ソ不可侵条約**…ドイツとソ連が，10年間の不戦を約束
※独ソによるポーランドの分割，バルト三国をソ連領とすることも密約

経済的繁栄を謳歌していた1920年代のアメリカですが，懸念材料は確実に積みあがっていました。好況の起爆剤は，大戦中のヨーロッパでの特需で，アメリカが生産した農作物も工業製品も飛ぶように売れましたね。しかし戦後はヨーロッパ産業の復興が進み，**農作物に関しては終戦直後からアメリカからの輸出は停滞に転じました。**1920年代後半に入るとヨーロッパの工業生産も戦前の水準に回復し，アメリカ製品への依存は下がりました。でもアメリカ企業は強気の姿勢を崩さずに生産を続け，在庫が積み上がっていったんです。

じゃあ，工場で働く労働者は潤っていたわけですか。

いや，そうともいえなくて，組み立てラインなどで生産が合理化されてしまったため，人手が余り気味で労働者の賃金も伸び悩むことに…。

▼労働者を重要な消費者とみなし，あえて賃金を引き上げたフォードの例もある

景気後退の兆しは明らかなのに，株価は上がり続けます。「株を買えば儲かる」という神話が投機熱を煽り，実体経済と株価が完全に乖離する状況が起こりました。ついに1929年10月24日，「今の株価は実体経済に対して高すぎる！」と投資家たちが一斉に株を売却し，ウォール街の株価が大暴落！　ここから大恐慌に突入するわけですが，「株価大暴落によって恐慌になった」というよりは，**「アメリカ経済のヤバイ現実が株価大暴落によって明白となり，暴落がさらに悲惨な状況を招いた」**と言った方が適切かもしれませんね。

▲「暗黒の木曜日」。10月29日も大暴落し「悲劇の火曜日」と呼ばれる

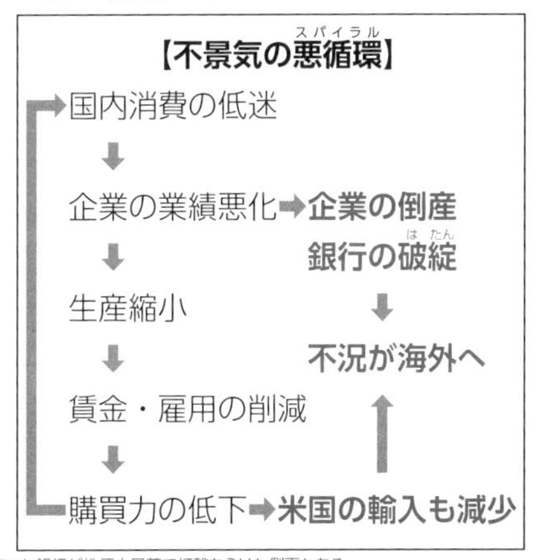

右の図「不景気の悪循環」は，よく知られているところだと思います。この流れの中で，アメリカの工業生産は半減し，失業率は25％にまで及びました。また，アメリカが不景気になったことで，アメリカの輸入が一気に落ち込みます。外国企業はアメリカに商品を売れなくなって売り上げが落ちるわけで，**外国にも不景気が波及**しました。次に銀行。①企業が倒産すると，その企業に融資していた銀行は資金を回収できず，下手すれば破綻。資金不足になった銀行は企業への貸し出しを渋り，そのあおりで別の企業が連鎖倒産。②つぶれそうな銀行から預金を引き出そうと預金者が殺到。こんな風にアメリカの銀行が満身創痍になれば，取り引きがある外国企業も苦しくなります。この時，一番困る外国は？

これを不良債権と呼ぶ▼
▼株を保有していた銀行が株価大暴落で打撃をうけた側面もある
▼いわゆる取り付け騒ぎ。銀行が破綻すれば，当然預金はなくなる

ドーズ案で，アメリカに助けてもらってたドイツですね。
▲→テーマ23

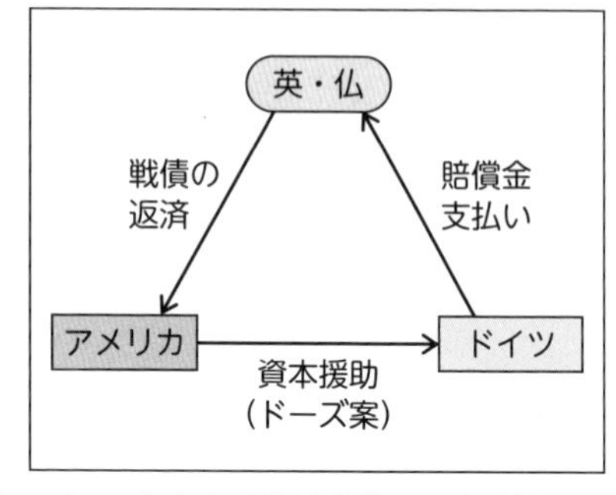

その通り。相対的安定期を支えたトライアングルの崩壊です。当時の大統領**フーヴァー**は，ドイツの賠償金支払いなどを１年間猶予する**モラトリアム**を宣言しますが，積極的な景気対策は打たずじまい。理由をごく簡単に説明します。

①従来の「自由放任」にこだわった ②均衡財政にこだわった

①**テーマ17**で「政府は経済活動に介入するな。**自由な経済活動こそ経済発展の原動力！**」という大原則に触れました。彼はこれに従い，景気の自然回復を待ったんです。②当時は国家予算を組むうえで，財政赤字は（戦争でもない限り）絶対悪でした。「税収が減っているのだから，景気対策のための予算なんか計上できない」，という理屈です。「無策」と批判されがちなフーヴァーですが，実は①②に従った彼なりのポリシーを持っていたわけですね。
▲≒国債の発行

以上が分かると，1933年に就任した**フランクリン＝ローズヴェルト**の政策が理解しやすくなります。放置してるだけではいつまでたっても景気は回復しない，と従来の自由主義に一石を投じ，「修正」を施したんです。

①政府は経済活動にある限度まで介入　＆　②赤字覚悟で景気対策をする

この理念に基づく彼の一連の政策が**ニューディール**です。

自由競争の資本主義社会では，企業は競って商品を生産し，つい余剰が生まれがち。この余剰を売りさばけない状況が不景気。一方，共産主義であるソ連の企業は全て国営で，政府が状況に応じて生産量をコントロールし，また全ての労働者が平等に賃金を受け取り，商品を買えない貧困層は存在しません。すなわち必ず商品は消費されるわけで，共産主義には（あくまで理論上ですが）余剰生産＆**不景気が存在しません**。政府がプランニングした五カ年計画のもとで，恐慌を尻目にソ連の経済は目覚しく成長しました。この手の，国家がコントロールする経済を計画経済といいます。**ローズヴェルトはこれに似た手法を取り入れて生産をある程度調整し，景気回復を図った**んですね。それが**農業調整法（AAA）**と**全国産業復興法（NIRA）**です。また，**ワグナー法**で労働者の権利を拡大させました。さらにローズヴェルトは，**テネシー川流域開発公社（TVA）**に代表される大規模な公共事業によって失業者を吸収しました。「**景気対策でカネをバラ撒いて財政赤字になっても，景気が回復すれば税収が増え**
▲在庫
▲当時アメリカと国交・通商がなかったことも一因
▲政府が予算を計上して，土木建設会社にインフラを整備させる

るから，それで借金を返せばよい」という考えです。

続いてイギリス。大戦以降，低空飛行が続くイギリス経済に恐慌が追い打ちをかけ，200万人以上が路頭に迷いました。当時の労働党**マクドナルド**内閣は税収が落ち込んだこともあって，**失業保険**を10%カットすることを発表。「労
▲これも均衡財政にこだわった結果といえる
働者を守るのが使命である労働党が，失業者への手当をカット!?」という異常事態です。マクドナルド内閣は総辞職，彼自身も労働党を**除名**される騒ぎとなりました。

そしてイギリスは，植民地などの従属地域に対し「イギリス製品だけ買って，他国の商品は買わないでほしい」とお願いし，**排他的な経済圏**を構築しました。これが**ブロック経済**。具体的には，イギリス連邦内で流通する製品は低い「特
▲イギリスはスターリング＝ブロック（ポンド＝ブロック）
恵関税」にして，連邦外から流入する外国製品には高関税を課しました（p.201の図）。アメリカも中南米などを組み込んだ**ドル＝ブロック**を構築し，この際
▲これによって外国製品は締め出される
に従来の高圧的な棍棒外交を改めて**善隣外交**に転換して，**フィリピン**や**キューバ**には独立という見返りを与え協力を求めました。またアメリカはこの時期に**ソ連**を承認しましたが，通商を行いたいという下心も見え隠れしていますね。

英仏米といった**「持てる国」**が外国を排除する経済圏をつくったのに対し，困ったのは自前の経済圏に乏しかったドイツ・日本・イタリアの**「持たざる国」**でした。これらの国は市場を得るため，**対外侵略に活路を見出す**ことになります。そのドイツをリードしたのがナチ党党首**アドルフ＝ヒトラー**でした。

彼は第一次世界大戦後に**ナチ党**の前身に入党し，1920年に**国民社会主義ドイツ労働者党**と改称しました。強烈な愛国者であった彼は，「この世界の環境
▲大戦には兵士として従軍
に適応できる優れた人種がドイツ民族であり，劣等な東欧のスラヴ民族が住む地をドイツ民族の生存圏とすべき。もっとも劣ったユダヤ民族は世界から根絶
▲ヒトラーは「アーリア人種」と呼んだ
されるべし！」と過激な主張を展開します。

ユダヤ人差別は，ヒトラーの頃よりも昔からありましたよね。

ええ，ドイツに限らず広くヨーロッパに存在していました。ただ，ナチ党ほどの集団的迫害・虐殺は他に例がありません…。「そもそも，なぜユダヤ人が
テーマ18で扱ったドレフェス事件はフランスで起こった▲
嫌われるのか？」という事情は，p.239のコラム３でお話しましょう。

ヒトラーは共産主義も憎みました。構造的に説明するならば，**テーマ24**で扱った**「共産主義はナショナリズムを否定する」**原則を思い出しましょう。究
▲世界革命のために，労働者は愛国心を捨てて国を越えて団結
極のナショナリズムであるヒトラーの民族論と共産主義は，水と油です。また，感情論で説明するなら，第一次世界大戦中，ロシア革命（共産主義革命）が飛び火してドイツ革命が起こり，ドイツは大戦を続けられなくなりました。「ド
▲共産主義への移行は食い止められた

イツの敗戦は共産主義者のせいだ！」ともヒトラーは訴えたのです。また，共産主義の父**マルクスはユダヤ人**でしたから，共産主義とユダヤ人を重ね合わせて徹底攻撃したんですね。

と，このような主張を掲げて1923年にはクーデタを企てる（ミュンヘン一揆）のですが，失敗して投獄されます。釈放されたヒトラーは，今までの暴力路線を改めて，**大衆を動員**して合法的に議会へ進出する方針に転換。しかし，過激な彼の主張は，相対的安定を迎えて穏健になりつつあった国民には受け入れられませんでした。（▲→テーマ23）この状況が，1929年の世界恐慌から一変しました。恐慌下のアメリカでは銀行が大打撃をうけ，ドイツ経済を支援するどころではなくなりましたね。ドーズ案以降，アメリカに依存していたドイツ経済界は大打撃をうけ，失業率はなんと30%を越えます。この破滅的な状況下，ナチ党の思想は**ホワイトカラー**（▲新中間層。企業で技術職・事務職・サービスに従事する層）**や自営業者に支持を広げていきました**。ヒトラーは**不況にあえぐ原因を，ヴェルサイユ条約・体制に求めます**。「あの条約で全ての植民地を失い，ドイツ製品は市場を失った！　また莫大な賠償金のせいで，公共事業などの景気対策を打てない！」　さらに，「持てる国」英仏米が，広大な経済圏を囲い込み外国製品をシャットアウトしていましたから，「持たざる国」ドイツの製品は八方手づまりに…。実際，最大政党だった社会民主党は打つ手がなく，国民に見放されていきます。ここで忘れてはいけないのは共産党。「**資本主義そのものをやめれば，貧困はなくなります！**」という訴えは当然労働者（ブルーカラー▲）の心に響き，こちらも議席を伸ばしていきました。

保守的な上層（▲大資本家・銀行家）は共産党の躍進を危惧（きぐ）し，「共産主義だけはゴメンだ」という**消去法**的な考え方でナチ党支持にまわり，**ヒンデンブルク**大統領はヒトラーを首相に任命しました（保守派としてはヒトラーを利用して共産主義を抑え込もう，くらいの気持ちだったんですが…）。新首相ヒトラーは，1933年初頭に起こった**国会議事堂放火事件**を口実に共産党を徹底弾圧。しかし同年の選挙でナチ党は単独過半数をとれなかったため，他の政党を半ば脅（おど）して**全権委任法**（議会の３分の２を掌握して成立させた▲）を成立させました。**ヒトラー内閣は議会を通さずに法律をつくれる**，という内容です。これ以降ヒトラーが好き勝手に法律を作れるようになったため，**ナチ党独裁が確立**されたといえます。翌34年にヒンデンブルク大統領が死去すると，ヒトラーは大統領と首相の権限を合わせた**総統**（フューラー）に就任しました。

ヒトラーの景気対策は，公共事業と計画経済を大々的に進めるものでした。高速道路網**アウトバーン**を整備し，再軍備を宣言した後は**四カ年計画**で軍備を拡大しました。これらの事業で失業者は吸収されて失業率は急速に改善し，ドイツは他国に先駆けて景気回復を果たします。ナチ党は共産主義を忌み嫌ってますが，「**ドイツ国家のためなら，政府は国民の活動を統制できる**」（全体主義▲）という思想のもと，結果的にソ連に似た計画経済を導入したんですね。

続いて対外進出の下準備。賠償金の破棄，**国際連盟**脱退と，ヒトラーはヴェルサイユ体制を真っ向から引き裂きました。**再軍備**を宣言した1935年は，ドイツを警戒する英仏，そしてソ連の対応が見え始めた年でもあります。まずはイギリスの**宥和政策**。イギリスはドイツとの戦争を極度に恐れました（大戦のような事態が再来すれば，本国は大ダメージをうけ，ひいては植民地の独立を抑えきれなくなる）。1935年の**英独海軍協定**では，イギリスはドイツの再軍備を追認し，この後もヒトラーの度重なる要求に対し，文句は言うものの有耶無耶（うやむや）にして黙認を続けます。鉤十字（ハーケンクロイツ）というシンボル，党員の制服，万単位の党員が集う集会，練りに練られたヒトラーの演説，熱狂する聴衆…。**このような演出によって，「強い」ドイツのイメージは増幅され，視聴覚メディアを通じて全ヨーロッパに配信された**のです。

（ヴェルサイユ条約で禁じていた潜水艦を容認したのはその象徴▼）

100年後の私たちでさえ，ナチ党といえば「軍服」「一糸乱れぬ集会」をイメージしますからね。恐るべきイメージ戦略だ…。

また，下の図を見てもらいたいのですが，ヒトラーは共産主義のソ連も敵視してますよね。イギリスとしてはこれに目をつけて「**我が国がヒトラーとの戦争から逃げ回っている間に，あわよくばドイツとソ連が戦ってつぶし合いをしてほしい…**」という「漁夫の利」狙いの期待も抱いていました。

1936年，ドイツ軍はフランスとの国境付近の非武装地帯**ラインラント**に進駐。ついに軍事行動に出たわけですが，ロカルノ条約破棄という暴挙に対し，英仏軍とも動かず…。ヒトラーは英仏の弱腰を見透かし，増長していきます。

（▼ただしラインラントはあくまでドイツ領であり，対外侵略ではない）

（▲→テーマ23）

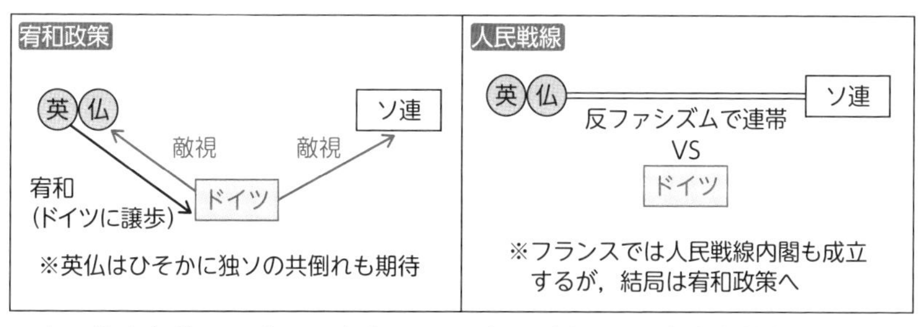

一方で共産主義のソ連は，**本来はライバル関係にある資本主義勢力（英仏）とは一時休戦し，一致団結してファシズムに対抗**しようとしました（**人民戦線戦術**，上図参照）。フランスでは，この理念に共鳴して短命ながら人民戦線内閣が成立し，労働者主導で世界初の有給休暇制度が実施されましたよ。スペインでは人民戦線をめぐる動きが**スペイン内戦**に発展しました。左右両派が激し

く対立する中，アサーニャを首班とする人民戦線内閣が成立すると，軍部・地主など右派が反共の立場から猛反発し，**フランコ**将軍が反乱を起こして内戦に。ソ連は人民戦線側を，ファシズムのドイツやイタリアはフランコを支援。人民戦線政府は，反ファシズムの立場から英仏にも再三にわたって援軍を要請しました。しかし，**人民戦線側に立つとフランコを支援するヒトラーを怒らせるからヤバイ**，という意見が大きくなり，結局英仏は，スペインに対して**不干**
これも宥和政策の一つといえる▲
渉を貫きました。このスペイン内戦でヒトラーとムッソリーニは意気投合し，これに日本も加えた防共協定も成立し，３カ国の友好が深まっていきました。

スペイン内戦はフランコ側の勝利に終わり，第二次世界大戦後もフランコに
▼スペインは大戦で中立を保ったため，政権が崩壊しなかった
よる中央集権的な独裁が続きました。彼が寵愛したサッカークラブが，あのレアル＝マドリードです。レアル＝マドリードとの対立関係といえばFCバルセロナがつとに有名ですが，かつては両者の試合は「フランコ政権の抑圧に抵抗
▲「エル＝クラシコ」
するカタルーニャ州のバルセロナ」という政治構造の縮図だったんですね。

1938年，ついにドイツは国外へ。同じ民族の**オーストリア**を併合し，ドイ
ヒトラーはオーストリア生まれであり，彼の故郷を統合したともいえる▲
ツとともに大戦で敗れ苦汁をなめたオーストリア国民の多くは，併合を歓迎しました。同年，ヒトラーはチェコスロヴァキアに対して**ズデーテン地方**の割譲を求めました。

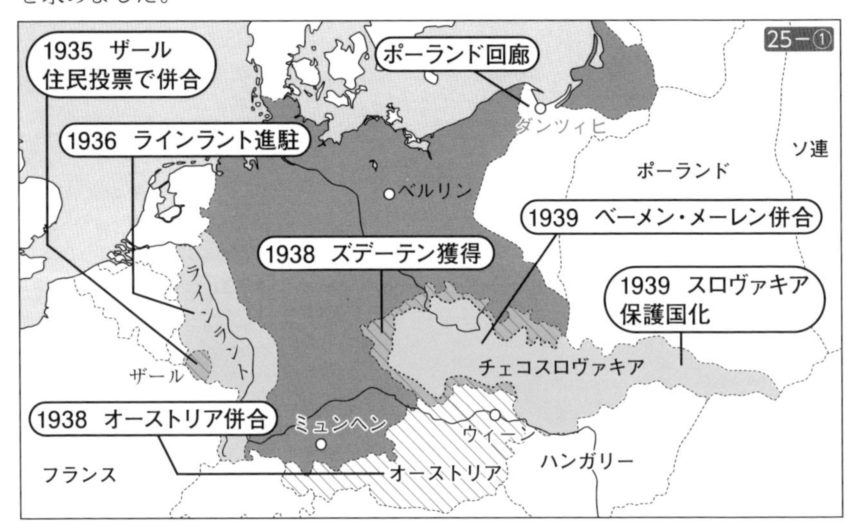

ドイツ国境に沿っているという独特の形状がポイントで，**ドイツ系の住民が多かった**。これがヒトラーが譲渡を求めた根拠です。チェコ首脳がこれを突っぱねたため，ヒトラーが戦争をちらつかせて脅しをかけると，戦争だけは絶対に避けたいイギリス首相**ネヴィル＝チェンバレン**が交渉を持ちかけました。これが**ミュンヘン会談**。英仏独伊が参加し，ヒトラーの「これが**最後の領土要求**

である！」という言葉もあって，波風を立てたくない英仏が折れ，ズデーテン地方の割譲が認められました。当事者のチェコ代表抜きでチェコの領土を譲った異常な会談であり，まさに**宥和政策の頂点**です。

しかし領土要求は終わらず，上述した「ドイツ民族の生存圏」構築を進めんと，ドイツは翌39年に**チェコスロヴァキア**を解体しました。ミュンヘンでの約束を破られてメンツ丸つぶれ，顔に泥を塗られた形になった英仏にとって，さすがにこれ以上の譲歩は厳しい（ズデーテンまでなら「ドイツ民族の統合」「民族自決」で正当化できましたが，ついに異民族地域にまで手を出したわけで，もはや正当化もできません）。勢いに乗るヒトラーは，**ポーランド回廊**における鉄道＆道路の建設と**ダンツィヒ**割譲を要求。ポーランド政府は拒否し，英仏もさすがに今回はドイツへの強硬姿勢を崩さず，ようやく**ソ連との協力を模索**します。これを見たヒトラーは，突如**独ソ不可侵条約**を締結！　理念的に対立する独ソがなぜ休戦したのか，下の図を見てみましょう。

▲東欧最大の工業国で，その工業力を求めた
▲スラヴ人

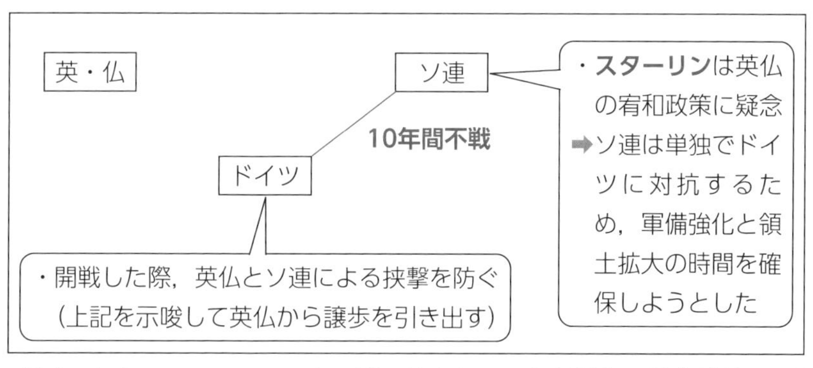

ドイツにとって，フランスとソ連に挟まれることが長年の懸念材料でしたね。でも独ソ不可侵条約を結べば，憂（うれ）いなく英仏との戦争に専念できます。さらには「挟み撃ちというアドバンテージを失った英仏が，また弱腰に戻って譲歩してくれるのでは？」という甘い期待もありました。一方のソ連の**スターリン**はというと，英仏による宥和政策のもう一つの側面，すなわち「**英仏はドイツとソ連を戦わせて共倒れを期待している**」という下心に感づいていたのです。スターリンは「人民戦線で再三協力を呼びかけたのに，ことごとく拒否したのはそういうわけか。もう英仏と手を組むのはヤメだ！」と考え，**ドイツと1対1で向き合うことを決意。ただ，決戦までには準備期間が必要だったので，ドイツと「休戦」して体制を整えようとした**んですね。追い込まれたのはイギリスとフランスで，ソ連と挟み撃ちする戦略は崩れた。かと言ってもはやドイツに譲歩もできぬ。ドイツ軍がポーランドへ侵攻すると，（やむなく）宣戦布告し，こうして**第二次世界大戦**の開戦に至るんですね。

▲テーマ22
▲ソ連は極東で日本と軍事衝突しており，それに専念したい事情もあった

第二次世界大戦と戦後の展望

1 文字通り，世界中を巻き込んだ第二次世界大戦

	ヨーロッパ西部戦線（ドイツ対仏・英・米）	ヨーロッパ東部戦線（ドイツ対ソ連）
1939	⑴ドイツ軍が**ポーランド**侵攻（9.1） ・イギリス・フランスがドイツに宣戦（9.3） ・ドイツ軍はポーランド軍を撃滅	⑵ソ連軍の**ポーランド**侵攻（9月） ⑶**バルト3国**併合（1939～40） ⑷**ソ連＝フィンランド戦争**（1939.11～40） ・フィンランドが提訴し，国連はソ連を除名
1940	⑴ドイツがデンマークとノルウェー占領（4月） ⑵ドイツ軍のオランダ・ベルギー侵入（5月） ⑶**イタリア**参戦（6月） ⑷**パリ**陥落（6.14）…フランスは降伏 ・**ヴィシー**政府…**ペタン**を首班とする傀儡政権 ・自由フランス政府…**ド＝ゴール**がロンドンへ ⑸イギリスの対応 ・**チャーチル**内閣（5月～）➡独軍上陸を阻止 ⑺**日独伊三国軍事同盟**の成立（9月）	⑹ソ連がルーマニアからベッサラビア獲得（6月）
1941	⑴**武器貸与法**（3月）…米が連合国に武器援助 ⑸英ソ軍事同盟（7月）…ソ連が連合国に参入 ★大西洋上会談（8月）	⑵**日ソ中立条約**の締結（4月） ・独ソ戦に備え東方の安全を確保 ⑶ドイツ軍のバルカン半島制圧（4～6月） ➡ドイツが東方へ進出し，独ソ間の緊張が高まった ⑷**独ソ戦**の開戦（6.22） ・ドイツ軍が攻勢をかけるが，長期戦へ
1942	⑴**連合国共同宣言**（1月） …連合国が，戦争目的が反ファシズムであることを宣言	
1943	⑶**イタリア**の降伏 ・連合軍の**シチリア島**上陸（7月） …国王は**ムッソリーニ**を罷免 ・イタリア無条件降伏（9月）…バドリオ政権 ★カイロ会談，テヘラン会談（11月）	⑴**スターリングラードの戦い**（1942～43） ・ドイツ軍が市内に突入，市街戦となるがドイツ軍が包囲され，降伏（2月） ・戦局が転換し，以後ソ連が優位に立った ⑵**コミンテルン**解散（5月） …連合国の結束強化
1944	⑴**ノルマンディー上陸**（6月） …米英軍がフランス北岸へ上陸，攻勢に出る ⑵パリ解放（8月）	⑶ドイツ軍が東部戦線から撤退
1945	★ヤルタ会談（2月） ⑴ドイツ無条件降伏（5.7）…ヒトラーは自殺	

日中戦争と太平洋戦争

	中国戦線（日本対中国，ソ連）	太平洋戦線（日本対アメリカ）
1939	⑴**ノモンハン事件**（5月） ・満州国の国境で日ソ両軍が衝突し，日本が損害を受ける	⑵日米通商航海条約の破棄（7月） ・アメリカが戦略物資の禁輸を決定
1940	⑴汪兆銘が南京に国民政府を樹立（3月）	※援蔣ルート…蔣介石を支援するために，仏領インドシナ，英領ビルマと重慶を結んだルート。インドシナ進駐の目的の一つはこれを遮断すること ⑵**仏領インドシナ**進駐（9月） ・フランス降伏を受け，日本軍が進駐 ・南部にも進駐し（41.7） ➡米は反発（石油を全面禁輸） ⑶**日独伊三国軍事同盟**の成立（9月）
1941	⑴**日ソ中立条約**の締結（4月）…東南アジアへの南進を見据えて北方の安全を確保 ⑸国民政府が米英と同盟を結ぶ（12月）	⑵日米交渉（4月～11月） ・米が提案したハル＝ノート（中国・インドシナからの撤兵などを要求）を日本は拒絶し，交渉決裂 ⑶**真珠湾**攻撃（12.8）…日本軍がハワイを急襲 ➡**太平洋戦争**が勃発 ⑷日本軍は英領**マレー**も占領（12月）
1942	⑶中国と連合国の間で不平等条約改正（10月）	⑴日本の勢力拡大…「大東亜共栄圏」を建設 ・シンガポール，ジャワ・スマトラ，フィリピン，ビルマを占領 ⑵**ミッドウェー海戦**（6月） ・日本部隊の主力が壊滅し，日本軍は劣勢へ
1943		⑴日本軍が**ガダルカナル島**から撤退（2月）
1944		⑴インパール作戦の開始（3月） ⑵**サイパン島**陥落（7月）…東条内閣が退陣 ⑶レイテ島陥落（10月）
1945	⑷ソ連の対日宣戦（8.8）…満州方面へ侵攻	⑴米軍がフィリピン（2月），硫黄島占領（3月） ⑵米軍が**沖縄**本島に上陸（4月） ★ポツダム会談（7月） ⑶**広島・長崎**に原爆投下（8.6，8.9） ⑸**ポツダム宣言**受諾（8.15発表）…無条件降伏

2 第二次世界大戦末期から，戦後のビジョンが形作られた

(1) 国際連合（1945年10月に成立，本部は**ニューヨーク**）

①**総会**…加盟各国１票の多数決制をとる

②**安全保障理事会**

・国際紛争解決のため，**軍事制裁**を含む強大な権限を持つ

・常任理事国…**米・英・ソ・仏・中華民国**。各々が**拒否権**を保有

▼当初，中国代表権は台湾の国民政府が保有

③その他機関…**WHO・ユネスコ・ILO・国際司法裁判所**

▲世界保健機関　▼国連教育科学文化機関　▲国際労働機関。国際連盟下で設立されたものを継承

(2) 戦後の国際金融・国際経済

①**ブレトン＝ウッズ**会議（1944.7）

・**ブレトン＝ウッズ**体制…米ドルを基準とした**固定為替相場**制

・**国際通貨基金**（IMF），**国際復興開発銀行**（IBRD）設立を決定

▲世界銀行

②**GATT**（関税及び貿易に関する一般協定）

・関税障壁を取り除いて自由で公平な貿易を促進することを目指す

・1995年に常設の**世界貿易機関（WTO）**となった

ドイツ軍が**ポーランド**へ侵攻したのは1939年９月１日。対する英仏は２日後に宣戦布告をしますが，約半年の間，本格的な戦争は行われませんでした（今までのように英仏の譲歩を期待したドイツと，宥和（ゆうわ）を引きずってドイツと正面衝突したくない英仏，という思惑があったようです)。むしろ目立ったのは，**独ソ不可侵条約**を盾に東欧・北欧を荒らしまわったソ連ですね。ソ連軍はドイツと機を同じくしてポーランド東半を占領すると，**フィンランド**にも矛先を向けました（地図26－①)。フィンランド側は徹底抗戦するとともにソ連の横暴を国際連盟に提訴し，ソ連は国際連盟から**除名**されてしまいます。「共産主義のソヴィエト政権は，国際連盟には参加していないのでは？」と思った方は鋭い。実は1934年，ソ連は国際連盟に加盟していたんです。結局1940年３月に講和が成立し，ソ連はフィンランド南東部のカレリア地方をせしめました。さらに同年，ソ連は北欧の**バルト３国**を併合しました（バルト３国は冷戦終結後のソ連崩壊まで，ソ連領内に留め置かれることに…)。

独ソ不可侵条約ではポーランドを分割する密約が結ばれていた▲　「冬戦争」▲　▲英仏はフィンランド側を支持　▲のちの独ソ戦では，フィンランドはドイツ側でソ連に宣戦

一方，ついにドイツ軍は1940年春に始動し，デンマークとノルウェーを制圧しました。対するフランスは第一次世界大戦後から，ドイツとの国境地帯に要塞同士をつなぎ合わせた長大な防衛ラインを築いていました。ドイツ軍は要

海路と石油資源確保のため▲　▲フランスの陸相の名から「マジノ線」と呼ぶ

26−①
第二次世界大戦

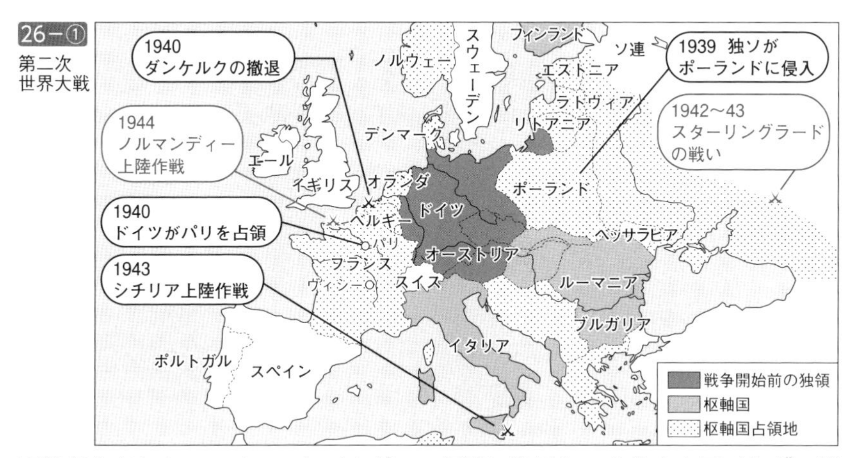

塞線が存在しないフランスとベルギーの国境に注目し，永世中立国**ベルギー**経由でフランスへの侵攻を目論みます。ドイツの機甲師団（▲戦車を中核とする部隊）は，戦車が通過するには難しいと考えられていたベルギー南部に広がるアルデンヌの森を突破し，フランス領へ殺到。ダンケルクで包囲されてしまった英仏連合軍の主力は，間一髪で辛くもイギリスへと撤退しました（▲イギリスは民間の観光船や漁船までも動員した）。しかしフランス本土の戦力は手薄となってしまい，フランス軍は総崩れとなってドイツ軍はやすやすとパリへ入城。ペタン元帥（げんすい）がドイツに降伏し，フランス中部に親独的なヴィシー政府が成立しました。これに対し，フランス本土ではドイツやヴィシー政府に対する抵抗運動（レジスタンス）が展開されました。イギリスに逃れて亡命政府を樹立したフランスの**ド＝ゴール**将軍は，ラジオ放送でレジスタンスを鼓舞したことで知られています。宥和にこだわってこの惨状を招いた英首相**チェンバレン**は退陣し，代わって対独強硬派だった**チャーチル**が登板。国民を叱咤（しった）激励し，イギリス上陸を目指すドイツ軍による大規模な空爆を凌（しの）ぎ切ったんですね。

ここで視点を日本に移してみましょう。1937年に始まった日中戦争ですが，**蔣介石**（しょうかいせき）の国民政府は**重慶**に政府を移転させ，日本軍を内陸部に引きずり込もう（▲→テーマ24）としました。日本は第二次国共合作で国共が連合した中国軍に手こずり，はやくも行き詰まります。このタイミングで日本政府内で浮上したプランが**東南アジアへの南進**で，これには2つの事情がありました。

①「援蔣ルート」を遮断すること　②石油などの資源確保

①重慶と仏領インドシナ・英領ビルマは，**支援物資を送る輸送路（「援蔣ルート」）で結ばれており**，日本は東南アジアへ進出してこれを遮断（→地図24−④▲）しようと考えたのです。②1939年，国民政府を支持していたアメリカは，日米通商航海条約の破棄を通告。**多くの戦略物資をアメリカに依存していた日本は危機感を募らせ，南進による資源確保を模索**しました。

こんな状況下，友好国ドイツの快進撃とフランスの降伏というニュースが日本に舞い込んできます。1940年９月，日本は**フランス領インドシナ**北部に進駐し，ドイツ・イタリアとの関係を**防共協定から軍事同盟に改めました。**

これはどういう意味ですか？

「防共協定」は共産主義のソ連を仮想敵とするものですが，「軍事同盟」だとソ連以外の国に対抗する意味合いも含まれてきます。**その対象とは米英であり**，ヨーロッパとアジア双方において，「日独伊 VS ソ連」のみならず「日独伊 VS 米英」という構図も生まれたわけですね。

明けて1941年４月，**日ソ中立条約**が結ばれました。**南進に専念したい日本と，バルカン半島へ進出してきたドイツを警戒したソ連，両国の利害が一致**したのです。ここから再び，ヨーロッパ戦線に話を戻しましょう。1941年６月，ヒトラーは独ソ不可侵条約を突如破棄してドイツ軍がソ連へ侵攻（**独ソ戦**）！

▲ソ連国境に近い

独ソ戦は，ナポレオンのロシア遠征によく例えられます。ソ連軍は氷点下10度を下回る「冬将軍」を最大限に利用するために，闇雲な戦闘は避けて撤退し持久戦へ。季節がめぐるのを待ちます。一方ドイツ軍はナポレオンと同じ轍（てつ）を踏むまいと，**短期決着**すべく首都モスクワを目指しますが…，モスクワを目前に冬が到来，タイムアップです。ドイツ軍は想像を絶する越冬を余儀なくされました。この時，ドイツ軍部はモスクワ攻略を第一に考えていました。でもヒトラーが軍に口を挟み，現ウクライナの首都キエウ攻略を優先させたため，モスクワ侵攻が予定よりも２カ月ほど遅れて冬になってしまったんです。仮にモスクワ攻略を優先していれば，独ソ戦の結果は違っていたのかも…。また，陥落したキエフは廃墟と化しましたが，市街の多くを破壊したのはドイツ軍ではなくソ連の工兵部隊でした（ドイツに利用させまい，という焦土作戦の一環）。これも，ロシアとウクライナ間の歴史的なしこりの一つになっているようです。

▲→テーマ16

▲ウクライナ語読みでは「キーウ」

▲ソ連の中央政府は事実上ロシアであった

1941年はアメリカが大きく動いた年でもありました。従来のアメリカ外交と言えば「**孤立主義**」であり，紛争に巻き込まれるのを避けてきましたね。しかしファシズムのドイツがフランスを制圧すると，民主主義を守護すべきとの意見も生じてきて，外国政府に武器・軍需物資を提供する権限を大統領に与える**武器貸与法**が３月に成立しました。そして日米関係ですが，日ソ中立条約が結ばれたことで日本のさらなる南進が想定され，悪化の一途をたどります。日本が７月に**フランス領インドシナ**南部への進駐を断行すると，アメリカは翌月に**石油の全面禁輸**に打って出ました。４月から行われていた日米交渉も歩み寄りは見られず，アメリカも開戦へと傾いていき，11月には中国やインドシナ

アメリカは事実上連合国の一員となった▲

▲他国も日本への経済制裁を強化

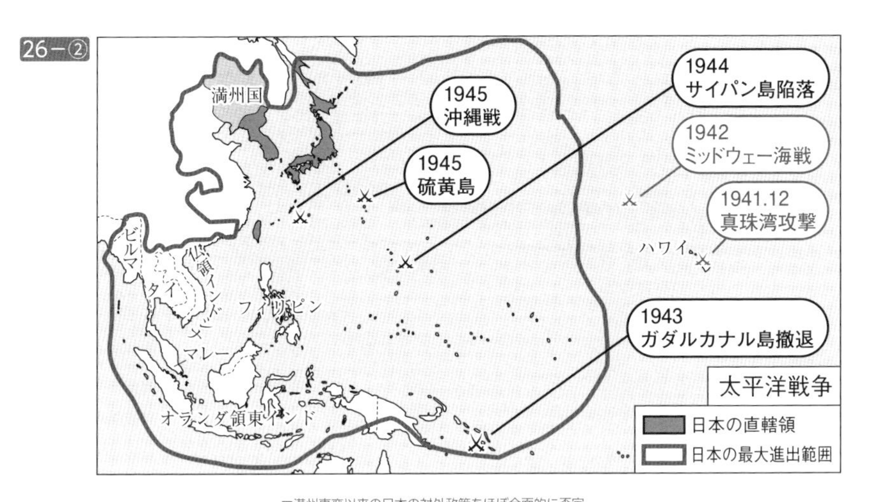

からの撤退などを求めるハル＝ノート（▼満州事変以来の日本の対外政策をほぼ全面的に否定）（▲他に三国同盟の空文化，国民政府以外の政権の不承認などを要求）を提示。日本はこの強硬案を突っぱね，ついに開戦を決定します。石油を断たれた日本は，圧倒的な物量を誇るアメリカに，イチかバチかの決戦を挑むことに…。

12月８日，日本軍はアメリカ領ハワイの**真珠湾**を奇襲攻撃し，同時にイギリス領**マレー**にも上陸（**太平洋戦争**の勃発）。日本の宣戦布告に伴い（結果的に，日本の宣戦布告が通達されたのは真珠湾攻撃の１時間後▲），同盟国のドイツとイタリアも対米宣戦布告し，戦争は文字通り「世界大戦」となりました（日独伊の陣営を「枢軸国」，米英ソの陣営を「連合国」（資本主義と共産主義の垣根を越えて協力▲）と呼びます）。

1942年の半ばまでに日本は東南アジアの大半を制圧（地図26−②）。欧米勢力の植民地支配からアジア諸民族を解放し，アジア人による「**大東亜共栄圏**」を建設するという戦争目的を掲げました。しかし，６月の**ミッドウェー海戦**で主力部隊が壊滅して以降（▲空母４隻と艦載機300機を失う），じりじりと後退を余儀なくされ，劣勢に転じていきます。1942年は，ヨーロッパ戦線でも戦局が転換するきっかけとなる戦いが行われました。独ソ間の**スターリングラードの戦い**です。極寒のロシアで疲弊したドイツ軍は奮戦するものの（▲現ヴォルゴグラード），数カ月に及ぶ死闘の末，翌43年初頭に全面降伏し（10万人弱が捕虜となった▲），ここから**ソ連は反転攻勢に打って出る**ことになります。

連合国に有利な風向きとなりつつあった1943年は，連合国が反撃の戦略を練った年。年初のカサブランカ会談での決定をもとに，連合国軍は**シチリア島**に上陸し，イタリアへ総攻撃。**ムッソリーニ**は国王によって罷免され（▲この後に逃亡するが，共産ゲリラに捕まって銃殺された），後継のバドリオが**無条件降伏**するに至りました。11月には**カイロ会談**で，**ローズヴェルト・チャーチル・蔣介石**の三者が**対日処理**について討議し，日清戦争以降に獲得した領土の返還（▲台湾，澎湖諸島，満州），朝鮮の独立が決定されました。**ローズヴェルト**と**チャーチル**はそのまま**テヘラン**（▲イランの首都）へ移動し，年末に**スターリン**を交えて会談。スターリンの「ドイツとの戦いを我が国だけに押しつけるな。さっさと米英も西からドイツを攻撃してくれ！」という要求に対し，ローズヴェルトとチャーチルは**第二戦線を構築する**（米英軍がフランスに上陸してドイツの西側に「２つめの戦場」をつくり，東西からドイツ軍を挟む）ことを約束しました。対してスターリンは，ドイツの降伏後にソ連が**対日参戦**することを約束します。
▲日ソ中立条約を破棄する

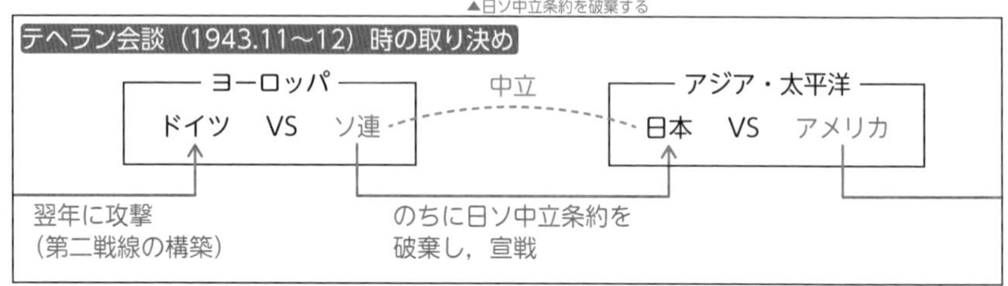

米ソでお互いに助けあおう，ということですね。

なお，先立つ５月にはソ連は**コミンテルン**を解散して「共産主義者による世界革命」を放棄する姿勢を明らかにし，連合国の結束を固めています。ソ連との同盟を選んだとはいえ，実はチャーチルは**かなりの反共主義者**。ソ連としては共産主義に対する彼の不安感を払拭（ふっしょく）しようとしたようです。
▲→テーマ22

テヘラン会談ではフランス上陸の期限が1944年５月に設定されていましたが，６月に米軍を中心とする連合国軍は，艦艇5000隻以上，航空機10000機以上という巨大戦力をもって**ノルマンディー**への上陸作戦を敢行し，ドイツ軍の抵抗を押し切って上陸に成功（地図26－①）。ダンケルク撤退以来，４年ぶりにフランスに舞い戻った連合国軍は８月にパリを解放，**ド＝ゴール**将軍が帰還しました。東部戦線でもソ連軍が攻勢に出て，東西から挟まれたドイツ軍は総崩れとなり，大勢は決したといえます。
最高司令官だったアイゼンハワーは，のちに大統領となる▲
▲レジスタンスも各地で激化した

1945年の首脳会談は，戦後の秩序を見据えた性格が濃くなりました。２月の**ヤルタ会談**では，米英とソ連がヨーロッパにおける勢力圏をめぐって対立。また，フランクリン＝ローズヴェルトが約束であった対日参戦を促すと，足元を見たスターリンは対日参戦の見返りとして日本領だった**千島**と**樺太**の割譲を要求。これがのちに，日ソ間の北方領土問題の一因になります。
第二戦線と対日参戦が交換条件だったことを考えると，米側が譲歩したといえる▲

４月にソ連軍がベルリンに迫るとヒトラーは自殺し，５月７日にドイツは**無条件降伏**しました。残った日本に目を向けると，同じ時期に米軍は**沖縄**に上陸し，現地では多くの民間人が犠牲に…（44年７月に陥落した**サイパン島**から**アメリカの爆撃機が日本を往復できるようになり**，すでに本土に対して激烈な空襲が行われていました。45年初頭には**フィリピン**，硫黄島からも日本軍は撤退）。

ベルリン郊外で開かれた７月の**ポツダム会談**では，日本に**無条件降伏**を勧告する**ポツダム宣言**が発せられましたが，日本はこれを黙殺します。またポツダム会談の頃には米ソ関係はかなり険悪になっていました。状況を整理すると以下のような感じです。

> ①当初アメリカは，日本を降伏させる決め手として，ソ連の対日参戦を必要としていた。
> ②しかしヨーロッパ方面では，ソ連は東欧を自らの勢力圏に収めて次々と親ソ政権を樹立させており，米英は反発を強めていた。アメリカは，対日参戦したソ連が日本を占領下に収めることを強く警戒するようになった。

こういった状況で，アメリカは７月に開発に成功したばかりの新兵器である原子爆弾を投下しました。

8月６日に広島，８月９日に長崎ですよね…。

原爆は，すでに抗戦能力を失っていた日本に対してよりも，ソ連に対する政治的目的のために使われたという有力な議論があります（ソ連の対日参戦前に日本を降伏に追いこみ，さらには原爆のすさまじい威力を誇示してソ連に譲歩を迫るというもの）。これをうけて，ソ連は（慌てて）当初の予定を繰り上げて８月８日に対日参戦に踏み切りました。原爆投下とソ連の対日参戦というトドメを刺された日本政府は，８月14日の御前会議でポツダム宣言受諾を決定し，翌15日にこれを国民に知らせ，大戦はようやく終結しました。

▲当初の参戦予定日は８月15日であった
▲ソ連は日本の無条件降伏後も，侵攻を数週間継続した

第一次世界大戦後に成立した国際連盟は，結局は機能不全に陥って第二次世界大戦を防ぐことができませんでした。第二次世界大戦中から，連合国の首脳は国際平和機構の再建を討議し，1941年８月の**大西洋上会談**で発表された**大西洋憲章**の中に，国際平和機構の再建が盛り込まれました。1945年のサンフランシスコ会議において国際連合憲章が採択されて，終戦後の1945年に10月に**国際連合**が正式に発足するに至ります。

▲→テーマ23
かつてウィルソンが発表した十四カ条の焼き直しともいえる▲

国際連合では，国際連盟での全会一致に代わって現実的な**多数決**が採用されることに。そして集団安全保障体制における肝は，「侵略しようとする国に『勝ち目なし』，と思わせて，侵略そのものを抑止する」点でしたが，**国際連盟では軍事制裁を課せないために制裁が抑止力として十分に機能しなかった**…，という反省点が。そこで国際連合では**軍事制裁**も認めるようにしたんですね。その制裁を決定する大きな権限を認められたのが**安全保障理事会**。**米・英・ソ・仏・中華民国**からなる常任理事国５カ国と，非常任理事国６カ国からなり，常任理事国には**拒否権**が与えられました。例えば，軍事政権をめぐる多数決。

▲→テーマ23
▲現在は10カ国

賛成（常任４カ国＆非常任６カ国） VS 常任１カ国**拒否権**

常任理事国１カ国が拒否権を行使すれば，他の10カ国全てが賛成意見だったとしても議案は無条件に否決されます。まさに「伝家の宝刀」です。

また，国際連盟設立には加わらなかった米ソが立ち上げメンバーとして参加したことは，集団安全保障の観点では好ましいことだったのですが，蓋（ふた）を開けてみると東西冷戦を反映して米ソが火花バチバチで対立。互いに**拒否権を濫発したため，安保理事会もたびたび機能不全**に…。このように国際連合の運営に関しても，いくつかの問題点は残ってしまいました。

続いて戦後の国際金融・国際経済です。国際為替相場を安定させるために構築されたシステムを，会議の名をとって**ブレトン＝ウッズ国際経済体制**といいます。第二次世界大戦後，世界の金の約７割が超大国アメリカに集中し，この状況下で通貨価値を保障・安定させようとしました。

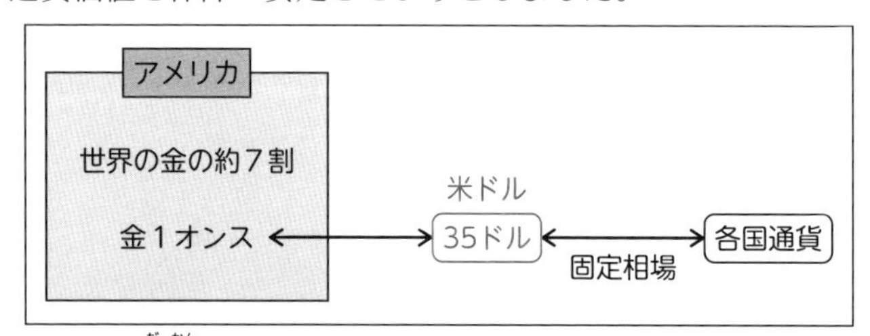

米ドルを，金と兌換（だかん）（交換）できる基軸通貨とし，さらに米ドルと各国通貨の交換比率（為替相場）も固定。米ドルと日本円の相場はご存知ですか。
▲35ドル＝金１オンス（約31グラム）の相場で交換

１ドル＝360円だったかな。金１オンス＝35ドル＝12600円と換算できます！

そうですね。金とドルを物差しとして世界中の通貨の価値が規定され，**金との交換を保障された唯一の通貨であるドルが，国際経済秩序の柱となりました。**

国際貿易に関しては，世界恐慌に見舞われた「持てる国」が関税によって輸入品をシャットアウトする保護主義に走り，結果的に自前の市場に乏しい「持たざる国」を対外進出に駆り立て，大戦を引き起こした…，という意見が。この反省から**自由貿易**の原理に立った**「関税及び貿易に関する一般協定」（GATT（ガット））**が発足し，国家間の話し合いで認められた品目にだけ関税を課せるようになりました。この協定にもとづいて関税に守られている日本の物産の代表格としては，コメが思い浮かびます。現在，輸入米には1kgあたり約340円の関税が課される仕組みになっていて，国産米を保護しているんですね。
▲→テーマ25

テーマ27 米ソ冷戦の展開

1 第二次世界大戦後，米ソが勢力圏を争った

(1) ソ連による東欧での人民民主主義政権の樹立

※「**鉄のカーテン**」…**チャーチル**がフルトンでの演説で用いた表現
▲バルト海のシュテッティンからアドリア海のトリエステまで

(2) 東西対立の激化

西側（アメリカ）	東側（ソ連）
①**トルーマン＝ドクトリン**（1947.3）	
②**マーシャル＝プラン**（1947.6）⇨	③**コミンフォルム**（1947. 9）
⑤**西ヨーロッパ連合条約**（1948.3）⇦	④**チェコスロヴァキア＝クーデタ**（1948.2）
⑥西側ドイツ通貨改革（1948.6）⇨	⑦**ベルリン**封鎖（1948.6～49.5）
⑧**大韓民国**の成立（1948）	⑨**朝鮮民主主義人民共和国**の成立（1948）
	⑩**コメコン**（経済相互援助会議，1949.1）
⑪**北大西洋条約機構**（**NATO**，1949.4）	
	⑫ソ連が原爆を保有（1949.9）
⑬**ドイツ連邦共和国**の成立（1949.5）	⑭**ドイツ民主共和国**の成立（1949.10）
★蔣介石は台湾へ国民政府を移す	⑮中華人民共和国の成立（1949.10）
	⑯**ワルシャワ条約機構**（1955.5）

27－①

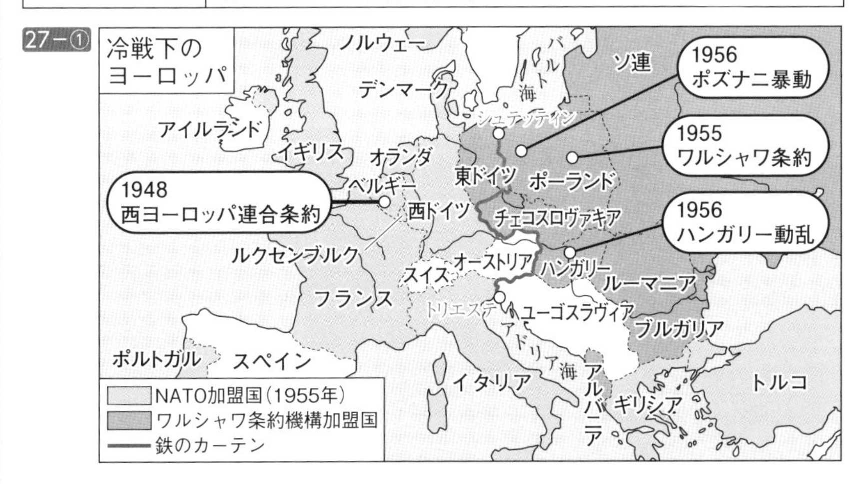

⑶ 朝鮮戦争

①朝鮮の南北分裂…日本の敗戦後，北部をソ連，南部をアメリカが占領
北緯38度線が境界▲

大韓民国（1948.8）	**朝鮮民主主義人民共和国**（1948.9）
初代大統領は**李承晩**（イ スンマン）	首相は**金日成**（キム イルソン）（1972以降は国家主席）

②**朝鮮戦争**（1950）の経過

・北朝鮮軍が**北緯38度線**を超えて韓国へ侵攻。当初は北朝鮮軍が圧倒的優勢

・アメリカ軍を主体とする国連軍が出動，38度線を越え反撃
▲最高司令官はマッカーサー

・**中華人民共和国**の**義勇軍**派遣（1950.10）…北朝鮮を支援し，反撃

・休戦協定（53.7）…北緯**38度**線を軍事境界線とした

③アメリカの対日政策の転換

・**日本国憲法**の施行（1947）…アメリカは，日本を平和国家として再建
➡しかし**中華人民共和国の成立や朝戦争勃発をうけアメリカは方針転換**

・警察予備隊（1950.8）…朝鮮戦争勃発をうけ設置。54年に**自衛隊**へ改称

・**日米安全保障条約**（1951.9）の締結

2 スターリンの死後，米ソ関係は改善された 「雪どけ」

⑴ **スターリン**の死（1953）…ソ連は西側との協調へと外交政策を転換

⑵ **ジュネーヴ**4巨頭会談（1955.7）…緊張緩和への第1歩
▲ポツダム会談以来，10年ぶりに米ソの首脳が会談

⑶ **スターリン批判**（1956）…ソ連共産党第20回大会で**フルシチョフ**が演説

⑷ **フルシチョフ**訪米（1959.9）…ソ連の指導者として初めて訪米

大戦末期，米ソ両軍はドイツに進撃。ドイツ以西は米軍が，ドイツ以東はソ連軍が解放し，ソ連は共産党主導の政権を擁立しました。ただ終戦直後，スターリンはヨーロッパが二分されて全面対決するような事態は想定していなかったようです。ここでイギリスの前首相**チャーチル**が登場し，演説の中で東西陣営の境界を**「鉄のカーテン」**と呼んでソ連を批判しました。1947年から米ソ間の「**冷戦**」は本格化。冷戦（Cold War）とはアメリカ人ジャーナリストの間で使われ始めた用語で，実際の戦争にまではいたらないものの，資本主義陣営と共産主義陣営が理念や軍事の面で鋭く対立した状況を指します。47年のアメリカ側の動きからお話ししていきましょう。アメリカは**ギリシア**と**トルコ**

▲この後，東欧の体制は次第に共産党独裁へ移行していく
東欧を資本主義陣営に対する緩衝地帯として期待していた程度▲
共産主義者と反共主義者の内戦が起こっていた▲

（地図27−①）への共産主義の拡大を懸念して，**トルーマン**大統領が両国への大々的な援助を打ち出しました（**トルーマン＝ドクトリン**）。これが**対ソ「封じ込め政策」**の始まりです（地図18−③で示したロシアによる南下政策が，いまだ続いていたと考えてもＯＫ）。そして矢継ぎ早にヨーロッパへの経済援助（**マーシャル＝プラン**）を発表しました。**いつまでも焼け野原のままだと生活に苦しむ人々の間に共産主義勢力が広がる恐れがあるため，アメリカとしても経済復興を急いだ**のです。マーシャル＝プランはソ連や東欧にも提示されたんですが，ソ連はこのオファーを蹴り，**コミンフォルム**という東欧諸国を締めつける組織を立ち上げました。この内の２カ国をめぐってゴタゴタが起こります。まずは**ユーゴスラヴィア**（▲以下「ユーゴ」と省略する）。ユーゴは大戦中，**ティトー**の指導のもと**独力でドイツ軍を撃退**して，自ら共産主義国になることを選んだ国でした。ソ連に恩義のないユーゴは独自路線を目指し，これがスターリンの怒りをかってコミンフォルムから除名されます。このあとも独自路線を歩むティトーは，東西冷戦で強烈な存在感を放ちます。次に**チェコスロヴァキア**（▲以下「チェコ」と省略する）。チェコは東欧では例外的に西欧的な**議会制民主主義が定着した国**で，自由主義政党と共産党が連立を組んでいました。ところがマーシャル＝プランをめぐる対立から共産党によるクーデタが起こり，**共産党の独裁体制**が成立してしまいました。

続く対立は，米英仏ソが占領したドイツで起こりました。米英仏の占領地区でアメリカが独断で進めた**通貨改革**に対して，ソ連軍が**西ベルリン**（右図のⒶ）**の外周を封鎖**したのです。スターリンには「新しい通貨を勝手に発行するとは，ドイツを資本主義国として自立させようとしてるな！？」と映ったようです。上の図を見ると，米英仏の占領下にある西ベルリンが，ソ連の占領地域に囲まれた「飛び地」だったことが分かります。西ベルリン市民は陸上ルートでの外部からの物資の供給を絶たれてしまいますが，ここは米軍が**空輸作戦**によって物資を輸送し続け，封鎖を無力化させました。翌49年に封鎖は解除されますが，ドイツの分断は決定的となり，**ドイツ連邦共和国**（西ドイツ）と**ドイツ民主共和国**（東ドイツ）が建てられます。ベルリン封鎖が解かれる直前の４月，西側ではアメリカを中心とする軍事同盟**北大西洋条約機構（NATO）**が成立。のちに1955年，西ドイツのNATO加盟にソ連が反発して東側も軍事同盟**ワルシャワ条約機構**を結成し，東西の軍事同盟が対峙する状況が固定化されました。

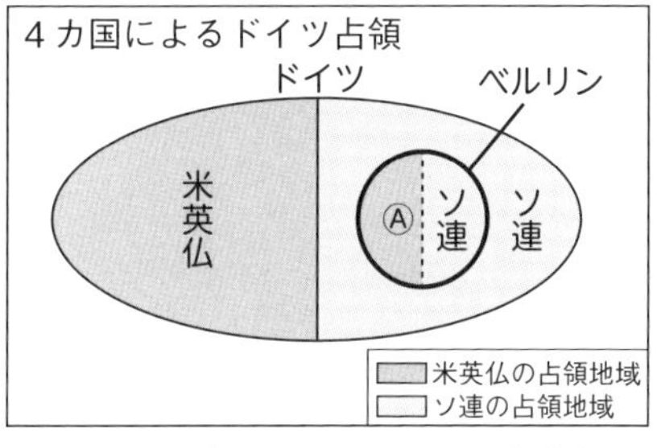

49年の後半も様々な出来事がありました。まず９月にソ連が**原爆**（▲実験は８月に行われた）の開発を

認め，**アメリカによる核独占体制が崩れました**。さらに東アジアに目を向けてみると国共内戦が続いていた中国で共産党が勝利し，10月1日に**中華人民共和国**（▲以下「中国」とも呼ぶ）が成立したのです（今後，中国と言ったら共産主義の「中華人民共和国」を指すとお考えください）。そして翌50年には**朝鮮戦争**が勃発するのですが，朝鮮半島はどのような状況だったのでしょうか。日本の敗戦後，**北緯38度線**を境界にソ連軍が北部を，米軍が南部を占領下に置きました。南北統一選挙をめぐる話し合いも不調に終わり，1948年に**大韓民国（韓国）**と**朝鮮民主主義人民共和国（北朝鮮）**が成立します。そして1950年に北朝鮮軍が韓国へ侵攻して**朝鮮戦争**が勃発。冷戦は東アジアに飛び火してついに「熱戦」となりました。国連の安保理事会（▲ソ連は中国の国連代表権をめぐる抗議で安保理を欠席）は北朝鮮の行動を侵略と断じ，米軍中心の国連軍が結成・派兵される運びとなりました。

国連軍の総司令官は誰だったんでしょう？

日本を占領していた連合国軍総司令部（GHQ）のトップ**マッカーサー**です。彼が率いる国連軍は仁川（インチョン）に上陸し，ほぼ半島全土を制圧していた北朝鮮軍を，北朝鮮と中国の国境付近まで押し戻しました。仰天した中国は北朝鮮支援を決断しますが，正義の「国連軍」と全面戦争するのはさすがにマズイ。そこで「情熱に燃える人民の**義勇軍**（▲ソ連も義勇軍を支援した）が立ち上がった！」というタテマエにして，軍を送りました。中国の人海戦術によって戦線は膠着（こうちゃく）状態となり，1953年に**朝鮮休戦協定**が結ばれました。

これらの出来事で，日本の歩みも変化しました。敗戦後の日本は米軍による事実上の単独占領下（▲政府の存続が容認される，間接統治方式）に置かれ，「武装解除」「民主化」（▼平和主義の日本国憲法に体現）が進められて（▲GHQ）いました。しかし冷戦が東アジアに波及すると，アメリカは対日政策を練り直し，**資本主義国としての経済復興と，アメリカ陣営への組み込みを図ります**。朝鮮戦争をうけて1950年に**警察予備隊**を創設し，事実上の再軍備がなされました。翌1951年，**サンフランシスコ平和条約**で連合国と講和し，同時に**日米安全保障条約**で米軍の駐留を認めます。**朝鮮戦争の特需が日本の経済復興に大きく寄与した**ことはよく知られるところです。

1953年にソ連の**スターリン**が死去すると，米ソ関係に転機が訪れます。「共産主義がいつか資本主義を滅ぼす」（▲ただ現実には，スターリンは世界革命よりもソ連の国益を重視）とケンカ腰だったスターリンに対し，後継者たちは現実的な**アメリカとの共存**を選択しました。なぜでしょうか。当時の米ソは原爆よりも強力な水爆（▲アメリカは1952年，ソ連は53年）を開発済みで，**核戦争が起これば米ソは相打ちで全世界が滅亡する**というのが共通認識になっていました（スターリン時代の戦争は，まだ米ソが即座に壊滅するほどの規模ではなかった，ともいえます）。

先制攻撃を仕掛けた側も差し違えて滅亡確定なので，もはや軽々しく「米ソで戦争だ！」と言える時代ではなくなっていたんですね。すると米ソともに手を出せず，結果的に（危うい綱渡りのようではありますが）平和が保たれることになりました。相手に「反撃されたらウチもやられる」と常に思わせておくことが重要になります。この考え方って事実上，かつての個別的安全保障なんですよね。**テーマ26**で，国際連合でも集団安全保障体制が機能不全に陥ったことを説明しましたが，米ソ軍拡はこれと深く結びついているんです。

▲これを「核抑止」「恐怖の均衡」と呼ぶ
▲→テーマ23

だから米ソは，お互いナメられないように核開発を続けるのか。

こういった米ソ二大国が核兵器を独占した状況下で，日米安保条約のような軍事同盟が各地で成立しました（西側諸国はアメリカと，東側諸国はソ連と）。アメリカは「**同盟国に対する攻撃はアメリカへの攻撃とみなし，即刻反撃する**（近年，日本でも議論されている集団的自衛権に関わる考え方ですね）」ので，ソ連はアメリカの同盟国には気軽に手を出せずひとまず安全は確保される。ソ連も同様に対応するわけで，この概念を「核の傘」といいます。

▲ただしイギリスは1952年に核兵器を保有
▲nuclear umbrella

1955年の**ジュネーヴ4巨頭会談**は，**ポツダム会談以来10年ぶりに米ソの首脳が顔を合わせる**歴史的な場に。翌年，ソ連の権力者**フルシチョフ**は，カリスマだった**スターリンの本性・恐怖政治を暴き，さらには西側との平和共存を目指す立場を公に**しました。59年には，**ソ連の指導者として初めてアメリカの土を踏む**など，50年代後半は東西対立の緩和が進みました。これが**「雪どけ」**といわれる状況ですね。

▲演説の内容は，意図的に西側にリークされた

ここから先，1960年代以降の米ソ冷戦については，世界各国の状況が複雑に絡み合ってくるので，解説中心で話を進めます。各国の状況の「まとめ」は，**テーマ28**以降で確認してくださいね。冷戦全体のざっくりした流れを表で示すと下のような感じになります。

1945	1953	1960頃～	1970前後～	1980前後～	1985～89
冷戦（狭義）	雪どけ	多極化	デタント	新冷戦	冷戦終結へ

———は米ソの緊張度を表していて，上に行けば行くほど緊張・対立している状態です。冷戦には「狭い意味の冷戦（1945or47～スターリンが死去する1953）」と「広い意味の冷戦（1945or47～マルタ会議の1989）があります」ので，文脈によって読み分けてください。

1950年代後半にイイ感じになってきた米ソ関係でしたが，60年代初頭に一

転。61年には東ドイツに**ベルリンの壁**▲→テーマ28が建設され，62年に**キューバ危機**▲→テーマ28が起こります。核戦争の半歩手前まで行った米ソですが，ギリギリで踏みとどまりました。両国を踏みとどまらせた背景にはやはり「核戦争になれば米ソは共倒れし，人類は滅亡する」という恐怖がありました。肝を冷やした両国は63年に**部分的核実験禁止条約**（▲地下以外での核実験を禁止）を結び，核軍縮への第一歩が踏み出されました。

★1960年代の多極化

1960年代，米ソ中心の二極体制が動揺します。その主な要素を整理してみましょう。

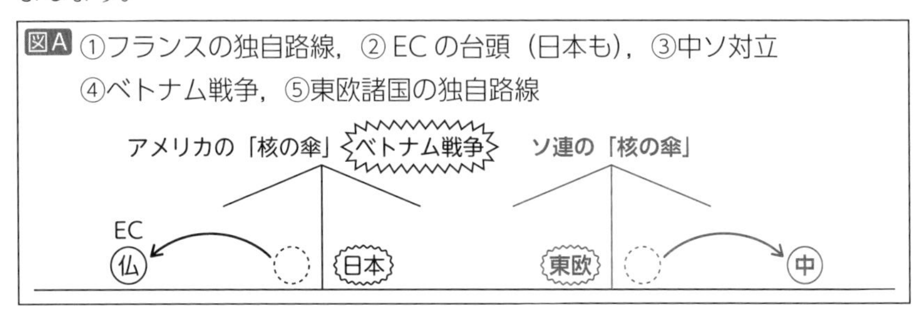

①まず，フランスの**ド＝ゴール**▲→テーマ28大統領（任1959～69）が「ナポレオン時代のような栄光を取り戻せ！」と，**核兵器を保有し，対米従属を嫌う独自路線をとりました**。彼の政権下で成立した②**ヨーロッパ共同体（EC）**▲→テーマ28も，アメリカ経済に対抗する意図が秘められてますね。

③一方で共産主義陣営でも，中国とソ連の関係がギクシャクします（**中ソ対立**→テーマ29▲）。少し時を戻しましょう。終戦後，国共内戦に勝利した中国共産党は**毛沢東**を主席として**中華人民共和国**を樹立。**中国国民党**の**蒋介石**は台湾に逃れました。アメリカは資本主義の台湾の方を「中国」とみなし，中華人民共和国を承認せず，**米中関係は米ソ関係以上に険悪なものになりました**。スターリンの生前は，米ソも激しく対立していましたから，中ソは「ともにアメリカに立ち向かおう」と意気投合。**中ソ友好同盟相互援助条約**を結んで一枚岩だったわけです（図B参照）。しかしスターリンの死後，ソ連はアメリカとの**平和共存**を打ち出しました。寝耳に水の中国は「おいおい，アメリカを倒すんじゃないのかよ！　話が違う！」とソ連に不満を抱いたんですね。前述した**キューバ危機で中ソ対立は公然のものとなりました**。ソ連がアメリカと戦ってくれるぞ！　と期待していたのに結局はヘタれて，平和共存に落ち着いてしまったからです。「ソ連なんかに期待した俺がバカだった…」と対立は激化し，**中国は核兵器を保有**。ついに軍事衝突にまで発展します（**中ソ国境紛争**）。

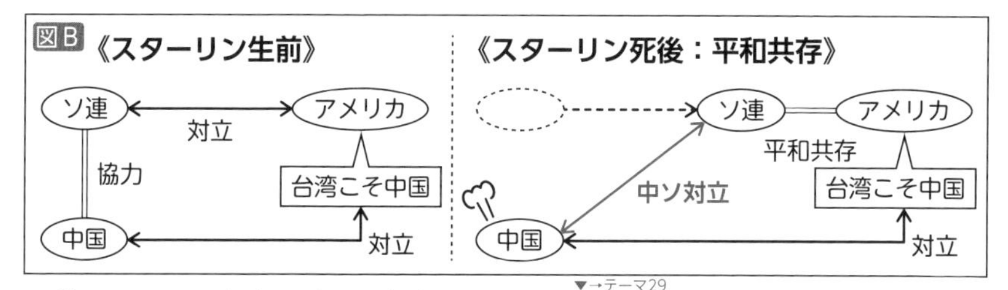

④アメリカは東南アジアの共産化を恐れ，ベトナム（▼→テーマ29）に介入します。共産主義の**ベトナム民主共和国**（▲通称，北ベトナム）に対し，アメリカは傀儡（かいらい）の**ベトナム共和国**（▲通称，南ベトナム）を樹立し軍事支援を行いました。北ベトナム＆南ベトナム解放民族戦線との戦いが激しくなると，ついに1965年，**ジョンソン**大統領はベトナムに米軍を投入（**北爆**）。しかし，北ベトナムと解放民族戦線による地形を利用した**ゲリラ戦術**（▲ジャングル・山間部）に手を焼き，兵力の逐次投入という下策をとったこともあり戦線は泥沼化。**軍事費は財政を圧迫し，国際的な反戦運動も高まり，アメリカの威信は揺らぎました。**

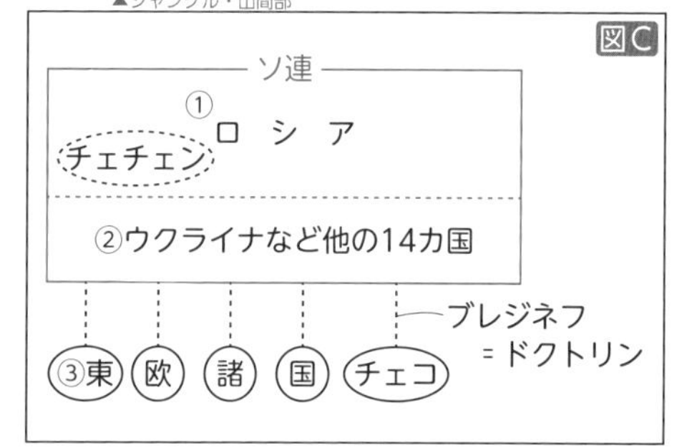

⑤東欧では，68年に**チェコスロヴァキア**（▲→テーマ28）がソ連派の共産党独裁をヤメて民主化を模索すると，ソ連を中心とするワルシャワ条約機構軍が侵攻。ソ連はこの明らかな内政干渉を「共産主義グループ全体の足並みを乱す国には制裁を加えて構わない！」と正当化します（この理念を西側は「ブレジネフ＝ドクトリン」と呼びました）が，国際的非難はすさまじく，**ソ連の威信も低下**しました。ユーゴスラヴィアの**ティトー**による独自路線も，多極化の側面の一つと考えられます。

★デタントの時代（1970年代）

ニクソン（▲→テーマ28）はベトナム戦争の収拾を公約にアメリカ大統領に当選しました。アメリカが直面していた状況は「これ以上ベトナムには米軍を投入できない。かといって米軍が即時撤収すればアメリカの敗北を認めることになる」という酷なものでした。そこで，**「米軍は撤退するが，南ベトナムが負けないよう最大限のお膳立てをする」**という策をたてます。次ページの図D①がベトナム戦争の構図です。もしこの状況で米軍が撤退すれば，ソ連と中国が北ベトナムを支援してるわけですから南ベトナムはひとたまりもない…。

ここでニクソンは1972年に電撃的に**中国を訪問**（▲→テーマ28）！　今まで承認していなかった中華人民共和国の存在を認めて和解し，**中国に北ベトナム支援を手控えさ**

せます。またニクソンは同年にソ連へも飛び，**戦略兵器制限交渉（SALT）**をまとめて米ソ関係も改善させ，ソ連もベトナム戦争から切り離そうとしました。この状況で米軍がベトナムから撤退すれば（図D②），ベトナム戦争を**「外国が介入しない，ベトナムにおける内部対立」に変えられる**わけですね。

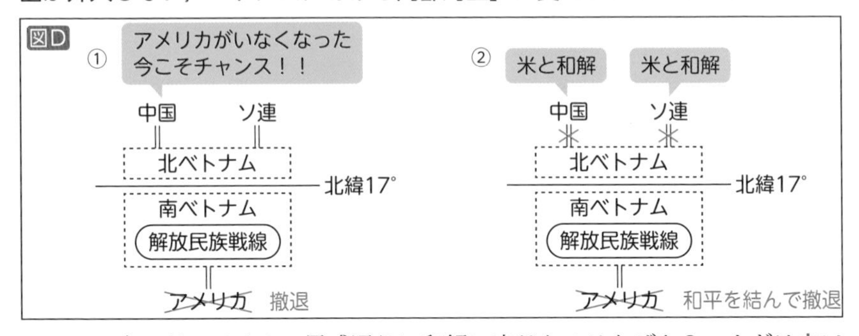

では，中ソがアメリカの思惑通りに和解に応じたのはなぜか？　カギは**中ソ対立**です。69年の中ソ国境紛争で中ソ対立は頂点に達し，**中国は米ソの双方と対立する苦境に立たされ，今までなら考えられなかったアメリカとの関係改善を模索**し始めたんです（図E①）。一方のソ連です。米中和解の機運が高まると，またまた今まではありえなかった**「米中という核保有国が手を組んでソ連に対抗する」**可能性が浮上してきたため，アメリカとの関係強化を急ぐはめに。ソ連は「アメリカと中国が手を組むなんて悪夢だ！　軍縮面でもベトナム問題でもアメリカとフレンドリーにしておかねば…」という結論に至り，**SALT**が妥結したんです（図E②）。ベトナムでの戦費がかさんで財政難にあえいでいたアメリカにしてみれば，してやったりの展開ですね。

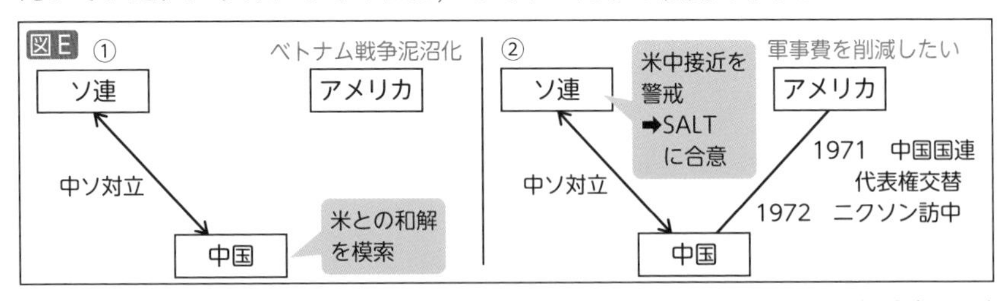

こういった70年代初頭に展開された情勢を，「**デタント（緊張緩和）**」と呼びます。同時期に，西ドイツの**ブラント**首相が東側諸国と対話した「**東方外交**」▲→テーマ28もデタントの一環とみなされますね。

★新冷戦から冷戦終結へ

70年代のデタントの流れに冷や水を浴びせたのが，1979年のソ連軍による**アフガニスタン侵攻**▲→テーマ29でした。アフガニスタン（地図24-①）で成立した親ソ派政権が宗教弾圧を行うと，国民の大多数を占めるイスラーム教徒が激昂（げっこう）。激しい内戦に発展したところへ，ソ連軍がアフガニスタン政府を支援して攻め込んだんですね。これに対しアメリカは80年のモスクワ五輪をボイコットするなど猛反発し，「新冷戦」と呼ばれる局面が到来しました。

この流れで81年に就任した，ハリウッド俳優から政治家に転身した**レーガン**（▲→テーマ28）大統領は，うって変わって**「強いアメリカ」**を掲げ，ソ連を「悪の帝国」と呼んで敵視し，**軍事予算を大幅に増額して軍拡に乗り出しました**。その代名詞が，宇宙空間で核ミサイルを打ち落とす戦略防衛構想（SDI（▲ Strategic Defense Initiative）。「スターウォーズ計画」とも呼ばれました。当時，映画『スターウォーズ』の第１作が大ヒットしたことを覚えている方もいらっしゃるでしょう）。しかしケタ外れの**軍拡はアメリカの財政を圧迫**し，２期目には方針転換してソ連との対話路線へと舵を切ります。

一方のソ連にとって，1980年代前半は共産党独裁による綻（ほころ）びが覆い隠せないまでに深刻化した時期でした。「赤い貴族」と揶揄（やゆ）された官僚は特権階級化し，共産主義の経済は停滞。**アフガニスタンでの戦いは，ソ連版「ベトナム戦争」となって泥沼化し，財政を圧迫**しました。このような状況下，85年に50代で書記長に抜擢された**ゴルバチョフ**（▲→テーマ28）は，今までのソ連のあり方に抜本的なメスを入れました。**ペレストロイカ**（改革）を掲げ，**企業の自主性や個人営業の自由を認め**，共産主義のカラーを薄めていったのです。また，**チェルノブイリ原発事故**（ソ連内のウクライナに建設されていた。ウクライナ語ではチョルノービリ▲）（1986）の際，当局者が情報の隠ぺいを図ったことで各所への対応が遅れ，より深刻な被害を招いてしまいました。この不祥事が，ゴルバチョフが言論や報道の自由化を認める**情報公開**（グラスノスチ）を推進した一因とされています。外交面では東西の緊張緩和を目指す**「新思考外交」**を展開。1987年にはレーガンと**中距離核戦力（INF）全廃条約**を締結し，翌88年にはブレジネフ＝ドクトリンを否定しました。かみ砕いて言うと，「ソ連の子分である東欧諸国がソ連流の政治を否定しても，かつてのチェコスロヴァキアのように軍事介入はしないよ」という内容です。東欧ではソ連の顔色を気にすることなく政治を進めることが可能となり，翌年の**東欧革命**（▲→テーマ28）につながっていきました。そして89年末にはソ連圏の共産主義システムはほぼ消滅し，12月に**ブッシュ（父）**大統領と**ゴルバチョフ**が**マルタ会談**で冷戦終結を宣言するに至りました。ヤルタ会談（45年２月）に始まったとされる冷戦が，マルタ会談（89年12月）に終結したことは**「ヤルタからマルタへ」**と表現されますね。

※次講以降の各国史的視点に触れたあとに，改めて本テーマを読んでみてください。大きな視野で冷戦の経過をたどることができると思います。

第二次世界大戦後の欧米世界

1 第二次世界大戦後のアメリカ合衆国大統領

は民主党
は共和党

(1) **トルーマン**（民主党，任1945～53）…「冷戦」の開始
▲F＝ローズヴェルトの死後，副大統領から昇格
(2) **アイゼンハワー**（共和党，任1953～61）…「雪どけ」
▲ノルマンディー上陸作戦の総司令官
(3) **ケネディ**（民主党，任1961～63）…**キューバ危機**（1962）
(4) **ジョンソン**（民主党，任1963～69）
▲ケネディの暗殺をうけ副大統領から昇格
①「北爆」を実施して**ベトナム戦争**に本格介入（1965）
(5) **ニクソン**（共和党，任1969～74）
①「**デタント（緊張緩和）**」を現出…ニクソン訪中，ベトナムからの撤退
(6) フォード（共和党，任1974～77）
(7) **カーター**（民主党，任1977～81）…「人権外交」
(8) **レーガン**（共和党，任1981～89）…「強いアメリカ」を掲げる
(9) **ブッシュ（父）**大統領（共和党，任1989～93）…**マルタ会談**で冷戦終結
(10) **クリントン**（民主党，任1993～2001）…中東和平を仲介
(11) **ブッシュ（子）**（共和党　任2001～09）…同時多発テロが起こる
(12) オバマ（民主党　任2009～17）…父がアフリカ系
(13) トランプ（共和党　任2017～21）…初の米朝首脳会談
(14) バイデン（民主党　任2021～）

2 ラテンアメリカ諸国は，親米と反米のはざまで揺れ動く

(1) キューバ
▲企業や農地の大部分はアメリカ資本が所有。「アメリカの裏庭」
①**キューバ革命**（1959）…**カストロ**が**ゲバラ**と共にバティスタを打倒
▲アルゼンチン出身の医師
②社会主義を宣言（1961）…**中南米初の社会主義政権**
③**キューバ危機**（1962）
(2) チリ
①**アジェンデ**が大統領に当選（1970）…**選挙によって社会主義が成立**
②アメリカの支援を受けた，軍部のピノチェトによるクーデタ（1973）
(3) アルゼンチン
①**フォークランド**戦争（1982）…イギリス領フォークランド諸島を占領
▲マルビナス諸島
➡イギリス軍に奪回され，軍事政権は退陣して民政へ移行

3 スターリン死後のソ連，ソ連解体後のロシア

(1) **フルシチョフ**…共産党第一書記（任53～64），首相（任58～64）
(2) **ブレジネフ**…党第一書記（任64～66），党書記長（任66～82）
(3) **ゴルバチョフ**（任1985～91，大統領任1990～91）
①**ペレストロイカ**…経済・社会の諸改革
▲「たて直し」を意味する
②**グラスノスチ**…情報公開。**チェルノブイリ原発事故**（1986）が背景
③**新思考**外交…緊張緩和をさらに推進　➡**マルタ会談**（1989）で冷戦終結
④**ソ連消滅**（1991.12.25）…独立国家共同体へ
▲CIS
(4) **プーチン**大統領（任2000～，2012～）
①クリミアを「併合」（2014）　➡**ウクライナ**へ侵攻（2022）

4 ソ連の動向に翻弄（ほんろう）された東欧諸国

(1) スターリン批判をうけて，**ハンガリー**と**ポーランド**で反ソ暴動（1956）
(2) 東ドイツ（ドイツ民主共和国）…**ベルリンの壁**を建設（1961）
(3) **チェコスロヴァキア**の民主化（「**プラハの春**」，1968）
(4) **東欧革命**（1989）…ゴルバチョフの新思考外交をうけて自由化・民主化
①ポーランド…「**連帯**」の指導者**ワレサ**が政権を獲得
②ドイツ…**ベルリンの壁**開放
③ルーマニア…**チャウシェスク**大統領が逮捕，処刑される
(5) ユーゴスラヴィア
①**ティトー**（1892～1980）の独自路線
▲首相任1945～53，大統領任53～80
②ユーゴスラヴィア内戦（1991.10～）…セルビア中心の路線に反発
③**コソヴォ**紛争（1999）…セルビア内のコソヴォ自治州の独立紛争

5 第二次世界大戦後の西ヨーロッパ諸国

(1) 西ドイツの展開と東西統一まで
①**アデナウアー**首相（任1949～63，キリスト教民主同盟）…初代首相
②**ブラント**首相（任1969～74，社会民主党）…**東方外交**を展開
③**コール**首相（任1982～98，キリスト教民主同盟）…東西ドイツ統一
(2) 戦後のイギリス
①**アトリー**内閣（任1945～51，労働党）…「大きな政府」路線
②**サッチャー**内閣（任1979～90，保守党）…「**小さな政府**」への転換

第7章 戦後の世界

(3)　戦後のフランス…**ド＝ゴール**大統領（任1959～69）

★「フランスの栄光」を掲げ，米ソ主導の国際政治に反発し独自路線を開拓

6 第二次世界大戦で国力が低下した西欧は，ヨーロッパ統合を模索

(1)　**ヨーロッパ石炭鉄鋼共同体**（ECSC，1952）	①仏外相**シューマン**が石炭と鉄の共同運営を主張 ②加盟国は**フランス・西ドイツ・イタリア・ベルギー・オランダ・ルクセンブルク**
(2)　**ヨーロッパ経済共同体**（EEC，1958）	共通関税を導入して**共通経済圏の形成**を目指す
(3)　**ヨーロッパ原子力共同体**（EURATOM，1958）	原子力資源の統合・管理のために創設された
(5)　**ヨーロッパ共同体**（EC，1967） …EEC・ECSC・EURATOM を統合	(4)　**ヨーロッパ自由貿易連合**（EFTA　1960発足） ① EEC に対抗するためイギリスの提案で発足 ②加盟国は英・スウェーデン・ノルウェー・デンマーク・オーストリア・スイス・ポルトガル
(6)　**拡大 EC**（1973）	**イギリス**・アイルランド・デンマークの加入

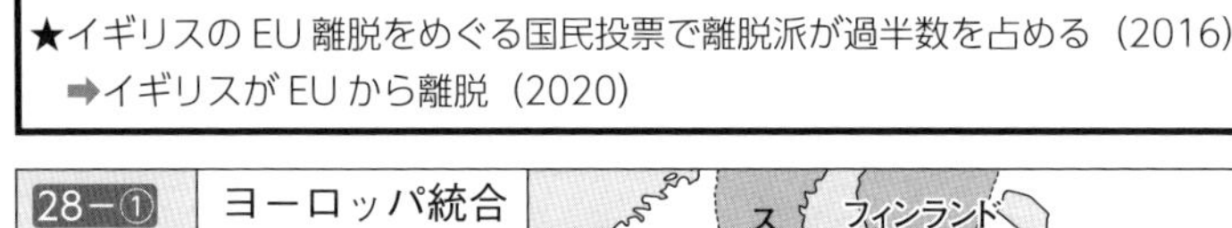

(7)　**ヨーロッパ連合**（EU，1993）…**マーストリヒト条約をうけ発足**

★イギリスの EU 離脱をめぐる国民投票で離脱派が過半数を占める（2016）

➡イギリスが EU から離脱（2020）

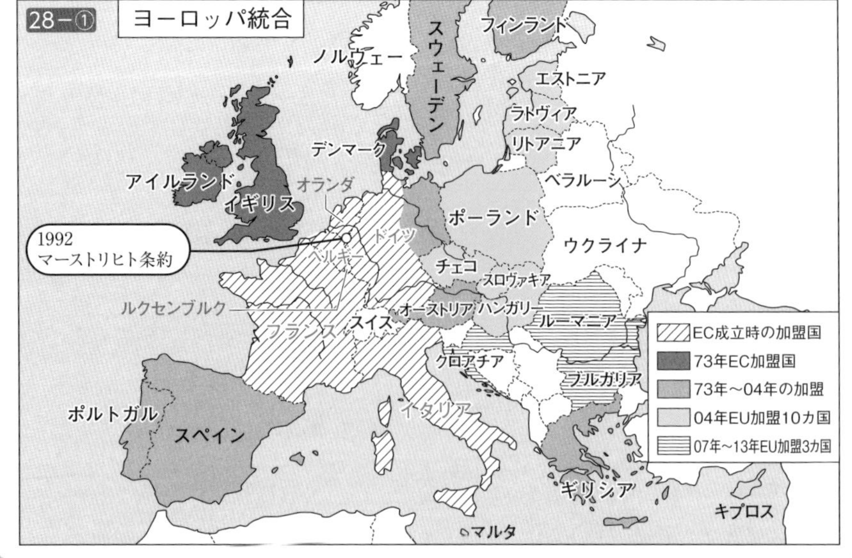

第二次世界大戦終結時のアメリカ大統領**トルーマン**政権下で「冷戦」は始まり，反共の風潮は国内でも高まって，共和党議員**マッカーシー**を中心に共産主義団体と関わりがあるとみなされた公人を追放する「**赤狩り**」が吹き荒れました。ノルマンディー上陸の英雄**アイゼンハワー**大統領が就任した2カ月後，ソ連の**スターリン**が死去。彼の任期はほぼ「**雪どけ**」の時期に一致しますね。

▲トルーマンとスターリンはどちらも1953年で政権交代

1961年に就任したケネディは**初のアイルランド系でカトリック**の大統領で，19世紀のジャガイモ飢饉で大量の飢死者が出た時，先祖がアメリカへ渡って来ました（なお2021年に就任したバイデン大統領も，ケネディと同じくアイルランド系でカトリック教徒）。祖父がビジネスに成功してケネディ家は裕福だったものの，アイルランド系はアメリカではマイノリティでした。そういった出自もあって，彼は**人種差別や貧困の問題に立ち向かいます**（ニューフロンティア政策）。黒人差別の撤廃を目指す**公民権運動**も盛り上がり，1963年のワシントン大行進で**キング牧師**が行った，「私には夢がある」で知られる演説はその象徴とされます。この1963年は，ある出来事からちょうど100周年。

弱冠43歳で大統領となった▲

▲州法によって，参政権など諸権利が制限されていた　→テーマ19

▲ガンディーの非暴力運動の影響をうけた

分かりました，リンカンが発した1863年の奴隷解放宣言！

そう，大切な節目の年ということもあって運動は熱気を帯びました。外交面では**キューバ危機**に直面して難しい舵取りを迫られますが，ギリギリで戦争を回避し翌年の**部分的核実験禁止条約**にこぎつけ，平和共存を固めました。

▲→テーマ19

ケネディが1963年11月に暗殺（真相はいまだ闇の中…）されると，副大統領から**ジョンソン**が昇格し，ケネディ路線を継承。貧困対策に予算を計上し，64年に**公民権法**を成立させて法的な人種差別が撤廃されました（実際には社会的な差別は根強く残りますが…）。この内政に影を落としたのが，65年に「**北爆**」を命じて介入した**ベトナム戦争**の泥沼化です。莫大な軍事支出によって社会保障の予算は削られ，超大国のメンツをかけた米軍のなりふり構わぬ行動には「絶対正義の米軍がベトナムの土地と住民を蹂躙している…」と疑念の声が噴出し，**世界規模で反戦運動が起こります**。アメリカ国内では**黒人差別撤廃運動とも連携**をみせました。若者たちは徴兵を拒否し，彼らの間では従来の価値観に反発する**カウンター＝カルチャー**（対抗文化）が流行しました（お高くとまったクラシックやお嬢さまのピアノではなく，ギターにハマってかき鳴らすイメージ）。その象徴ともいえるビートルズのデビューが1962年です。なお彼らの出身地はアメリカではなく，イギリスのリヴァプールですね。

▲軍事支援自体は，ケネディ政権時代に強化されていた

ベトナム戦争は，初めてテレビ中継された戦争とされる▲

「アメリカ＝正義」という絶対的価値観▲

対ベトナム政策で支持率を失ったジョンソンに代わった**ニクソン**は，キッシンジャーの助言を得ながら中ソと和解し，ベトナムから米軍を撤退させて**デタ**

ントを進展させました。一方，**ベトナム戦費の支出などで大量のドルを海外に支払った**ため，「こんなにドルを発行して本当に金と交換（▲→テーマ26）してくれるのか？」といぶかしんだ諸国がアメリカから金を引き出し，アメリカの金保有量はみるみる減少。ニクソンはついに71年，**金とドルの交換停止**を発表しました。ここに固定相場の**ブレトン＝ウッズ国際経済体制**は崩壊し，73年に各国通貨の需要と供給に基づく**変動相場**制へ移行しました。外交面では実績を残したニクソンですが，再選を目指す大統領選挙の際，民主党本部（▲ウォーターゲートビル）に盗聴器が仕掛けられたスキャンダルに関与していたことが明るみに出て，**現職の大統領でありながら在職中に辞任**する異例の事態を招いてしまいます。

1981年に就任した**レーガン**（▲かつてはハリウッド俳優だった）は「新冷戦➡転じてソ連との対話」が外交ポイントですが，経済ではフランクリン＝ローズヴェルト以来の，政府が経済活動をサポートし国民の面倒を見る手法（社会保障などで多額の予算を組むことから「大きな政府」と呼びます）から，**経済活動**（社会保障を削減▼）**における政府の役割を減らして市場原理に委ねる「小さな政府」**へと方針転換。自由競争による切磋琢磨（せっさたくま）と，減税による消費拡大で経済に活力を取り戻し，景気を好転させて結果的に税収を増やそう，という「レーガノミクス」です。財政支出を増やす「大きな政府」の手法が石油危機（▲→テーマ29）後の不況には効果が薄かったことや，日本・西ドイツ製品が急速に輸出力を伸ばしていたことが背景。減税で景気拡大と行きたいところですが，それを吹き飛ばすほどの軍事費によって**財政赤字**が累積。貿易でも日本車・西ドイツ車がアメリカで売れまくり，**貿易赤字**も拡大しました（「双子の赤字」）。そこでレーガンが２期目に入った1985年，米・英・仏・西ドイツ・日本がアメリカの貿易収支を改善させるため，為替（かわせ）相場に介入してドル安へ誘導する**プラザ合意**が成立しました。

冷戦終結時の大統領は**ブッシュ（父）**。戦後，（再選を除いて）同一政党が大統領選挙で連勝したのはレーガン➡ブッシュの共和党コンビだけです。

21世紀になって間もない2001年９月11日，ハイジャックされた旅客機２機がニューヨークの世界貿易センタービルに突っ込み，また国防総省（ペンタゴン）も標的とされる**同時多発テロ**（▲アメリカ本土が対外勢力から攻撃をうけたのは，19世紀の米英戦争以来）が起こりました。就任間もない**ブッシュ（子）**大統領は「テロとの戦い」を掲げ，「実行犯が属する組織**アル＝カーイダ**はアフガニスタンの**ターリバーン**政権に保護されている！」として同年にアフガニスタン（▲→テーマ29）へ侵攻して政権を崩壊させました。２年後には**イラク戦争**を起こしますが，国連決議を伴わない開戦は単独行動主義（ユニラテラリズム）として批判を浴びます。また2008年の「**リーマン＝ショック**」で国際的な金融不安が高まりました。

2009年に就任した**オバマ**大統領はアフリカ系の父を持ち，**プラハ**における核廃絶演説を行ってノーベル平和賞を受賞し，現職のアメリカ大統領として初めて被爆地である広島を訪問しました。そして何かと話題をふりまいた，2017年に就任した**トランプ**大統領ですが，彼の政策で特筆すべきは2018年に行われた初の米朝首脳会談になるでしょうか。

アメリカは中南米を影響下に置き，軍事面では反共同盟である米州機構（OAS）に組み込み，経済的にはアメリカ資本が幅をきかせました。こういった状況に反発し，いくつかの国では，反米的な民族主義政権が成立します。最大の騒動が**キューバ危機**ですね。アメリカから独立したキューバですが，アメリカ経済に完全に従属していました。これを憂いた**カストロ**が親米の**バティスタ**政権を倒し（**キューバ革命**），２年後には**社会主義**を宣言。ここでソ連が「アメリカの裏庭」と呼ばれたキューバに核ミサイル基地を設置すると，ワシントンD.C.やニューヨークなど東海岸の主要都市が射程内に！　米軍はソ連船による機材搬入を海上封鎖で阻止しようとしたため，一触即発の事態となりました。しかしギリギリのところで，アメリカのキューバ内政への不干渉と交換に，ソ連がミサイル基地を撤去する合意が成立したのでした。ちなみに，カストロは「暗殺されそうになった回数が最も多い人物」としてギネスブックに載っているそうです（汗）。

▲コメの６割をアメリカに依存，電話・電力事業はアメリカが占有

▲革命と同時に社会主義になったわけではない点に注意

▲ケネディ政権

▲なんと「638回」とのこと

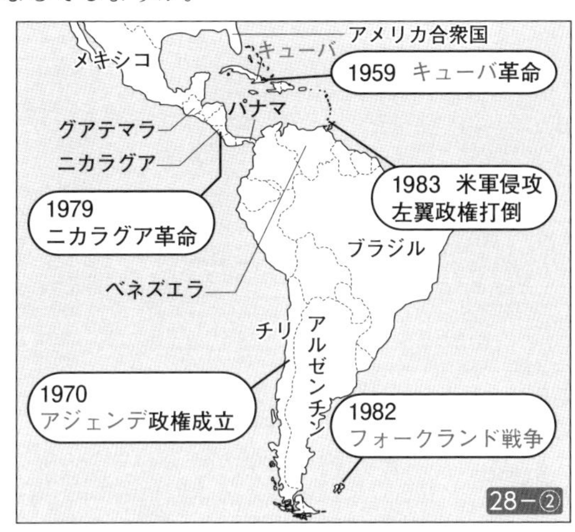

チリについては，暴力革命ではなく**選挙によって社会主義を実現したアジェンデが特筆すべき人物ですね。**

1953年のスターリン死後最高指導者となったのが**フルシチョフ**でした。彼は「スターリンが行っていた個人崇拝や粛清は，あまりに度を超していた！」と，**スターリン批判**を行いました（学校の教室にはスターリンの肖像画が飾られ，街中いたる所にスターリンの像。彼を称える曲を作るコンクールもあったとか）。絶対的カリスマに対する身内から飛び出した批判は世界中に衝撃を与えましたが，ソ連の衛星国であったポーランドとハンガリーでは政変にまで発展。**当時の東欧諸国のトップはスターリンと似たような恐怖政治を敷いていた**ので，「ソ連が恐怖政治を否定したのだから，我が国の体制も改革すべきだ！」

と国民に火がついたんです。両国を対比するとハンガリーはイケイケ。改革派**ナジ＝イムレ**が複数政党制の導入，**ワルシャワ条約機構からの脱退**を声明します。しかしソ連当局は，「共産党独裁体制そのものを否定したわけではない。図に乗るな！」とハンガリーに軍を送り込み暴動を圧殺。ナジはソ連に連行され絞首刑に…。一方のポーランドでは，指導者**ゴムウカ**がある程度の改革を約束して国民をなだめ，ソ連には「ご安心を。我が国はワルシャワ条約機構に留まります」と約束し，介入を免(まぬが)れました。

実際，農業の集団化を廃止したり検閲を緩和▲

フルシチョフは西側諸国との平和共存も，進めましたよね。ソ連の最高指導者として初めてアメリカの土を踏みましたが，日本のことも忘れてはいけません。1956年の**日ソ共同宣言**で，両国は大戦終結を宣言しました。ソ連の賠償請求権の放棄などが盛り込まれましたが，北方領土問題は棚上げにされ，現在に至ります。60年代に入ると**キューバ危機➡部分的核実験禁止条約**，という怒濤(どとう)の米ソ関係を乗り越えました。

1960年代の東欧では，２カ国で注目すべき出来事が起こりました。東ドイツでは，1961年に西ベルリンの周囲に**ベルリンの壁**が建設されました（p.221の図）。チェコスロヴァキアでは共産党独裁を否定する「**プラハの春**」と呼ばれる民主化運動が起こりました（**チェコスロヴァキアはもともとは民主主義が根づいた工業国でしたよね**）。こんな改革を容認すれば，他国にも民主化が波及するのは必至。ソ連＆東欧の独裁者たちは肝を冷やし，**ワルシャワ条約機構**軍がチェコスロヴァキアへ侵攻して改革を圧殺しました。

▲→テーマ27

これを正当化したのがテーマ27で説明したブレジネフ＝ドクトリン▲

フレシチョフに続く**ブレジネフ**時代の外交局面は，「60年代の多極化（**チェコスロヴァキア**への軍事介入）➡70年代の**デタント**（**SALT**）➡80年前後の新冷戦（**アフガニスタン**への侵攻）」という感じですね。

▲侵攻したのは1979年

ゴルバチョフによる冷戦終結に至るプロセスは**テーマ27**でご確認を。「頑張ってもサボっても給料が同額である共産主義システムは，技術や効率の停滞を招く」。この特徴はかねてから指摘されていましたが，経済停滞は80年代にさらに深刻になりました。その一因には**石油危機**(オイルショック)がありました。石油不足に見舞われた西側諸国は，**産業の省エネ化・小型化・ハイテク化**によって危機を乗り切り，ピンチをチャンスに変えて輸出力を伸ばしました。一方のソ連は，なまじ自国の資源が豊富だったので，これといった対策をする必要がなかったんです。それゆえ，ソ連は産業構造の転換に置いてきぼりにされてしまったのでした。

▲1973年，79年　→テーマ29

▲特に日本と西ドイツ

冷戦終結の翌1990年，資本主義と戦う非常事態を独裁で切り抜ける」という大義名分がなくなったことで，ソ連は共産党独裁を改めてソ連は**複数政党制**を導入。**大統領**選挙を行い，ゴルバチョフが当選しました。ここでp.225ページの図Cを見てください。ソ連はもともと15カ国の寄り合い所帯みたいな国家でした。今まではロシアを中心とする共産党幹部の強権的体制によって，15カ国を束ねて（&抑圧して）いたわけですが，独裁体制が崩壊したことでウクライナなど，ソ連内の共和国が自立を求めるようになります。ゴルバチョフもこの流れには抗（あらが）えず91年のクリスマスに**ソ連は崩壊**しました。
▲各国で民族主義が高まったことも一因

ソ連崩壊後，まずロシアを悩ませたのは**チェチェン共和国**の独立紛争。

あれ？ソ連を構成する15共和国に，チェチェンなんてないです。

「ロシア内の」共和国なんです。p.225の図Cで共産圏の構造を整理すると，

①ロシア（形式上は連邦国家で，この中にチェチェンなどが存在） ②ソ連の中で，事実上ロシアに支配されてきた14カ国 ③ソ連の衛星国であった東欧諸国

と3種類に分けられます。チェチェンがあるカスピ海沿岸はロシア有数の油田地帯。ヨーロッパに伸びるパイプラインが通っていて，石油利権を守るためにもロシアとしては独立させるわけにはいかなかった。エリツィンを継いだ**プーチン**政権下でもチェチェンの問題はくすぶり続けました。

2022年2月，**プーチン**政権下のロシア軍は隣国**ウクライナ**へ侵攻しましたが，ロシアの動きを，難解な分析を交えずに「高校で学ぶ世界史」と結びつけてみます。まず，かつては反共軍事同盟であった**NATO**は，冷戦終結後はロシアを抑止する同盟と化しており，この現状にロシアは不満を抱いていました。隣国ウクライナのNATO加盟希望が，ロシア軍侵攻の背景となったのです。次に，ロシアは2014年にウクライナ領であった**クリミア半島**の「併合」を宣言して実効支配下に置いていました。このクリミア半島はロシア本土からすると「飛び地」のような関係にあるため，2022年からの軍事行動には，ウクライナ領の一部をロシアに編入して，クリミア半島を本土とつなげようとする意図も見え隠れしています。「クリミア半島」「南下」と聞いて，地図18−③の**東方問題**を思い出した鋭い人がいるかもしれません。**南下政策**というロシアのコンセプトは，21世紀も受けつがれているとも言えるわけです。
▲冷戦終結後，旧共産圏のポーランドなども加盟した

一方，ゴルバチョフが東欧への干渉を控えることを宣言したことで，1989年の東欧諸国では経済停滞と共産党独裁に対する国民の不満が大爆発し，6月のポーランドの自由選挙では共産党の統制下にない労働組合「**連帯**」が圧勝。11月には冷戦の象徴**ベルリンの壁**が開放され，クリスマスにはルーマニアの独裁者**チャウシェスク**大統領夫妻が銃殺刑に処されて，その映像はテレビで全世界に流されました。

▼6つの共和国，5つの民族，4つの言語，3つの宗教，2つの文字，1つの国家
ユーゴスラヴィアでは，**6カ国が同居する連邦国家**を束ねてきたカリスマテ

第7章 戦後の世界

ィトーが1980年に死去し，冷戦終結でソ連という「束縛」もなくなりました。連邦内の諸国が**セルビア**中心の体制に反発して独立を宣言し，内戦を経て独立に至ります。その後の**コソヴォ**紛争は，**セルビア国内の一自治州の独立をめぐって起きたもの**です。クロアティアやスロヴェニアなどの「セルビアとパートナーなんか組みたくない！」という紛争とは意味・構造が異なりますよ。
▲テーマ22の「大セルビア主義」
▲アルバニア系住民が多かった

ユーゴスラヴィア

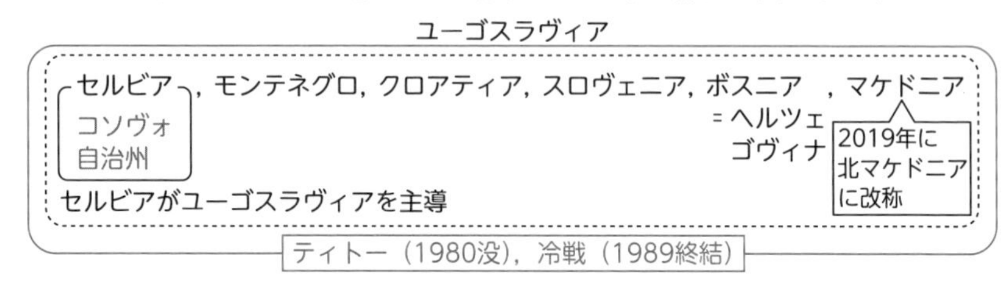

続いて西欧の状況ですが，戦後の西ドイツは，冷戦に絡めて３人の首相に注目です。①初代首相**アデナウアー**。彼は，「我が国は西側陣営の一員です」という姿勢を強調して国際関係を安定させ，「奇跡」的な経済復興を遂げます。ただアメリカとの友好を重視した裏返しとして，東側とはギクシャク。1955年に**北大西洋条約機構（NATO）**に加盟して**再軍備**すると，ソ連が対抗して**ワルシャワ条約機構**を結成しました。また東ドイツとの対話は皆無のままで，東ドイツは1961年に**ベルリンの壁**を建設。東西ドイツ分裂後，ソ連占領地域に囲まれていた西ベルリンは事実上西ドイツ領となりました。いわば，共産主義という赤い海に浮かぶ「自由の島」。ただ完全な陸の孤島だったわけではなく，西ベルリンと西ドイツ本土は鉄道・道路で結ばれており，飛行機でも往来が可能でした。こういった事情で，豊かな西ベルリン経由で西側へ「脱出」する貧しい東ドイツの労働者が後を絶たなかったのです。東ドイツはこの「脱出」を阻止すべく，西ベルリンを囲むように壁を建設したのでした。
▲ドイツ連邦共和国
▲→p.221
壁越えを試みた者のうち，逮捕者は約3000人，死傷者は約200人とされる▲

②**ブラント**。そのベルリンの壁が建設された時に西ベルリン市長だったのが，1969年に組閣したブラントです。東西冷戦の最前線にいた経験を糧（かて）に，ソ連との対話を積極的に進め（**東方外交**），東ドイツの存在も認めました。

70年代前半がデタントの時期だったことも，追い風でした。

その通り！　そして，「ベルリンの壁開放＆冷戦終結➡翌年の東西ドイツ統一」という怒濤（どとう）の時代に首相であったのが③**コール**ですね。

続いてイギリス。ポツダム会談中の総選挙で勝利した**労働党**の**アトリー**は**「大きな政府」の理念に基づき手厚い福祉国家建設を目指しました。**多くの企業が国有化され，労働者の多くは「公務員」となりクビになる心配からオリラ
▲→テーマ26
イングランド銀行，石炭，航空，電気，鉄道，ガス，鉄鋼など▲
▲労働者の約１割が国有化された企業に勤務

バ。社会保険も充実し，医療費も原則無料！ こういった方針が庶民から歓迎された一方，**①国営企業の生産性の低さ，②過剰な公共支出と高賃金が財政を圧迫**，といった構造上の問題が経済停滞（「イギリス病」）をもたらしました。さらに「大英帝国の威信」を維持するための軍事費も重荷となり，1968年にはイギリス軍はスエズ以東から撤退するに至りました。
（▲失業保険，老齢年金，死亡給付金など）

1979年にイギリス初の女性首相となった**サッチャー**は，「**経済の活性化と富の拡大が弱者救済に先立たねばならない**」と主張し，「大きな政府」から「**小さな政府**」へ転換（**レーガン**と同様の路線）し，国有企業を民営化して福祉も削減。身内の保守党からも疑問の声があがるほどでしたが，アルゼンチンの軍事政権がしかけた**フォークランド戦争**でリーダーシップを発揮して勝利し，支持率アップに成功しました。結果論ですが，この戦争が彼女の改革をアシストしたわけです（フォークランド戦争は，サッカーのイングランド代表とアルゼンチン代表が因縁の関係になった一因とされてますね）。改革によって経済は好転し，悩まされ続けた「イギリス病」を克服しました。

戦後のフランスは**インドシナ戦争**（▲1946〜54），**アルジェリア戦争**（▲1954〜62），と旧植民地（→地図20－①参照）との連戦に苦しみます。アルジェリア戦争が泥沼化して国内の政局も混迷すると，下野していた**ド＝ゴール**が政界に復帰し，**「フランスの栄光」を掲げて独自路線を突き進みます**。**核保有**を実現し，**NATO** 軍事機構から脱退するなど，アメリカの「核の傘」から離脱しました。**中華人民共和国**の承認は，米ソに対抗する国同士で意気投合したということですね。1960年代末，強権的体制に反発する全国的な運動もあってド＝ゴールは退陣します。ただその功績は高く評価され，死後には様々な公共物に彼の名が冠されました。代表格が，フランスの玄関口であるシャルル＝ド＝ゴール空港です。
（▲ベトナム戦争に対するアメリカの介入も批判）

以上の西ドイツ・英・仏の状況に絡めて，ヨーロッパ統合を見ていきましょう。米ソ冷戦の影に隠れがちですが，**フランスと西ドイツの長年の対立**も戦後の課題でした。その象徴が，国境地帯の**資源が豊富な****アルザス・ロレーヌ**（▲→地図18－②）。ここでフランス外相**シューマン**が「一国が資源を独占しようとしたエゴが争奪戦を招き，２度も大戦が起こってしまった。だから両国で**資源を共同管理**しよう」と提案。西ドイツの**アデナウアー**はプランを受け入れ，これにイタリアとベネルクス３国（ベルギー，オランダ，ルクセンブルク▼）も加わり，**ヨーロッパ石炭鉄鋼共同体（ECSC）**が発足しました。６カ国が協力した背景には，**大戦で満身創痍（まんしんそうい）＆戦後には植民地も失った西欧諸国が，大国アメリカに対抗するために経済統合に活路を見出した**，という事情もあります。この６カ国（▼「インナー６（シックス）」と呼ばれた）がヨーロッパ統合の核であり，1958年に経済的統合を目指す**ヨーロッパ経済共同体（EEC）**（モノ・サービスに関して６カ国で共通市場を作り，６カ国以外に対して共通の関税・貿易政策を採用▲），原子力資源を共同管理する**ヨーロッパ原子力共同体（EURATOM）**も発足。EEC は６カ国があたかも一つの国家であるかの如く経済活動を行う感じですね。そして1967年，ECSC・EEC・EURATOM が統合して**ヨーロッパ共同体（EC）**となりました。この背後には，アメリカ経済に対するド゠ゴール政権の対抗心がありましたね。

EEC を起爆剤に経済を成長させたフランスと西ドイツに対し，イギリスは**対米関係とイギリス連邦との交易関係を重視**。ヨーロッパ統合とは距離を置いて1960年には対抗組織ともいえる**ヨーロッパ自由貿易連合（EFTA）**を結成しましたが，あまりパッとしませんでした。上述したような経済の停滞を克服する必要もあり，ついにイギリスはヨーロッパ統合参加に舵を切りますが，ここでまたド゠ゴールが登場。「**アメリカの友好国イギリスが加入してくれば，アメリカの代弁者になって厄介なだけだ！**」と考え，２度にわたってイギリスの加盟を拒否しました。そのイギリスが EC 加盟を果たしたのは，ド゠ゴール退陣後の1973年でした。

▲かつてイギリスの植民地だった国々のグループ
▲EEC と異なり共通関税をかけず，域内市場規模も小さかった
▲1963年と1967年

この後 EC は加盟国を増やして1993年に計12カ国で**ヨーロッパ連合（EU）**が発足。従来の経済統合からさらに一歩踏み込んで，**政治統合**まで視野に入れています。加盟国は2013年に**クロアティア**が加わり28カ国にまで拡大しました。加盟国の多くで共通通貨**ユーロ**が流通し，シェンゲン協定の参加国同士は国境検問なしで出入国が可能であり，我々もビジネスや旅行で現地へ行くと統合を実感できますね。

▲＝ヨーロッパに統一国家を樹立

近現代は主権国家（国民国家）の時代でしたが，その国家を相対化させるグローバルな超国家的機構が20世紀末に出現しました。これに対抗する不満が噴出し，「**反グローバル化**」の動きが近年世界各地で盛んになっていますね。EU も例外ではなく，対抗運動の代表的な要因は以下のような感じです。

▼他にもトルコの加盟や，ギリシアの財政危機などの課題を抱える

①**ナショナリズムの復興**。国民国家の消滅はナショナリズムの否定・消滅を意味しますから，愛国的な気持ちを刺激された人は統合に反発します。
②加盟国が28カ国にもなると経済格差が大きくなり，**貧しい国から豊かな国へ出稼ぎ・移住する労働者が増加**。彼らは低賃金で働くため，受け入れ国の労働者の雇用をおびやかし排斥運動も起こります。

2016年，イギリスでの国民投票で，EU 離脱に賛成する票が過半数を占めました。この背景にも①②があって，①は「大英帝国のプライド」ともいえるかと。②に関しては，特にポーランド系移民への反感が鬱積。また，イギリスがかつて欧州統合に消極的だったことも，国民の選択に影響を与えたでしょう。そして2020年１月31日，イギリスは EU から離脱しました。

イギリスがユーロを採用していないのも，この現れといえる▲
国民が支払った税金が，移民への社会保障にまわることへの反発も▲

コラム3 column

ユダヤ人の歴史

現在も続くパレスチナにおけるパレスチナ人（▲パレスチナに居住するアラブ人）とユダヤ人の対立。その原因を理解するため，古代までさかのぼってみたいと思います。

バビロン捕囚から解放されたユダヤ人は，**寛大な**アケメネス朝の統治下で**イェルサレム**のヤハウェ神殿を中心にユダヤ教を信奉するようになりました。**アレクサンドロス大王**による遠征（▲→テーマ2）でアケメネス朝が滅亡した後，パレスチナは**セレウコス朝シリア**の支配下（▲→テーマ3）に入りますが，前2世紀にユダヤ人は王朝（▲ハスモン朝）を建てて自立。前1世紀にローマの**ポンペイウス**がセレウコス朝へ遠征した際，ユダヤ人王朝はローマに服属します。後2世紀，圧政に苦しむユダヤ人はローマ帝国に対して反乱（▲2回にわたるユダヤ戦争）を起こすものの失敗に終わりました。当時の**ハドリアヌス帝**（▲五賢帝の3番目）は反乱に怒り，イェルサレムから（▲イェルサレムへの立ち入りを禁じられた）ユダヤ人は追放されて，地中海各地に拡散（▲これをディアスポラと呼ぶ）しました。この時にヤハウェの神殿は破壊され，外壁の一部だけが残されました。これが現代のユダヤ教徒が神聖視する「嘆きの壁」です。

ユダヤ人に対する偏見・差別・迫害は，中世において本格化しました。

背景①	中世のキリスト教社会において，**異質な少数派集団**であり続けた
背景②	11世紀以降，キリスト教徒の**宗教的情熱**（▲十字軍は宗教的情熱が高揚した典型例）が高揚 ➡**「イエスを死に追いやった」**ユダヤ人への迫害が激化
背景③	**金融業**で活躍…**キリスト教徒は蓄財を悪徳とし，原則として利子をとることを禁じていた**ため，ユダヤ人に対する蔑視（べっし）が助長された

①まず，中世は「キリスト教徒に非（あら）ずば人に非（あら）ず」と言っても差し支えないような時代でした。そんな価値観の世界でキリスト教への改宗を拒み「異教徒」であることを貫くわけですから，当然ながら迫害をうけました。あとはユダヤ教の**選民思想**も，キリスト教徒には不愉快だったことでしょう。

②11世紀はキリスト教の**宗教的情熱**が高まった時期で，キリスト教徒の間で「ユダヤ人の裏切り者ユダ（▲→テーマ5）が，銀貨30枚と引きかえにイエスの身柄をユダヤ教幹部に引き渡したせいで，イエスは処刑されたのだ！」と**「ユダヤ人をキリスト殺し」とみなす**考えが広がり，迫害が激化しました。教皇権の絶頂期をきわめた**インノケンティウス3世**も，「イエスが処刑される要因を作った罪人」としてユダヤ人を糾弾（きゅうだん）しています。彼が開催した公会議において，ユダヤ人は黄色い記章の着用が義務づけられ，様々な権利が制限されました。都市内において，ユダヤ人の居住が強制された区域が**ゲットー**です。

③ユダヤ人は主要産業から排除され，キリスト教徒が従事を避けた**金融業**に

生業（なりわい）を求めました。この根底には蓄財を悪徳とみなすキリスト教の価値観がありました。イエスは新約聖書の中で「持っている物をすべて売り払い，貧しい人々に分けてやりなさい」と言っています。「卑（いや）しい金融業に手を染める輩（やから）」として，ユダヤ人は輪をかけてイジメられます（ユダヤ系金融業といえば**ロスチャイルド**家が有名。ユダヤ人の金貸しを題材にした喜劇といえば**シェークスピア**の**『ヴェニスの商人』**）。**ペスト**が流行した際には「ユダヤ人が井戸に毒を流したのが原因だ」という噂が流れ，迫害にさらされました。

このように，従来の差別の根拠は（民族・人種よりも）宗教の方に重きが置かれ，**「ユダヤ人とはユダヤ教を信仰する人」**という認識でした。しかし，19世紀にヨーロッパでナショナリズムが勃興すると，（もちろんユダヤ教の信仰も「ユダヤ人」の構成要件であり続ける▼）民族主義的な観点から「**セム語系のユダヤ人という独自の民族・人種が存在する**」という考え方が幅をきかせるようになりました。帝国主義時代にナショナリズムが**排他的**な性格を帯びると，ユダヤ人は恰好（かっこう）のターゲットとされました（その典型が**ドレフュス事件**（▲→テーマ18））。宗教的差別なら，キリスト教への改宗という逃げ道がある。でも国民国家の時代，ユダヤ人が居住地の「国民（マジョリティ）」から同化を拒否され差別される以上，ユダヤ人という民族を主張していくしかないじゃないか…。ここからユダヤ人が故郷パレスチナへ帰還する運動（**シオニズム**）が生まれました。

ここで時を戻しましょう。ユダヤ人が追放された後，7世紀半ば（▲正統カリフ時代）にアラブ人のイスラーム教徒がパレスチナを征服しました。元来**イスラーム教徒は宗教的に寛容**（▲→テーマ12）で，パレスチナではイスラーム教徒・キリスト教徒・ユダヤ教徒などは，仲良く共存していたのです（▲16世紀以降はオスマン帝国の統治下に入った）。しかし，ユダヤ人の入植が進んだ20世紀前半は「**民族自決**」（▲→テーマ23）が叫ばれ，**国家に複数の民族が共存することが難しくなっていました**。なぜか？　民族自決では，どの民族も他民族の言いなりにはなりません。原則として国のトップ（▲国王や大統領）に立つ人は一人ですから，ある国のトップが民族A出身であった場合，同居する民族Bは「俺たちは民族Aの言いなりになっている」と考えてしまいますよね。

そして，第一次世界大戦中のイギリスによる秘密外交がありました。**フセイン・マクマホン**協定でアラブ人が，**バルフォア宣言**（▲→テーマ24）でユダヤ人が，それぞれ建国する気満々に…。極めつけが**ナチス＝ドイツによるユダヤ人迫害**（▲→テーマ25）で，ユダヤ人移民が殺到。この事態が，パレスチナ問題につながっていきます。

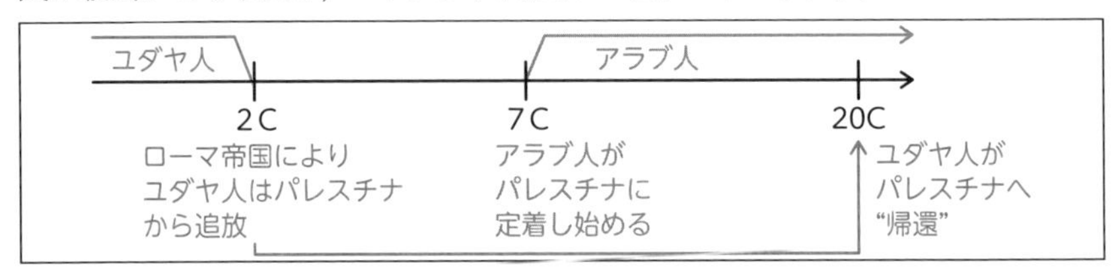

1 第二次世界大戦後，多くのアフリカ諸国が独立を実現した

(1) 独立の状況

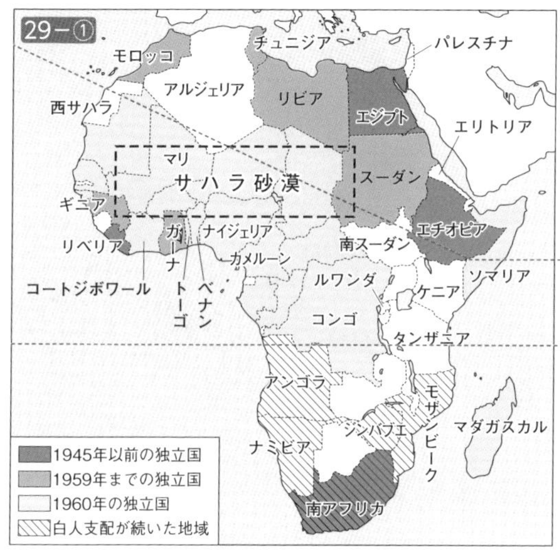

※エチオピア・リベリア・
▲1935～36にイタリアが侵略
エジプトはすでに独立
▲イギリスの影響は残る

1950年代
北アフリカ諸国が独立

1960年 「アフリカの年」
サハラ以南の諸国が独立

南部は1970年代以降まで
▲南アフリカは英連邦内ですでに独立
解放が遅れる
①ポルトガルの植民地
②アパルトヘイトの存続国

(2) アフリカの内戦・紛争の背景

①植民地時代の直線的な境界線が，そのまま独立時の国境となった
（＝部族分布を無視し，交易網も分断）

②旧宗主国が，被支配下の部族に対して分割統治

2 現在も解決の糸口が見えないパレスチナ問題

(1) **第1次中東**戦争（**パレスチナ**戦争，1948～49）

①エジプトを中心とするアラブ連盟がイスラエル建国に反対して開戦
➡イスラエルが勝利。大量のパレスチナ難民が発生

(2) **第2次中東**戦争（**スエズ**戦争，1956～57）

①イギリス（**イーデン**内閣）がイスラエル・フランスと組みエジプトを攻撃
➡米ソ・国際社会から非難を浴びてイギリス軍は撤兵。イーデンは退陣

(3) **第3次中東**戦争（6日戦争，1967）

①イスラエルがアラブ側に先制攻撃
▲背景にアラブ民族主義の高揚や，PLOに対する警戒感

➡イスラエルが圧勝し，大幅に領土を拡大**ヨルダン川西岸**・**シナイ半島**（▲エジプトから奪う）・**ガザ地区**（▲エジプトから奪う）・**ゴラン高原**（▲シリアから奪う）を占領

(4) **第4次中東**戦争（1973）

①エジプト・シリアがイスラエルに侵攻　➡緒戦は勝利したが，のち停戦

②影響…第1次**石油危機**（**オイルショック**，1973）

(5) 中東和平への道と挫折

①**エジプト・イスラエル**平和条約（1979）

②**パレスティナ暫定自治協定**（**オスロ**合意，1993）（▲ノルウェーが交渉を仲介）

③イスラエルの**ラビン**首相暗殺（1995）　➡和平交渉は頓挫

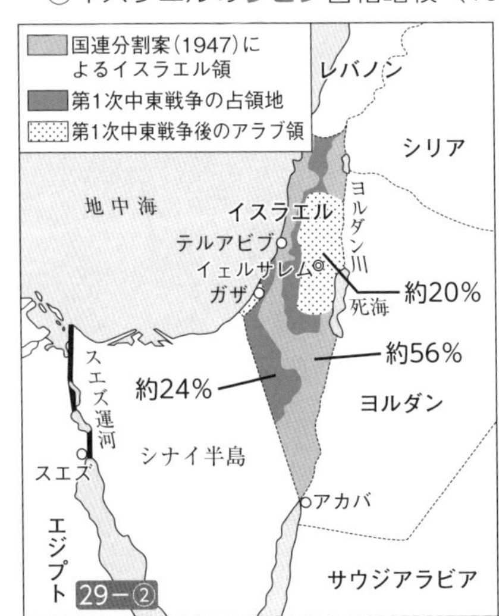

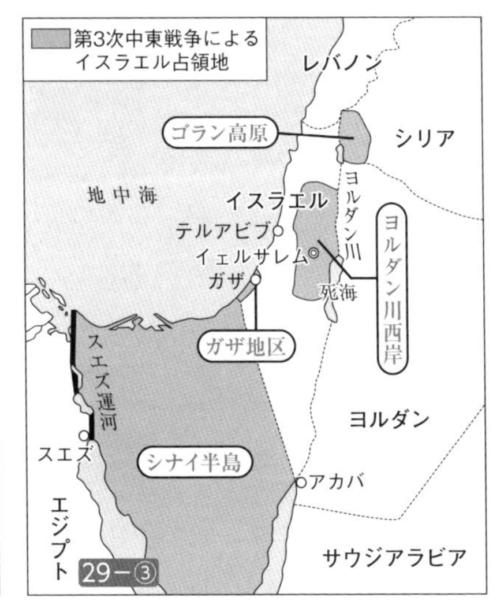

3 第二次世界大戦後の中東，南アジア諸国が歩んだ道

(1) エジプト

①**ナセル**大統領…**スエズ運河**国有化　➡**第2次中東戦争**（1956）

②**サダト**大統領…**エジプト・イスラエル**平和条約（1979）を締結

(2) イラン

①**イラン＝イスラーム革命**（1979）

・**ホメイニ**の指導で**イスラーム原理主義**の**イラン＝イスラム共和国**成立

・第2次**石油危機**…革命による産油削減で原油価格が高騰

(3) イラク

①**フセイン**大統領が就任（1979）

②**イラン＝イラク戦争**（1980～88）…イラン革命の波及を恐れ，宣戦

③**湾岸戦争**（1991）…イラクの**クウェート**侵攻に対し，多国籍軍が攻撃

④**イラク戦争**（2003）…アメリカ軍が侵攻し，フセイン大統領を捕らえる
▲イラクで裁判にかけられた後，処刑された

(4) アフガニスタン

①**ソ連**軍のアフガニスタン侵攻（1979～89）

②イスラーム原理主義の**ターリバーン**が政権を樹立（1996）
▲アフガン内戦後の混乱の中，イスラーム神学生たちが結成

・イスラーム法を極端に解釈し，テレビや映画の禁止，女性教育の禁止，服装の規制などを実施

③**アメリカ**軍のアフガニスタン侵攻（2001） ←**アメリカ同時多発テロ**

・**アル＝カーイダ**…アフガン内戦で活動した義勇兵が母体。指導者ビン＝ラーディンは，アメリカ同時多発テロ（2001）の首謀者とされ，パキスタンに潜伏しているところを米軍によって殺害された（2011）

(5) 南アジア

①インド連邦（ヒンドゥー教徒中心） ▲1950年からはインド共和国 初代首相は**ネルー**（任1947～64）	②パキスタン（イスラーム教徒中心） 初代総督は**ジンナー**（任1947～48）

③**インド＝パキスタン**戦争（1947，1965，1971）

➡**バングラデシュ**独立（1971）

④**核兵器**の保有…インド（1974），パキスタン（1998）

4 冷戦に巻き込まれた，第二次世界大戦後の東南アジア

(1) ベトナム

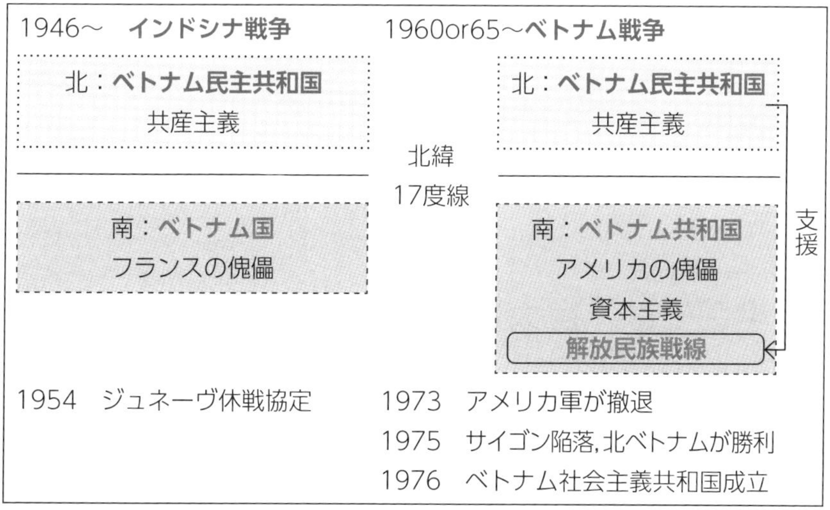

1946～ **インドシナ戦争**		1960or65～**ベトナム戦争**
北：**ベトナム民主共和国** 共産主義	北緯 17度線	北：**ベトナム民主共和国** 共産主義
南：**ベトナム国** フランスの傀儡		南：**ベトナム共和国** アメリカの傀儡 資本主義 **解放民族戦線**（北から支援）
1954 ジュネーヴ休戦協定		1973 アメリカ軍が撤退 1975 サイゴン陥落，北ベトナムが勝利 1976 ベトナム社会主義共和国成立

(2) インドネシア・東ティモール

①初代**スカルノ**大統領（任1945～67）

・非同盟主義…**アジア＝アフリカ**会議（**バンドン**会議）を開催（1955）

・**九・三〇**事件（1965）➡親米のスハルト将軍に実権を奪われる

②**スハルト**大統領（任1968～98）

・親米的立場に立ち**開発独裁**によって経済成長。しかし貧富の差が拡大

・アジア通貨危機（1997）に対処できず，翌年退陣

③**東ティモール**の独立（2002）
▲カトリック教徒が多い

(3) カンボジア

①ジュネーヴ協定で独立承認（1954）…シハヌークが元首となる

②親米のロン＝ノルがクーデタで政権奪取（カンボジア共和国，1970）

③**民主カンプチア**建国（1976）
▲親中国

・**ポル＝ポト**派による**急進的な社会主義**政策。住民を強制移住，虐殺
▲貨幣の廃止，農村による自給自足

④ヘン＝サムリン政権（カンボジア人民共和国，1979）…親ベトナム
▲親ソ・親ベトナム

⑤カンボジア和平協定（1991）…ヘン＝サムリン政権と反ベトナム三派

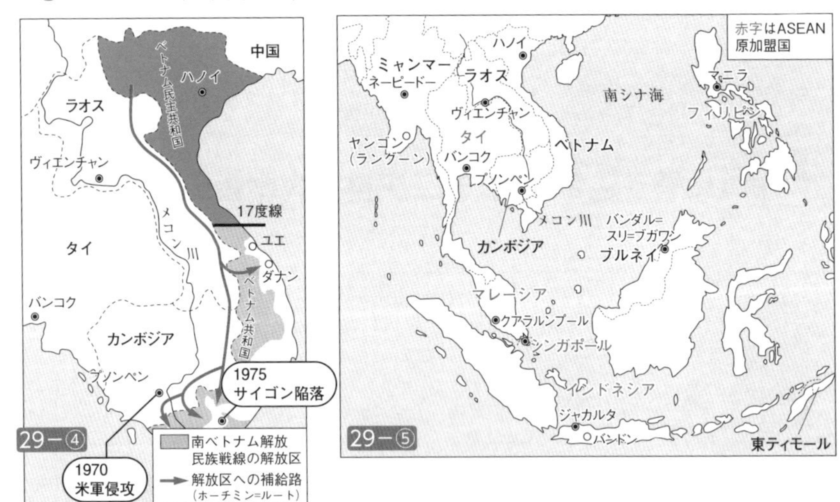

5 中国では，巨大な共産主義国家が成立した

(1) 終戦後の国共内戦で共産党が勝利

中国共産党	中国国民党　アメリカが支持
中華人民共和国の建国（1949.10） 国家主席：**毛沢東**，首相：周恩来	**蔣介石**は台湾へ逃れ，国民政府を維持。 **国連の安保常任理事国**となる

(2) 毛沢東の時代（～1976）

①**中ソ対立**（中ソ論争）

②**大躍進**（「第２次五ヵ年計画」，1958～） ➡失敗

③**プロレタリア文化大革命**（1966～77）

共産党主流派	**実権派（走資派）**資本主義要素を導入
・毛沢東…**紅衛兵**を組織・動員（▲学生などからなる） ・人民解放軍を掌握する**林彪**（りんぴょう）（▲中華人民共和国の正規軍） ・「四人組（江青など）」（▲毛沢東の妻）	・**劉少奇**…監禁され，のちに病死 ・**鄧小平**（とうしょうへい）…強制労働に従事

④外交の転換

・**中国の国連代表権交替**（1971）…台湾は国連から追放（▲アルバニアが提案）

・**ニクソン**訪中（1972） ➡**米中国交正常化**（1979 **カーター**大統領）

・**日中国交正常化**（田中角栄首相，1972）➡**日中平和友好**条約（1978）（▲福田赳夫内閣）

(3) 鄧小平の時代（～1997）

①経済面の**改革・開放**政策…経済特区の指定，人民公社の解体（▲事実上の個別農業経営である生産請負制へ）

②**天安門**事件（1989）…学生らによる民主化運動を，人民解放軍が鎮圧

(4) 鄧小平の死後…**香港**返還（1997）（▲イギリスから），**マカオ**返還（1999）（▲ポルトガルから）

6 第二次世界大戦後の台湾と朝鮮半島

(1) 中華民国（台湾）

①蔣介石の死（1975）

②**李登輝**（りとうき）総統（任1988～2000 国民党）…**初の国民投票**で当選（1996）（▲台湾出身者）

③陳水扁（ちんすいへん）（任2000～08，**民進**党）…**国民党以外**の初の総統

(2) 韓国

①**李承晩**（イスンマン）大統領…初代大統領。朝鮮戦争期の大統領（大統領選挙の不正に端を発する民衆デモで退陣▲）

②**朴正熙**（パクチョンヒ）大統領

・**日韓基本**条約（1965）…韓国を朝鮮半島での唯一の合法な政権とする（▲日本の首相は佐藤栄作）

※光州事件（1980）…政府が民主化運動を鎮圧

③**盧泰愚**（ノテウ）大統領…**直接選挙**で当選。冷戦終結（1989）をうけ緊張緩和を推進

④**金大中**（キムデジュン）…金正日との**南北首脳会談**（2000）を実現させる

(3) 朝鮮民主主義人民共和国（北朝鮮）

①**金日成**（キムイルソン）（首相任48～72，国家主席任72～94）…個人崇拝を強制

②**金正日**（キムジョンイル）…**南北首脳会談**（2000）で金大中と会談。**核兵器**を保有（2006）（▲朝鮮労働党総書記任1997～2011）

③金正恩（キムジョンウン）（任2011～）…アメリカのトランプ大統領と初の首脳会談（2018）

戦後のアフリカの独立国は「**北から南に独立・解放が進んでいく**」という大まかなイメージを持つのがコツです（地図**29－①**）。1950年代の独立は北アフ
アラブ系，ベルベル系民族が主体▲
リカが中心。**終戦直後は植民地を維持する方針だった英仏も，激しい独立運動に直面して独立容認へ軸足を移していきます。** **スーダン**はイギリスとエジプトが共同管理していましたが，56年に独立を宣言し，**モロッコ**と**チュニジア**がフランスから独立します。しかし「虎の子」**アルジェリア**は話が別。本国と近
▲1830年にフランスが征服　→テーマ20
いためにフランス人入植者（彼らにはフランス本国の市民権が認められていました）が100万人もおり，本国も彼らを支援して独立を認めず，**民族解放戦線（FLN）**との間で激しい戦いに。国を揺るがしかねない混乱を収拾するため，
▲フランスは80万もの兵力を投入
本国では**ド＝ゴール**が復帰するのでしたね。
▲→テーマ28

なぜ1960年に独立が集中したんですか？

1960年にイギリス首相がアフリカを歴訪してその民族意識を実見し，**植民**
▲マクミラン　「この大陸に吹いている変化の風を承認せざるをえない」と声明▲
地維持が困難なことを肌で感じたんです。またド＝ゴールは，独立を選んだ植民地には経済援助を行わない方針だったのですが，アフリカの指導者と交渉するうちに経済支援を継続する方針に転換し，これが60年のフランス憲法改正で規定されたんですね。なお，**1960年よりも前に「フライング独立」したサハラ以南の国**が**ガーナ**と**ギニア**です。

ついに1962年，フランスはエヴィアン協定で**アルジェリア**の独立を承認。
▲ミネラルウォーターで知られる地
ド＝ゴールはもともとはアルジェリア独立には慎重な立場でしたが，独立派に有利な戦況が彼に譲歩を強いたのです。同じ62年に独立した**ルワンダ**は，90年代に大規模な内戦が起こったことで有名です。また1960年に独立した国の中で，**コンゴ・ナイジェリア・ソマリア**などでも内戦・紛争が起こりました。
▲英仏領の独立に刺激され暴動　→ベルギーが独立承認
これらの戦いには複合的な要因が絡んでますが，p.241で挙げたアフリカの内戦・紛争の背景に注目です。**列強は現地の部族分布を完全に無視して植民地化**
▲アフリカの国境線の多くが不自然な直線であることが，その証左
しましたから，仲の悪い部族が同居したり，同じ部族が切り離されたり，という事態が起こります。また**領内の部族を仲違い（なかたが）させて団結を防ぐ列強の手法**
▲ルワンダ内戦はこのパターン
が，独立後の部族対立につながることも。ここに資源をめぐる野心や，ソ連＆
反帝国主義の立場から独立を支援▲
アメリカ＆旧宗主国の思惑も絡み，戦いは混沌（カオス）たるものに…。

南部の独立・解放は70年代以降にずれこみました。まずポルトガル領。独裁者サラザールは植民地支配を続けるのですが，**民主化**をうけて75年にアンゴラとモザンビークなどが独立しました。次にローデシアや**南アフリカ**におけ
のちに白人政権が倒れてジンバブエとなった▲
る「**人種差別しなければ罰せられる**」，**アパルトヘイト**ですね。南アフリカは，
▲→テーマ20
アパルトヘイトに対する国際的な批判をうけて61年にイギリス連邦から脱退。
1930年代にイギリス連邦内で事実上独立していた▲

各国から非難だけじゃなく，経済制裁もうけたんですよね。

はい，これがかなりのダメージだったようです。90年には反アパルトヘイトの先陣にあった**アフリカ民族会議（ANC）**（▲200以上の企業が南アフリカから撤退）が合法化され，指導者**マンデラ**（26年間投獄されていた▲）が釈放されました。翌年に**アパルトヘイト諸法が廃止**され，その後の選挙（全ての人種が参加した▲）によってマンデラが黒人として最初の大統領に就任しました。

コラム３に続き，パレスチナの状況です。第二次世界大戦後，国際連合では1947年，両者の縄張りを設定して共存を促す**パレスチナ分割案**（パレスチナのアラブ人▼）（▲案自体には，拘束力はなかった）が成立。アラブ人（パレスチナ人）には承服しがたい案でした（地図29－②）。

	人口比率	分割案前の土地	分割案での土地	第１次中東戦争後
アラブ人	67%	94% →	約44% →	20%
ユダヤ人	**33%**	**6%** →	**約56%** →	**80%**

分割案では，**人口で1／3に過ぎないユダヤ人にパレスチナの半分強の土地が割り当てられた**んです。ユダヤ人がここに**イスラエル**を建国すると，怒ったパレスチナ人がアラブ諸国の支援をうけて宣戦（**第１次中東戦争**）（▲イスラエル建国宣言の翌日）！　米英の支援をうけたイスラエルが返り討ちにして，アラブ人領域の多くを占領しました。**アメリカが原則として親イスラエル**であることが，イスラエルが強い秘訣の一つですが（イスラエルに有利なパレスチナ分割案もアメリカが多数派工作▼），これはアメリカにユダヤ系移民が多く（▲アメリカへの移民はパレスチナへの移民なみに多かった），財界にも多数のユダヤ系実力者がいる事情によります。イスラエル領に今まで暮らしていたアラブ人は追放され，家も土地も失ってしまいました（**パレスチナ難民**）（▲約100万人とされる）。

続いてエジプトの指導者**ナセル**が，独立後もイギリスが握っていた**スエズ運河**を1956年に奪還（**国有化**）すると，イギリスがイスラエルとフランスを誘って出兵し，**第２次中東戦争（スエズ戦争）**が勃発しました。でも，この出兵はソ連や国際社会から大ブーイングをくらい，アメリカまでもイギリスを非難しました。結局３カ国は撤退し，イギリス首相**イーデン**は退陣。政治的に勝利したナセルは一躍**アラブ民族主義**の英雄となったのです。なお1964年，パレスチナ人の土地と権利の回復を目指す**パレスチナ解放機構（PLO）**が結成され，のちに「不死鳥」**アラファト**が武装闘争を指揮していきます。

第２次中東戦争の本質は「イギリス VS エジプト」なんですね。

アラブ民族主義に警戒感を募らせたイスラエルは，1967年にエジプト・シ（▲ソ連が軍事的に支援していた）

リア・ヨルダンを奇襲攻撃！　圧勝し，パレスチナ全土を手中にしました（**第3次中東戦争**，地図29－③）。1973年の**第4次中東**戦争ではアラブ側が緒戦を制したものの，結局占領地は奪回できませんでした。しかしこの時，アラブの産油国からなる**OAPEC**が，「イスラエルに味方をする国には石油を売ってやらぬ」と石油の減産と親イスラエル国への石油禁輸を宣言（**石油戦略**）！　石油価格は1年で4倍に跳ね上がってしまいました。**石油の不足&値上がりによって先進国は深刻な混乱・不況におちいる**ことになります（**第1次石油危機**）。石油価格が上昇すると，石油が関わる諸製品も値上がり。「高すぎるよ～（涙）」と消費者は購入を手控えて，店の売り上げダウン。普通，商品が売れないならば店側は値下げして対処することも可能ですが，次の週には石油価格がさらに上がっているので，諸商品もさらに値上がり…，という修羅場になったんです。国際社会は「アラブ諸国を軽視したらエライことになる！」と一目置かざるをえなくなり，この戦争，**政略的にはアラブの大勝利**となりました。なお，この経済危機に対処するためにフランスの提唱で開かれたのが**サミット（先進国首脳会議）**の始まりです。

6日戦争とも▲
イスラエルの不敗神話が崩れた▲
▲アラブ石油輸出国機構　▲最大の標的はアメリカだが，日本も含まれていた
▲景気後退の局面で物価が上昇する現象をスタグフレーションという

ナセルの後継者となった**サダト**は，4度の戦争でイスラエルを滅ぼせなかった事実から「**シナイ半島**返還と引き換えにイスラエルを承認した方が得策だ」と現実路線を選択し，**エジプト＝イスラエル平和条約**が締結されました。そして1990年前後，中東和平の機が熟していきました。冷戦が終結して米ソの代理戦争という（これについては後でお話しますね）側面が薄れ，米ソが和平を勧めたことが一因です。1993年，**パレスチナ暫定自治協定（オスロ合意）**が締結されてイスラエルがアラブ人自治を認め，両者の間で歴史的な一歩が踏み出されました。ところが協定を締結したイスラエル首相ラビンは暗殺され，その後成立した右派政権のもとでイスラエル軍がパレスチナ人の自治区へ侵攻。和平は大きく後退してしまい，現在に至っています。

▼イスラエル側も軍事費が重荷になっていた
▲度重なる戦争による軍事費が負担となっていたことも背景

戦後の中東諸国の展開を大まかに見ると，①アラブ民族主義の時代　➡②イスラーム復興の時代という感じになります。国の位置関係は地図24－①でご確認ください。まずはアラブ民族主義からいきましょう。もともと独立の際にイギリスが聞き分けのいい国王を据えていたので，エジプトやイラクは親英でした。第1次中東戦争後の1952年，エジプトでは自由将校団が国王を倒して**共和政**を樹立し，1956年に**ナセル**政権が誕生。彼は1955年に**アジア＝アフリカ会議（バンドン会議）**に参加する一方，イギリス主導の反共軍事同盟**バグダート条約機構（METO）**への加盟を拒否するなど**「ミスター反帝国主義」**というべき存在でした。さらにナセルは反英米の立場から**ソ連に接近**したため，米英

→テーマ24▲
実態は，イギリスが中東を間接的に支配する道具であった▲

はアスワン＝ハイダムの建設資金援助を凍結してエジプトを締め上げました。
▲ナイル川の氾濫を防いで灌漑用水を確保し，水力発電にも活用
するとナセルは**いまだイギリスの支配下にあったスエズ運河を国有化**し，その通航料収入をダム建設資金にあてようとしたのです。ここから**第２次中東戦争（スエズ戦争）**に至り，**アラブ民族主義**がフィーバーしましたね。これに刺激されてイラクでも，イギリス寄りの王を倒す**イラク革命**が起こって**共和政**へ。イギリスは中東から退場し，**米ソ冷戦とパレスチナ問題が結びつく**構図が形づくられました。エジプトのアスワン＝ハイダムはソ連の資金援助をうけて完成しており，中東に関するソ連の関心の高さがうかがえます。

ペルシア人国家イランでもイギリスの影響力は減退。それまでのパフレヴィ
▲アラブ人とは異なる民族
ー朝は親英で，採掘される石油は全てイギリスの懐に収まっていました。これに不満を抱いた**モサデグ**首相が，1951年にイギリス系の石油会社を接収し，**石油を国有化！**　しかし，怒った欧米の巨大石油資本がイラン石油を市場から
▲石油メジャー
締め出し，米英が国王を抱き込んでモサデグを排除しました。以降，イランはイギリスだけでなくアメリカとの関係を深めていき，国王**パフレヴィー２世**は
▲イランは1955年には METO に参加している
経済支援と石油収入を柱に，経済・社会の「**上からの近代化**」事業を進めました（**白色革命**）。
▲イランにもある程度の石油収入は入るようになった
▲「白」は，下からの共産主義革命が「赤」であることに由来

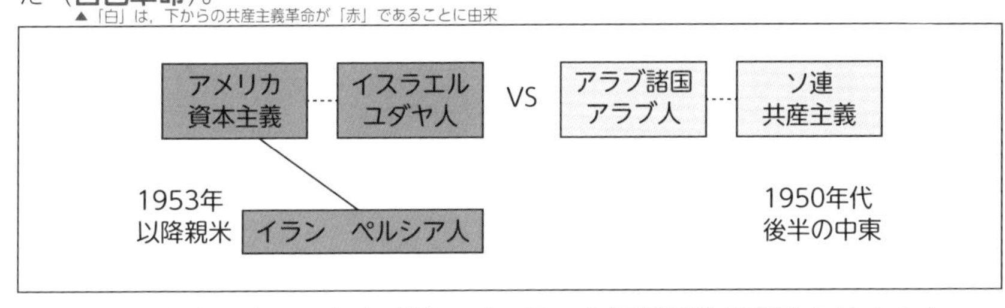

このような中，次のような事情で**イスラーム復興**運動が芽吹き始めます。

①西洋から導入した世俗的な自由主義・ナショナリズムへの失望・幻滅 ②第３次中東戦争でアラブ側が惨敗し，アラブ民族主義が挫折

「西洋文明・思想を積極的に取り入れてきたのにも関わらず，いまだに欧米に従属し，貧困からも抜け出せないじゃないか。そして，国家を強化する最強の道具であるナショナリズムを体現したアラブ民族主義も，尻すぼみになってしまった。オレ達は何を拠り所にすればよいのか…？」 葛藤の中で代替案として浮上したのが，かつて西洋の政教分離システムの前で否定された，**政教一致**のイスラームを土台とする国づくりだったんです（**イスラーム原理主義**）。

イランでも西洋的近代化は貧富の差を拡大させ，アメリカ的文明はイスラームの伝統を侮辱するモノ，という反発が高まりました。1979年に宗教指導者**ホメイニ**の号令で革命が起こり，**イランは「超反米国家」**へ豹変。国王を追放
▲シーア派のウラマー
した後のイランでは，イスラーム原理主義の**イラン＝イスラーム共和国**が成立

しました。

革命後，イランでは圧倒的多数の**シーア派**（▲アリーとその子孫のみを指導者として認める →テーマ12）が国教とされました。お隣イラクも国民の約半数（▲アリーの墓など，シーア派の聖地があるため）がシーア派であり，**スンナ派**の**フセイン**大統領が「イランめ，余計なことしやがって。我が国のシーア派が刺激されて革命を起こすかもしれん」と危機感を募らせてイランに宣戦布告（**イラン＝イラク戦争**（▲シーア派 vs スンナ派，ペルシア vs アラブ，という側面を持つ））！　アラブ国家イラクは以前からソ連の支援をうけていましたが，「イラン憎し！」のアメリカもイラクを支援する（これでイラクは軍事大国となり，自信を深めることになる▲），まさに呉越同舟（ごえつどうしゅう）。この戦争は両者ボロボロ（▲死者100万人を出したとされる）になって88年に停戦が成立します。疲弊（ひへい）したイラクは，90年にペルシア湾に面する小国**クウェート**へ侵攻（▲豊富な石油資源狙いだった）。前年に冷戦が終結していたため，この時の国連安保理は「ソ連が拒否権を発動して機能停止…」とはならず，かつてはイラク寄りだったソ連（▲ゴルバチョフ政権）も制裁に賛成したんですね。組織された**多国籍軍**（▲米軍が中心）がイラクを攻撃し，最新鋭の装備を駆使してイラク軍をクウェートから撤退させたのが**湾岸戦争**（イラク軍54万と多国籍軍69万（うち41万が米軍）が対峙▲）です。しかしフセイン政権は存続し，反米的な態度をとり続けました。

続いてイランの東にあるアフガニスタンでは，1978年に**共産系政権が成立し，イスラームを弾圧**する政策をとりました。大多数がイスラーム教徒である国民が反発すると，政権を支援するために**ソ連**軍がアフガニスタンへ侵攻したのです。反政府勢力がゲリラ戦術で対抗した戦いは「ソ連版ベトナム戦争」と化し，物心両面でソ連を苦しめました。

なぜアフガニスタンの政権は宗教弾圧を行ったんですか？

もともとマルクスの共産主義は「宗教」に否定的です。一例を挙げると，「労働者が神にすがれば，死後の救済を約束されて精神的にハッピーになり，資本家への不満を我慢してしまって，革命を起こせない！」という主張です。この時，隣国のイラン革命の影響もあってアフガニスタンでもイスラーム原理主義が高まってきました。ここで改めて地図**24ー①**を見ていただくと，ソ連領の中央アジア部分はイランとアフガニスタンと国境を接していて，両国からイスラーム原理主義が伝わることは十分ありえますよね。そして，その中央アジアには多くのイスラーム教徒が暮らしていたんです。イスラームに没頭する思想が広まれば，ソ連内で「資本家を革命で打倒する」という共産主義の屋台骨が動揺しかねない。これが，ソ連がアフガニスタンにこだわった理由です。

冷戦の文脈で考えると，**アメリカ**（▲カーター政権）**はソ連軍のアフガニスタン侵攻を見て猛反発し，新冷戦**（▲レーガン政権 →テーマ28）へ。アメリカはソ連の南下を抑えるため，反政府勢力を支援しました（でも他方で，イラン＝イラク戦争では米ソともイラク（▲米は「イラン憎し」，ソ連はアラブと友好的）をサポートしてましたよね。なんかもう，グチャグチャ）。結局は**ゴルバチョフ**がソ連軍をアフガニスタンから撤退させ，冷戦は終結へと向かいます。
▲1988年

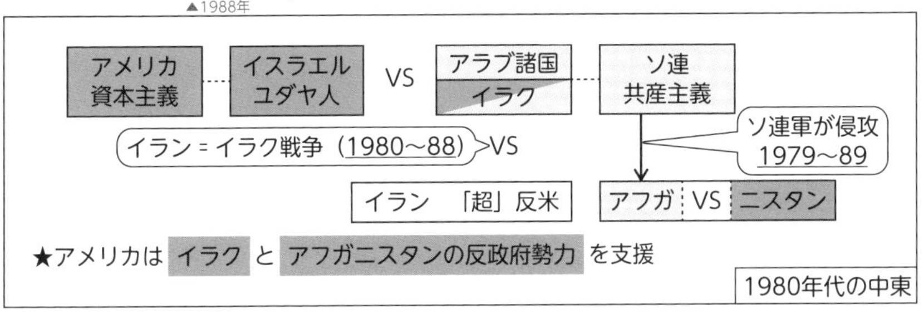

そして，ソ連軍撤退後のアフガニスタンからイスラーム原理主義の**ターリバーン**と**アル＝カーイダ**が生まれました。後者の指導者**ビン＝ラーディン**はアフ**ガニスタン内戦ではアメリカの支援をうけていました**が，**湾岸戦争を機に反米に転向**し，2001年に**アメリカ同時多発テロ**を画策（したとされています）。ターリバーン政権がビン＝ラーディンを匿(かくま)っているという情報を握ったアメリカが引き渡しを要求しますが，ターリバーンは拒否。**ブッシュ（子）**大統領は米軍をアフガニスタンへ送り，ターリバーン政権を崩壊させました（しかし**2020年代に入ってターリバーンは復権**。女性への教育機会の制限，女性のテレビ出演の厳格化など，イスラーム法を極端に解釈した政策を再び実行に移しています）。ブッシュ（子）は父以来の因縁の相手**フセイン**大統領に対しても**イラク戦争**を起こし，サダム＝フセインを拘束。しかしイラクの新政権が安定せず，イスラーム原理主義の武装組織 IS が登場。シリアを拠点に現地の**クルド人**も巻き込んで混乱を呼びました。

▲アフガニスタンをこえ，国際的ネットワークを形成
▲→テーマ28
女性のドラマ出演禁止，女性司会者のスカーフ着用▲
▲スンナ派とシーア派が抗争
▲イスラミック＝ステイト

イスラーム復興と同様に，インドとパキスタンも宗教が色濃く絡んできます。ヒンドゥー教徒が多数を占める**インド**とイスラーム教徒が優勢な**パキスタン**に分離して独立したのは，イギリスが両者を分断して統治してきた歴史を反映したもの。両国は，３度にわたり戦争を行います。そのうち２度は**カシミール**の帰属が原因。３度めは東パキスタンの独立をめぐって。下の地図で，ムスリムが多かった地域AとBが，パキスタンとして独立しました。

▲→テーマ20
▲便宜上，Aを西パキスタン，Bを東パキスタンと呼ぶ

インドを挟んで離れ離れなのに，一つの国だったとは。見てみると，西のAの方が断然大きい。こちらが主導権を握ったんでしょうか。

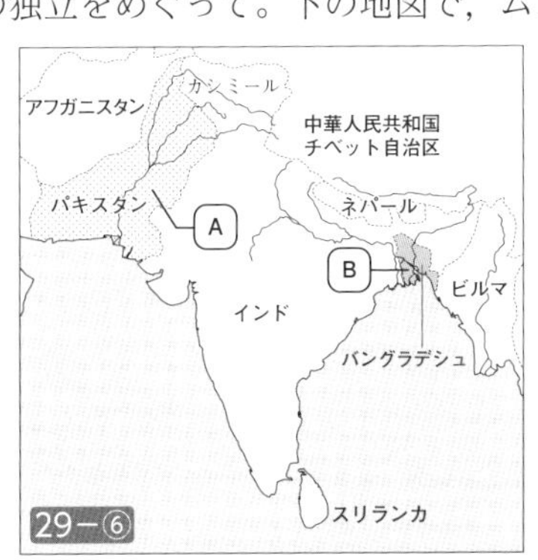

その通り。言語の相違，A中心の国家運営などからBの不満が蓄積し，1971年に分離・独立運動が起こります。パキスタンの力を削（そ）ぐ好機と見たインドはこれを支持し，Aに侵攻。インドが勝利し，東パキスタンは**バングラデシュ**として独立しました。印パ対立はのちに**核保有**にまで至ります。

▲西はウルドゥー語，東はベンガル語が用いられた
▲「ベンガル人の国」の意

第二次世界大戦中，ベトナムでは**ホー＝チ＝ミン**が進駐して来た日本軍と戦い，終戦直後に独立を宣言しました。しかし宗主国フランスが植民地支配を維持しようと介入し，独立闘争に突入します（**インドシナ戦争**，p.243の図）。フランスは南部に傀儡（かいらい）の**ベトナム国**を建ててベトナムは南北に分断されました。非正規兵も加わった山岳・農村部でのゲリラ戦でフランスの現代兵器の威力は削られ，ディエンビエンフーの戦いの大敗で大勢は決します。

▲10万のベトナム軍がフランス兵１万以上を捕虜とした

54年の**ジュネーヴ休戦協定**で南北統一選挙が定められ，フランスは撤退。これでインドシナ半島全体に平和が…，と思いきやフランスに代わって**アメリカが出馬してきます**。ホー＝チ＝ミンは共産主義国としての独立を目指していました。これを見過ごすわけにはいかないアメリカは，ジュネーヴ協定に調印せずに南に**ベトナム共和国**を建てました。ただこの「南ベトナム」はアメリカが勝手に領域を設定して建てたモノ。南部にもベトナムの独立・解放を望む人々が多数いました。そんな諸勢力を糾合して**南ベトナム解放民族戦線**が成立し，南ベトナム内で内戦が勃発するんです。

米側は「越南共産（ベトナムコンサン）」を略しベトコンと呼んだ▲

北ベトナムは民族戦線と反米の立場で連携し，内陸に構築した補給路「ホーチミン＝ルート」を通じて民族戦線を支援しました（地図**29－④**）。アメリカも武器援助や軍事顧問団の派遣で南ベトナムを支えますが，民族戦線のゲリラ戦術に手を焼き，さらに南政府の弱体が表面化。「米軍が直接介入するしかない」**ジョンソン**大統領は決断します。65年から**北爆**が始まり，その後の状況は**テーマ27**と**28**でお話しした通りです。①米軍がジャングルを丸裸にするために枯葉剤まで散布した。②ベトナム戦争は初めてTV中継された戦争だった。アメリカが国際的に非難を浴びた背景として①②も知っておくとよいでしょう。この戦争でアメリカ軍は，第二次世界大戦の２倍以上もの弾薬を消費し，６万人近くが犠牲になりました。ただ，アメリカの損害・消耗だけに注目しがちですが，**北ベトナムと解放民族戦線の戦死者は100万人をゆうに上回っている**事実にも，目を向けていただきたいです。

▲ラオスとカンボジアを経由している
▲実態は特殊部隊
▲10回以上もクーデタが起こる異常事態であった
▲北ベトナム爆撃
▲猛毒のダイオキシンを含む。人体に深刻な悪影響を及ぼした
▲これとは別に，200万人の民間人が犠牲になったともいわれる

米軍の撤収後，「内戦」となったベトナム戦争は，1975年に**サイゴン**が陥落して北が勝利。翌年に**ベトナム社会主義共和国**として統一を果たしました。

北爆と同年，インドネシアでも政変（**九・三〇事件**）がありました。**親米**の**スハルト**将軍が共産党を壊滅させ，**アジア＝アフリカ会議**を開催するなど**反帝国主義**の旗手だった初代大統領**スカルノ**から実権を奪ったのです。スハルトは

▲共産党とも協力関係を深めていた

アメリカを後ろ盾に30年間も独裁権をふるいましたが，97年にタイの通貨バーツの暴落に始まるアジア通貨危機に対処できず退陣へ。そのスハルト，かつてポルトガルからの独立を目指す**東ティモール**を併合していました。彼の失脚で再び東ティモール独立運動に火（▲この時アフリカではアンゴラなどが独立）がつき，2002年に独立を果たします（地図 29－⑤）。

続いてカンボジアに目を向けてみます。ベトナム戦争中，**カンボジアを経由するホーチミン＝ルート**をつぶすため，米軍はカンボジアに侵攻し，現地に親米政権を建てました。しかし米軍のベトナム撤退後の75年，親米政権は**クメール＝ルージュ**（赤色クメール▲）に打倒され，リーダーの**ポル＝ポト**が政権を掌握。彼は，**農業を基盤とする原始的共産主義社会の建設というあまりに急進的な策を掲げました**。具体的には通貨を廃止して銀行も爆破！　自給自足的な物々交換の経済を導入し，反対者はことごとく虐殺されました（現地の慰霊堂には犠牲になった人々の頭蓋骨が並べられています）。さらにこの後，諸勢力が乱立する内戦になってしまい，国連の支援のもとでようやく和平にこぎつけました。

もう一つ，ベトナム戦争で忘れてはいけないのが，67年にアメリカが結成した反共組織**東南アジア諸国連合（ASEAN）**です。親米マルコス大統領の**フィリピン**，九・三〇事件で実権を握ったスハルトの**インドネシア**，**マレーシア**，マレー人優遇政策に嫌気がさしてマレーシアから分離独立した**シンガポール**，**タイ**の５カ国が参加しました。アメリカは「ドミノ理論」を唱えて東南アジアに介入しましたが，まさにドミノ倒しを防ぐイメージ（▲ベトナムからの共産主義拡大をドミノ倒しにたとえた）。地図 29－⑤ で５カ国を見ると，ベトナム包囲網を敷いていることが分かります。この ASEAN，ベトナム戦争の終結後は**反共の色合いが薄れて経済協力機構にモデルチェンジする**のがポイント。もと共産主義の**ベトナム**（▲1995年）と**ラオス**（▲1997年）と**カンボジア**（▲1999年）が加盟し，前後してブルネイ（▲独立した1984年に加盟）と，当時軍事政権だった**ミャンマー**（ビルマ）（▲ラオスと同じ1997年）も加盟しており，現在は「ASEAN10」と呼ばれていますね（なお2022年の ASEAN 首脳会議において，東ティモールの新規加盟が内定しました）。

東アジアでは，終戦によって日本という共通の敵が失われると，今まで手を組んでいた国民党と共産党の対立が再燃し，**国共内戦**（▲実際は日中戦争中から国共は対立し，衝突）に突入。共産党は地主の土地を分配することを約束して農民の支持を固め，テングになっていた国民党（軍事費負担やアメリカからの借款で国民党支配地域の経済は混乱▲）をついに逆転！　1949年10月１日，毛沢東を国家主席とする**中華人民共和国**が成立し，**蔣介石**率いる国民党政府は台湾へ移りました。

50年代後半に入ると，中国の内外がざわついてきます。

毛沢東は共産主義の理念を追求	→ 外：**中ソ対立**
	→ 内：**大躍進，プロレタリア文化大革命**

対外的にはソ連の**フルシチョフ**が行った**スターリン批判**から，中ソ関係に不穏な空気が漂って中ソ対立へ向かいましたね。国内では58年から**「大躍進」**（第2次五カ年計画）が実行に移されました。毛沢東は「ソ連を見返してやる！」と鼻息荒く，過度な目標をぶち上げます。その目玉が人民公社に立脚した**農業の集団化**。農民は分配されていた土地を没収され，集約された土地で共同で働きます。そして生活全般も共同体の枠組み内で営まれるようになりました。「炊事・育児なども共同の食堂や託児所にまかせて生産に専念できる！」と宣伝文句が躍ったんです。しかしフタを開けてみると「大躍進」どころか「大失敗」。1000万人以上もの餓死者が…。

▲→テーマ27

▲イギリスの工業生産を抜くことを目標とした

これは以下の①～⑤などが重なった結果です。

①共産主義の原則である「働いても働かなくても同じ報酬」という悪しき平均主義，また生産した食糧を政府がさっさと徴収していくシステムは，農民のモチベーションを下げました（自慢の共同食堂もコスト意識が希薄で，食材を無駄に浪費）。

この二つを合わせて「一平二調」という▲

②工業生産を伸ばすために簡易な製鉄炉をこしらえて農民を製鉄にも従事させましたが，まともな鉄を作れずじまい。のみならず，工業に人手を割いたので農業も疎かになってしまいます。

③稲を隙間なく植える農法が推奨されたものの，土壌が疲弊し逆効果。

④おりからの自然災害（製鉄の燃料を確保するため過度に森林伐採したことが一因とされています）。

⑤中ソ対立の煽りで，中国に派遣されていたソ連の技術者が撤収。

大躍進ならぬ「大混乱」の責任をとって毛沢東は1959年に国家主席を辞任。代わった**劉少奇**は**農民の私有地を増やし，農作物の自由販売を認めて意欲を刺激**し，生産は回復に向かいました。

しかし60年代半ば，表舞台から退いた毛沢東が再始動。「資本主義にかぶれた劉少奇たちの思想は共産主義の敵だ。資本主義に幻惑された反乱分子を倒して，真の共産主義革命を成し遂げよう！」と権力の奪回を目指して反撃に出たのです。これが**プロレタリア文化大革命**（略して文革）。少しでも資本主義寄りとみなされた者は，毛沢東の熱烈な支持者によって吊るし上げ，死に追いやられたり収容所送りになりました。

劉少奇は監禁され，劣悪な住環境のもとで69年に病死。彼に次ぐ実力者の**鄧小平**も政界から追放されました。軍部を掌握する**林彪**や，毛沢東の妻江青らからなる側近「四人組」なども介入し，政治闘争が続きました（毛沢東は，鄧小奇らを資本主義復活をめざす「走資派」と罵倒しました）。**1976年に毛沢東が死去**すると，毛沢東という後ろ盾を失った四人組が華国鋒首相に逮捕され，ようやく文革は収束しました。

なお，この間の72年に**ニクソンが訪中**（▲→テーマ28）して米中が和解しました（日本の田中角栄首相もアメリカに追随して訪中）。この時に一番気の毒なことになったのは台湾でしょうね。71年に**国連代表権が交替**して国連からは追放され，米中・日中和解の煽（あお）りで，日米両国から断交されてしまったわけですから。

国内に目を戻すと，嵐が過ぎ去るのを待っていた**鄧小平**が復活して**改革・開放政策**へ舵（かじ）を切りました。**「四つの現代化」**を掲げ，**資本主義的要素を採用**（人民公社を解体して農民の意欲を高め，国営企業にも経営の自主権を与える）しました。目覚ましい成長を遂げて，今やアメリカに迫らんとする経済大国となった中国の足腰は，彼の時代に築かれたものといえますね。

しかし経済の自由化が進む反面，**共産党独裁体制は存続**したため，政治の民主化を求める声も高まってきました（そもそも共産党独裁（▲→テーマ22）を行う理由は「資本主義を打倒するため」ですから，資本主義を容認したのであれば，独裁の大義名分そのものが揺らぎます）。しかし鄧小平は一党独裁については一切妥協せず，民主化を要求する学生など10万人近くが集まった集会に人民解放軍を突入させて運動を鎮圧しました（▼犠牲者は政府発表で300人で，実際は数千人という説も）（**天安門事件**）（▲中国は世界的に非難を浴び，経済制裁をうけた）。事件以降も，一党独裁体制を維持しながら，資本主義の市場経済を導入する「**社会主義市場経済**」のスタンスは受け継がれ，現在に至ります。

その中華人民共和国と対立する台湾と，韓国には共通点を見出せます。

> ①冷戦下で共産主義陣営との緊張に対処するために**強権的体制**を敷いた
> ②強権的体制下で，**外資導入などによって経済開発を実現**し政権を正当化
> ③冷戦終結による**緊張緩和**，経済成長による諸変化（**中産層の成長，教育の普及，市民意識の向上**）から**民主化**が実現

台湾へ逃れた蔣介石は日本統治時代のインフラ，日米からの経済支援（▲日本からの円借款），外資の誘致をフル活用して経済を成長させました。一方で韓国も軍人出身の大統領が続き，**朴正熙**（パクチョンヒ）は**日韓基本条約**（形式上は朝鮮戦争は継続していることが背景▲）を結び日本の得た経済協力（▲無償3億ドル，有償2億ドル）で経済開発を進めます。彼の政権末期には民主化運動のボルテージが高まってくるのですが，80年の光州事件で運動はねじ伏せられました。冷戦が終結に向かった80年代末から③が進みます。台湾では**李登輝**（りとうき）（ただし，最初の就任は選挙で選ばれたのではない▲）が**初の総統選挙**を実施し，2000年には**民進党**への政権交代が実現。韓国では**直接選挙**の結果**盧泰愚**（ノテウ）大統領が誕生しました。

最後に南北朝鮮の関係です。韓国民主化の闘士**金大中**（キムデジュン）（▲彼の逮捕が光州事件のきっかけだった）は大統領に昇りつめ，「**太陽政策**」で北朝鮮との対話を重視し**南北首脳会談**を実現させましたが，北朝鮮が2006年に**核実験**（▲09年にも実施）を強行し，一気に緊張が高まりました。南北首脳会談&核実験の時の最高指導者が**金正日**（キムジョンイル）で，2011年に金正恩（キムジョンウン）が継承。2018年に初の米朝首脳会談が実現し，今後の動向が注目されます。

第7章 戦後の世界

平尾　雅規（ひらお　まさのり）
　河合塾世界史科講師。愛知県岡崎市出身。都圏の複数校舎で、国公立クラス、私立クラス、アクティブラーニングを行う低学年クラスといった多様な対面講座に出講する一方、「河合塾マナビス」でもメインとなる通史の映像講座を担当している。教材・模試作成では、早慶大対策のチーフも務める。
「世界史の習得度合いは、印象と反復のかけ算で決まる」がモットーで、史実の内容や因果関係を掘り下げて骨太に説明するかと思いきや、写真・図版やエピソードだけでなく数百におよぶインパクト重視のゴロ合わせを紹介するなど、硬軟織り交ぜて受講生の印象に残るような授業を展開する。
『大学入学共通テスト　世界史Ｂの点数が面白いほどとれる本』『大学入試　世界史Ｂ論述問題が面白いほど解ける本』『音声DL付　ゴロ合わせ世界史　まるごと年代暗記200』（以上KADOKAWA）、『HISTORIA［ヒストリア］　世界史精選問題集』（学研プラス）、『瞬間記憶！　つなげて覚える世界史Ｂ用語』（かんき出版）など著書多数。

大人（おとな）の教養（きょうよう）　面白（おもしろ）いほどわかる世界史（せかいし）

2023年３月29日　初版発行

著者／平尾（ひらお） 雅規（まさのり）

発行者／山下 直久

発行／株式会社KADOKAWA
〒102-8177　東京都千代田区富士見2-13-3
電話　0570-002-301（ナビダイヤル）

印刷所／株式会社加藤文明社印刷所

●お問い合わせ
https://www.kadokawa.co.jp/（「お問い合わせ」へお進みください）
※内容によっては、お答えできない場合があります。
※サポートは日本国内のみとさせていただきます。
※Japanese text only

定価はカバーに表示してあります。

ISBN 978-4-04-605944-4　C0022